DEUTSCHLAND
Grenzen von 1937
und heute

DEUTSCH UND DEUTSCHLAND HEUTE

TAPES

accompanying
Deutsch und Deutschland heute

NUMBER OF REELS:	22 (full-track)
SPEED:	3¾ IPS
RUNNING TIME:	20 hours (approximate)
MATERIALS RECORDED:	Pronunciation practice
	Lesson readings
	Oral exercises

The lesson readings are taped at normal speed as well as by phrases with pauses for student repetition. The pronunciation practice has pauses for student repetition. The oral exercises are four-phased: cue — pause for student response — correct response — pause for student repetition.

The American Book Company will provide, *free of charge*, a set of tapes for a college, school, instructor, or student requesting it for use in a course in which the text is adopted. Only an at-cost charge will be made to cover the raw tapes, handling and mailing.

DEUTSCH UND DEUTSCHLAND HEUTE

Albert L. Lloyd
University of Pennsylvania

Albert R. Schmitt
University of Colorado

AMERICAN BOOK COMPANY
New York

COVER ILLUSTRATION: Modern high-rise apartment building in Stuttgart (Courtesy German Information Center).

Preface

This text for beginning students of German is based on the following assumptions: In the first course, the student expects to begin speaking and comprehending the language as soon as possible. At the same time, practice in reading must ease the transition to intermediate-level courses, which often lay greater emphasis on this skill. Developing the writing skill depends on the goals of the course and the time available. Certainly some guided composition, even at the earliest stage, is a useful tool for converting a passive knowledge of sentence patterns into active, usable skills.

This book incorporates what we believe to be the chief virtues of audiolingual techniques (for example, stress on active oral drill), but it also does not neglect the ability (and need) of the student to think logically and construct new and varied patterns when provided with the grammatical "building blocks."

Recent advances in our understanding of the nature of language have provided new tools for language learning, with special emphasis on sentence structure as the real key to language. Accordingly, the presentation of structure in this book is based primarily on German sentence patterns. The student who can reproduce acceptable sentence patterns and create variations of his own can truly be said to be "thinking in German." Although this book owes allegiance to no one linguistic school, it has been inspired perhaps most strongly by transformational grammar in America and by the structural work carried on in Germany by H. Glinz and his followers.

Each lesson consists of the following:

1. A pattern sentence, which serves both as the title of the reading selection and as the key sentence structure in the lesson.

2. A reading selection, generally of a simple conversational nature at first, but gradually increasing in difficulty and length and including information about German life, history, and culture.

3. A list of the basic, "active" vocabulary used in the lesson. Every effort has been made to limit the *Wortschatz* to those words and idioms that a student is most likely to need; less common words (and words to be introduced actively later) are given in footnotes to the reading selections. "Form words" (articles, pronouns, prepositions, etc.) discussed in the lesson, though not necessarily repeated in the *Wortschatz*, are also considered active vocabulary.

4. Sentence patterns, numbered consecutively throughout the book and summarized in Appendix A.

5. Grammatical forms.

6. Oral and written exercises (additional exercises are provided in the *Übungsbuch* that accompanies the text). After mastering the patterns of the lesson through oral practice, the student is given an opportunity for guided composition through connected passages to be rendered in idiomatic German. Beginning with Lesson 6, topics for free composition are also provided.

7. A picture (except in the final lesson) based on the reading selection, and accompanied by oral exercises for additional practice in spoken German and as an aid to direct association of words with objects.

An opening lesson on pronunciation introduces the student to the sounds of German and provides pronunciation practice.

The three lessons titled "Altes und Neues" include review of patterns and forms, supplemented by additional information.

The last three lessons are intended especially as a transition to intermediate-level courses and stress features frequently encountered in German belletristic and scientific texts: extended-adjective modifiers, infinitive and participial phrases, anticipatory da-constructions, etc. These lessons may be given less stress in those classes where audio-lingual proficiency is the chief goal.

Appendix A provides summaries of patterns and forms, lists of strong and irregular verbs, a more detailed discussion of noun plurals, information on punctuation, and a list of nouns and adjectives of nationality. Appendix

B reprints the first seven reading selections in German type (Fraktur). A glossary of grammatical terms is provided inside the back cover.

The authors would like to express their thanks to Professor E. Krispyn, University of Pennsylvania, for contributing the essay on contemporary German literature which serves as the reading selection for Lesson 22.

Information about the tapes accompanying *Deutsch und Deutschland heute* appears opposite the title page of this book.

A. L. L.
A. R. S.

Contents

DEUTSCH UND DEUTSCHLAND HEUTE

Einleitung

Aller Anfang ist ~~schwer!~~ *leicht!*[1]

Liebe Studenten!

Sie beginnen nun eine neue Sprache. Vielleicht haben Sie Angst, denn manche Leute sagen, Deutsch sei schwer. Das ist aber nicht wahr. Millionen Menschen in der ganzen Welt sprechen diese Sprache, also muß sie doch leicht sein! Nur eine Handvoll Männer sind Astronauten. Das ist nämlich wirklich schwer; aber alle Menschen können eine Sprache sprechen, viele sogar Deutsch — auch Kinder! Sie aber sind Studenten, viel älter und natürlich auch klüger. Deshalb wird es für Sie sehr leicht sein, diese neue Sprache zu lernen. Bald können Sie den Lehrer verstehen und ihm einen „Guten Morgen" wünschen. Nächsten Sommer fliegen Sie dann vielleicht nach Deutschland oder Österreich und sprechen nur noch Deutsch. Sie vergessen Englisch und lesen Goethe und Schiller anstatt Shakespeare! Aber das wollen wir gar nicht. Wir sind froh, daß Sie bald Englisch u n d Deutsch können. Dazu wünschen wir Ihnen Erfolg und viel Vergnügen.

DIE VERFASSER

[1] **Aller Anfang ist schwer** is an old German proverb, somewhat similar in meaning to the English proverb "Well begun is half done."

Introduction

Easy!
Any Beginning is ~~Difficult!~~

Dear Students:

You are now beginning a new language. Perhaps you are afraid, because some people say German is difficult. But that is not true. Millions of people all over the world speak this language, so it really must be easy. Only a handful of men are astronauts. That, of course, is really difficult. But everyone can speak a language. Many even speak German — including children! You, however, are students, much older and, naturally, also smarter. Therefore, it will be very easy for you to learn this new language. Soon you will be able to understand your teacher and wish him a "Good Morning." Then you may fly to Germany or Austria next summer and speak only German. You'll forget English and read Goethe and Schiller instead of Shakespeare. But that's not really what we want. We are happy that you'll soon know both English *and* German, and we wish you success and much enjoyment.

THE AUTHORS

Aussprache
(Pronunciation)

A. Wortakzent (Accent)

Most German words bear the principal stress on the first syllable; for example, **ạrbeiten.** Words of non-German origin, however, are likely to be stressed on the last syllable. Words with irregular stress are indicated in the vocabularies of this book by an accent mark: a dot to indicate a stressed short vowel **(Studẹnt)** and a dash to indicate a stressed long vowel or diphthong **(Maschīne).**

B. Vokale (Vowels)

Since the sounds of one language are never exactly equivalent to those of another, the only way to acquire a correct pronunciation in a foreign language is to imitate carefully your instructor or the tapes. The English sounds given below for comparison are merely approximations of the German sounds.

German has both long and short vowels; all are "pure" vowels, which must be pronounced clearly and sharply without glide or "drawl." There are no silent vowels in German (even final **e** is always pronounced!).

A vowel is generally short when it is followed by two or more consonants. It is generally long otherwise. Double vowels or vowels followed by **h** are always long.

1. SHORT AND LONG a

Short **a** (similar to *o* in *hot*):	Long **a**, also spelled **aa, ah** (similar to *a* in *father*):
alt *(old)*[1]	Vater *(father)*
ganz *(completely)*	Tag *(day)*

[1]The English meanings given here are for your information and need not be learned.

4

fast   (*almost*)   Jahr   (*year*)
Mann (*man*)   fahren (*to drive*)

Compare short and long **a**:

satt   (*satiated*)   Saat   (*seed*)
Kamm (*comb*)   kam   (*came*)
Lamm (*lamb*)   lahm   (*lame*)

2. SHORT AND LONG e

Short **e** (similar to *e* in *bed*):   Long **e**, also spelled **ee, eh** (similar
                                          to *a* in *fate*, but without the glide):
Bett   (*bed*)   Meer   (*sea*)
setzen (*to set*)   nehmen (*to take*)
Geld   (*money*)   leben   (*to live*)
Hemd   (*shirt*)   sehen   (*to see*)

Compare short and long **e**:

weg   (*away*)   Weg   (*way, path*)
wessen (*whose*)   Wesen   (*being*)
denn   (*for*)   den   (*the*—accusative case)

3. UNSTRESSED e

A third **e**-sound (similar to the *e* in *the*, as in *the book*) is used only in unstressed syllables:

Gabe (*gift*)   fahren (*to drive*)   Schule (*school*)

4. SHORT AND LONG i

Short **i** (similar to *i* in *tin*):   Long **i**, also spelled **ie** and **ih**
                                          (similar to *i* in *machine*):
bin   (*am*)   Maschine (*machine*)
Sitte   (*custom*)   **ihn**   (*him*)
ist   (*is*)   sieht   (*sees*)
finden (*to find*)   fliegen   (*to fly*)

Compare short and long **i**:

in   **ihn**
Mitte   (*middle*)   Miete   (*rent*)
bitten (*to ask*)   bieten (*to offer*)

5. SHORT AND LONG o

Short **o** (similar to *o* in *often*):

Long **o,** also spelled **oo** and **oh** (similar to *o* in *tone,* but without glide):

oft	(*often*)	Ton	(*tone*)
Gott	(*God*)	Sohn	(*son*)
von	(*of*)	Boot	(*boat*)
Sonne	(*sun*)	ohne	(*without*)

Compare short and long **o:**

Sonne		Sohn	
offen	(*open*)	Ofen	(*oven*)
voll	(*full*)	Sohle	(*sole*)

6. SHORT AND LONG u

Short **u** (similar to *oo* in *foot*):

Long **u,** also spelled **uh** (similar to *oo* in *brood*):

Hund	(*dog*)	gut	(*good*)
Mutter	(*mother*)	fuhr	(*traveled*)
Luft	(*air*)	Buch	(*book*)
und	(*and*)	du	(*you*)

Compare short and long **u:**

Schulter	(*shoulder*)	Schule	(*school*)
Hund		Huhn	(*chicken*)
Luft		ruft	(*calls*)

7. UMLAUT

German has so-called umlauted vowels (**Umlaut** is the German word for the mark ¨ in **ä, ö,** and **ü**). An umlauted vowel may also be long or short.

Short **ä** (like short **e**):

Long **ä** (similar to long **e**):[1]

März	(*March*)	Väter	(*fathers*)
Wälder	(*forests*)	Käfer	(*beetle*)
Männer	(*men*)	erzählen	(*to tell*)
Sänger	(*singer*)	wählen	(*to choose*)

Compare short and long **ä:**

Kämme	(*combs*)	käme	(*would come*)
Männer		Mähne	(*mane*)

[1] In careful German speech, **ä** is a more "open" sound resembling the vowel in English *fair.*

Short **ö** (to produce this sound, round your lips as if to say short **o,** but, instead, try to pronounce short **e**):

öffnen	(*to open*)
Löffel	(*spoon*)
Götter	(*gods*)
zwölf	(*twelve*)

Long **ö** (round your lips as if to say long **o,** but, instead, try to pronounce long **e**):

Töne	(*tones*)
schön	(*beautiful*)
Söhne	(*sons*)
Goethe[1]	

Compare short and long **ö:**

öffnen	
Hölle	(*hell*)
Gönner	(*patron*)

Öfen	(*ovens*)
Höhle	(*cave*)
schöner	(*more beautiful*)

Short **ü** (round your lips as if to say short **u,** but, instead, try to pronounce short **i**):

küssen	(*to kiss*)
fünf	(*five*)
müssen	(*must*)
Küste	(*coast*)

Long **ü** (round your lips as if to say long **u,** but, instead, try to pronounce long **i**):

grün	(*green*)
müde	(*tired*)
Güte	(*goodness*)
lügen	(*to tell a lie*)

Compare long and short **ü:**

Hütte	(*hut*)
füllen	(*to fill*)
Glück	(*luck*)

Hüte	(*hats*)
fühlen	(*to feel*)
glühen	(*to glow*)

Note: The letter **y** occurs only in words of non-German origin. It is pronounced like **ü:** Physik (*physics*), mystisch (*mystical*).

8. DIPHTHONGS

au (similar to *ou* in *ouch*):

Haus	(*house*)
Baum	(*tree*)
blau	(*blue*)
Frau	(*woman*)

eu, also spelled **äu** (similar to *oy* in *boy*):

heute	(*today*)
Bäume	(*trees*)
Freude	(*joy*)
Fräulein	(*young woman, Miss*)

ei, also spelled **ai** (similar to *i* in *mine*):

mein (*my*)   drei (*three*)   Mai (*May*)   weil (*because*)

[1] **oe** in proper names is pronounced like **ö.**

Note: Do not confuse **ei** with **ie!** Compare: **Wein** (*wine*) — **Wien** (*Vienna*); **Leid** (*sorrow*) — **Lied** (*song*).

Übung (*Exercise*)

Say the following sentences several times:
1. Die Bäume sind schön. 2. In Wien trinkt man Wein. 3. Dieses Auto ist teuer. 4. Wir müssen laufen. 5. Sie ist müde. 6. Er hat viele neue Bücher. 7. Wie heißen Sie? 8. Im wunderschönen Monat Mai. 9. Die Katze fängt gern Mäuse. 10. Sie hat scharfe Zähne.

C. Konsonanten (Consonants)

1. b, d, g AND p, t, k

The consonants **b, d, g** and **p, t, k** are similar to the corresponding sounds in English (Note, however, that German **g** is always pronounced like hard *g* in *give*, never like soft *g* in *gin*!):

ha**b**en (*to have*), **B**uch (*book*)   **P**erle (*pearl*), hu**p**en (*to honk*)
der (*the*), e**d**el (*noble*)   **T**ier (*animal*), rei**t**en (*to ride*)
gut (*good*), **g**e**g**en (*against*)   **K**reide (*chalk*), Ha**k**en (*hook*)

Note: At the end of a word or syllable or before **t**, the letters **b, d, g** are pronounced like **p, t, k:** Die**b** (*thief*), le**b**t (*lives*), San**d** (*sand*), Aben**d** (*evening*), Ta**g** (*day*), sa**g**t (*says*).

2. f AND v

f and **v** are pronounced like **f:** **f**ahren, **V**ater, **v**or (*before*), Ha**f**en (*harbor*).

Note: In a few words of non-German origin, **v** is pronounced like English *v:* No**v**ember, No**v**elle, **V**ioline.

3. w

w is similar to English *v:* **w**ir (*we*), **w**o (*where*), **W**elt (*world*), **w**ar (*was*).

4. s

s has various pronunciations:

a. Before a vowel, **s** resembles English *z:* **s**agen (*to say*), **S**uppe (*soup*), E**s**el (*donkey*), le**s**en (*to read*).

b. In the combinations **sp** and **st** at the beginning of a word or syllable, **s** is pronounced like English *sh:* **sp**ielen (*to play*), **St**ein (*stone*), ver**st**ehen (*to understand*), be**sp**rechen (*to discuss*).

c. In all other positions, s is pronounced like *s* in *sun:* das (*that*), ist (*is*), gestern (*yesterday*), Glas (*glass*).

d. The combinations **ss** and **ß** are pronounced like single **s** in **das.** In printing, **ß** is used after a long vowel or diphthong, before a consonant, and at the end of a word.[1]

e. **sch** is similar to English *sh:* sch**ön** (*beautiful*), fri**sch** (*fresh*), **sch**enken (*to present*), Fla**sch**e (*bottle*).

5. z and tz

z and **tz** are pronounced like *ts:* Her**z** (*heart*), Hei**z**ung (*heating*), **z**ehn (*ten*), **z**iehen (*to pull*), Bli**tz** (*lightning*), Fri**tz**.

Note: In words ending in **-tion,** the **t** is pronounced like German **z** (*ts*): Na**ti**on, Funk**ti**on, Komposi**ti**on.

6. ch

There are two **ch**-sounds in German:

a. A breath-sound produced toward the front of the mouth when **ch** follows **e, i,** umlauted vowels, and consonants. The simplest way to produce this sound is to press the tip of the tongue firmly behind the lower teeth and try to pronounce the sound *ish* as in *fish.* The air is forced through between the raised part of the tongue and the roof of the mouth, producing a smooth friction sound: i**ch** (*I*), re**ch**ts (*right*), Bü**ch**er (*books*), man**ch**er (*many a*), Mäd**ch**en (*girl*), rie**ch**en (*to smell*), Lö**ch**er (*holes*).

b. A similar but more guttural sound, produced in the back of the mouth, when **ch** follows **a, o, u, au.** Pronounce *aka,* but allow air to pass between the roof of the mouth and the raised part of the tongue, producing a rough friction sound: a**ch** (*oh*), la**ch**en (*to laugh*), Lo**ch** (*hole*), do**ch** (*yet*), Bu**ch** (*book*), su**ch**en (*to seek*), rau**ch**en (*to smoke*).

Note 1: Final **-ig** is generally pronounced like **ich:** gült**ig** (*valid*), ew**ig** (*eternal*), Kleinigkeit (*trifle*), sonn**ig** (*sunny*).

Note 2: **ch** is pronounced like **k:**
  a. in some words of non-German origin: Cha**ra**kter, **Ch**or;
  b. in the combination **chs** (pronounced like *ks*): se**chs** (*six*), wa**chs**en (*to grow*), Fu**chs** (*fox*).

---

[1] It is not necessary to use **ß** in writing; **ss** is acceptable in all positions.

7. j

j is pronounced like English *y:* ja (*yes*), Jahr (*year*), jung (*young*), jagen (*to hunt*).

8. m, n

m, n are pronounced like their English counterparts.

9. l

German **l** resembles the initial *l* in English *leap*. Both sounds are produced primarily with the front part of the tongue, but for German **l** the tip of the tongue is brought forward until it reaches the base of the upper teeth and the forward part of the tongue arches slightly upward toward the roof of the mouth. (The sound of English *l*, as in *land* or *wall*, which is a "lower" sound produced farther back in the mouth, does not exist in German.): lieb (*dear*), Lied, leben, Land, laufen (*to run*), loben (*to praise*), helfen (*to help*), halb (*half*) welcher (*which*), edel (*noble*), hell (*bright*).

10. r

The standard German **r** is a "uvular" **r** (a sound produced by the vibration of the uvula). It is similar to the French **r,** but does not exist in English. This sound is not completely strange to you, however, since it is almost exactly the sound produced when gargling: braun, breit (*broad*), groß (*large*), treiben (*to drive*), grün, rot (*red*), reden (*to talk*), Rudolf, Renntier (*reindeer*).

11. h

h is like English *h* at the beginning of a word. After vowels it is silent and merely indicates that the preceding vowel is long: haben, Haus, heute; sehr (*very*), sehen (*to see*), Lohn (*reward*), nehmen.

12. x

x is pronounced like *ks:* Max, Axt (*axe*).

13. Consonant Combinations

kn: both **k** and **n** are pronounced: Knie (*knee*), knapp (*tight, meager*);
pf: both **p** and **f** are pronounced: Kopf (*head*), Apfel, Pferd (*horse*);
qu: pronounced like English *kv:* bequem (*comfortable*), quer (*diagonal*), Quelle (*source*);
ng: pronounced like *ng* in English *singer*, NEVER like English *finger:* Finger, bringen, Sänger, springen.

Übung

Say the following sentences several times:

1. Fritz Fischer fängt frische Fische. 2. Bücher sind Quellen der Weisheit. 3. Drei große Ratten rannten über den Rasen. 4. Wilhelm Tell schießt seinem Sohn den Apfel vom Kopf. 5. Der Zahnarzt zieht Zähne. 6. Ach, Hans, lach mich nicht aus! 7. Ihre Stimme klang laut und hell. 8. Singe, wem Gesang gegeben! 9. Der Dieb stiehlt Geld. 10. Jedes Jahr wird er jünger.

D. The Consonants of English and German

English and German are related; both belong to the Germanic family of languages, to which Dutch and the Scandinavian languages also belong. For this reason, many words in both languages are identical or similar; for example: **Haus** — *house;* **Mann** — *man;* **Boot** — *boat.*

English and German words that are obviously related often have different consonants: **Buch** — *book;* **Bett** — *bed;* **Pfund** — *pound.* German consonants underwent a sound change between the fifth and seventh centuries. This change is known as the "High German Sound Shift." As a result, we find today the following consonant equivalents in many words:

1. English *p* = German **pf** or **ff**: *pepper* — **Pfeffer;**
2. English *t* = German **z, tz,** or **ss**: *ten* — **zehn;** *sit* — **sitzen;** *eat* — **essen;**
3. English *k* (*c*) = German **k** or **ch**: *come* — **kommen;** *make* — **machen;**
4. English *d* = German **t**: *do* — **tun;**
5. English *th* = German **d** (rarely **t**): *thin* — **dünn;** *brother* — **Bruder;** *father* — **Vater.**

E. The Glottal Stop

Spoken English tends to run words together (*an old oak* usually sounds like "anoldoak"). In German, every word or component of a word is pronounced as a separate unit. This separation is accomplished by the use of the so-called "glottal stop," a quick closing and reopening of the vocal chords that cuts off the flow of air for a fraction of a second and prevents the final sound of the preceding word from merging with the initial vowel of the following word. Compare English *a nice man* (*anice man*) and *an ice man* (*an /ice man*). In careful speech, a slight glottal stop serves to distinguish the second example from the first. Be sure to use the glottal stop before every German word or word-component beginning with a vowel. Examples: eine / alte / Eiche; Er / ist / ein / armer / Amerikaner; Abendessen (*pronounce:* Abend /essen); erinnern (*pronounce:* er /innern).

F. Capitalization

1. All German nouns are capitalized.
2. The conventional forms of address **Sie** (*you*) and **Ihr** (*your*) are always capitalized.
3. The personal pronoun **ich** (*I*) is not capitalized, except at the beginning of a sentence.
4. Adjectives of nationality are not capitalized: der **englische** Soldat; die **deutsche** Musik.

Aufgabe 1

Der Film ist interessant.

„Guten Morgen, Herr Professor", sagt Günter Müller zu Professor Maier. Professor Maier ist sein Deutschlehrer.

„Guten Tag, Herr Müller", antwortet der Professor. „Sie sind heute so aufgeregt.[1] Was haben Sie denn?"

„Mein Freund Gerhard Lang und ich waren gestern im Kino", sagt   5
Günter. „Der Film war herrlich, eine Sensation!"

„Wirklich?" fragt Professor Maier.

„Ja, es war ein Farbfilm, *Der Besuch der alten Dame* (*The Visit of the Old Lady*). Sie kennen das Buch, nicht wahr? Es ist ein Roman von Friedrich Dürrenmatt", sagt Günter.   10

„Nein, es ist kein Roman", antwortet der Professor, „es ist ein Drama."

„Ja", sagt eine Stimme.

„Guten Morgen, Fräulein Schön", sagt Professor Maier.

„Mein Vater hat[2] das Buch", sagt Brigitte Schön. „Es ist sehr interessant."   15

„Ja, es ist wirklich sehr spannend.[3] Sie kommen heute in meine Deutschstunde, nicht wahr?"

„Natürlich", antworten Brigitte und Günter.

„Auf Wiedersehen", sagt der Professor.

„Auf Wiedersehen", sagen die zwei.   20

„Wie geht es dir?" sagt Günter zu Brigitte. Sie ist seine Freundin. Sie sind oft zusammen.

---

[1] excited.   [2] has.   [3] exciting.

„Danke, gut", antwortet sie. „Günter, dort kommt Heinz. Er ist so traurig."

25   „Heinz!" ruft Günter, „ich war gestern im Kino. Es war herrlich."

„Ja", sagt Heinz, „mein Bruder und seine Freundin waren auch dort, und ich nicht. Darum bin ich so traurig. Ich gehe aber heute abend."

„Das ist sehr nett", sagt Brigitte, „ich gehe auch."

‚Nein, das ist gar nicht nett', denkt Günter und fragt: „Ihr geht zu-
30   sammen?"

Günter ist nun plötzlich sehr traurig. Merkwürdig,⁴ nicht wahr? Unser Freund Günter ist leider⁵ kein Philosoph.

⁴ strange.   ⁵ unfortunately.

WORTSCHATZ (*Vocabulary*)

aber	but	**kommen**	to come
antworten	to answer	**lachen**	to laugh
auch	also	der **Lehrer**	teacher
die **Aufgabe**	lesson	der **Deutschlehrer**	German teacher
das **Bild**	picture	der **Mann**	man, husband
der **Bruder**	brother	**natürlich**	natural(ly), of
das **Buch**	book		course
darum	that's why, there-	**nein**	no
	fore	**nett**	nice
denken	to think	**nicht**	not
dort	there	**nun**	now
eins	one, 1	**oft**	often
der **Film**	film, movie	**plötzlich**	sudden(ly)
der **Farbfilm**	color film, color	der **Roman**	novel
	movie	**rufen**	to call, cry
fragen	to ask	**sagen**	to say, tell
die **Frau**	woman, Mrs.,	**sehr**	very
	wife	**sein**	to be
das **Fräulein**	Miss, young lady	**so**	so
der **Freund**	(boy) friend	die **Stimme**	voice
die **Freundin**	(girl) friend	die **Stunde**	hour
gehen	to go	die **Deutschstunde**	German class
gestern	yesterday	**traurig**	sad
gut	good, well	**und**	and
der **Herr**	Mr., gentleman	der **Vater**	father
herrlich	marvelous	**von**	by, from
heute	today	**warum**	why
in	in, to	**wie**	how, as, like
interessant	interesting	**wirklich**	real(ly)
ja	yes	**zu**	to
kennen	to know	**zusammen**	together
das **Kind**	child	**zwei**	two
das **Kino**	movie theater		

IDIOMS

auf Wiedersehen	good-by
danke!	thank you
danke schön!	thank you
gar nicht	not at all
guten Morgen	good morning
guten Tag	hello, good day
heute abend	this evening, tonight
im Kino	at the movies
ins Kino	to the movies
nicht wahr?	isn't it? doesn't it? don't you? etc.; *changes a statement into a question to which an affirmative reply is expected*
was haben Sie denn?	
was hast du denn?	what is the matter with you?
wie geht es Ihnen?	
wie geht es dir?	how are you?

PATTERNS AND FORMS

Patterns

Although we must memorize words in order to learn a foreign language, words alone are almost always useless unless we know how to combine them into phrases, clauses, and sentences. For example, the words *the man, the dog,* and *bites* have quite different functions in the groupings "The dog bites the man," and "The man bites the dog," while the grouping "The man the dog bites" is meaningless unless other elements are added ("The man the dog bites is unhappy"). Thus, English has certain sentence patterns, and word groupings that do not follow these patterns may be unintelligible to a native speaker of English.

German also has sentence patterns, but these often differ so considerably from equivalent English patterns that you may not be understood if you try to translate word for word from one language into the other. It is important, therefore, that you become accustomed from the very beginning to using correct German patterns. This is the first step toward thinking in German.

PATTERN 1:

Der Film ist interessant.	*The film is interesting.*
Er ist ein Mann.	*He is a man.*
Die Frau kommt heute.	*The woman is coming today.*

Pattern 1 is the common pattern for a simple statement. It consists only of the three basic sentence elements: *subject* (**der Film, er, die Frau**), *conjugated verb*

(ist, kommt), and a *predicate element* which completes the thought introduced by
the verb **(interessant, ein Mann, heute).** Pattern 1 may be abbreviated:

> S——V; p.e. (Subject — Verb; predicate element)

Forms

1. Nouns

Der Mann ist traurig.	**Der Film** ist interessant.
The man is sad.	*The movie is interesting.*
Die Frau ist traurig.	**Die Aufgabe** ist interessant.
The woman is sad.	*The lesson is interesting.*
Das Kind ist traurig.	**Das Buch** ist interessant.
The child is sad.	*The book is interesting.*

German nouns may be masculine, feminine, or neuter. Their gender is
indicated by the form of the definite article (**der** = masculine, **die** = feminine,
das = neuter). Although nouns representing male beings are usually masculine and those representing female beings are usually feminine (but note
das Fräulein!), it is difficult to predict the gender of inanimate objects. It is
therefore important to learn the article together with each noun.

2. Personal Pronouns

a.

Er ist traurig.	**Er** ist interessant.
He is sad.	*It is interesting.*
Sie ist traurig.	**Sie** ist interessant.
She is sad.	*It is interesting.*
Es ist traurig.	**Es** ist interessant.
It is sad.	*It is interesting.*

> **er** = **der Mann, der Film**
> **sie** = **die Frau, die Aufgabe**
> **es** = **das Kind, das Buch**

The gender of the third person singular personal pronoun depends on the
noun it replaces. No other personal pronouns show gender distinction.

b. Heinz, **du** bist nett.
Heinz, you are nice.
Heinz und Günter, **ihr** seid nett.
Heinz and Günter, you are nice.
Herr Maier, **Sie** sind nett.
Mr. Maier, you are nice.
Herr und Frau Maier, **Sie** sind nett.
Mr. and Mrs. Maier, you are nice.

There are three German equivalents for English *you:* the singular familiar form **du,** normally used only when speaking to a close friend, a member of the family, or a young child; the plural familiar form **ihr** (plural of **du**); the conventional form **Sie** (always capitalized), which is both singular and plural and is the usual form of address.

3. Indefinite Articles and Ein-Words[1]

a.   **Ein** Mann ist hier.   *A man is here.*
     Eine Frau ist hier.   *A woman is here.*
     Ein Buch ist hier.   *A book is here.*

The indefinite article (English *a, an*) also shows gender in German, though not as clearly as the definite article: **ein** (masculine and neuter), **eine** (feminine).

b.   **Kein** Mann ist hier.   *No man, not any man . . .*
     Keine Frau ist hier.
     Kein Buch ist hier.

The adjective **kein** (*not any, no*) has the same endings as **ein.**

c.

mein Freund	**meine** Freundin	**mein** Buch	(*my*)
dein Freund	**deine** Freundin	**dein** Buch	(*your*, familiar singular. See 2 b.)
sein Freund	**seine** Freundin	**sein** Buch	(*his, its,* referring to a masculine or neuter possessor **er, es**)
ihr Freund	**ihre** Freundin	**ihr** Buch	(*her, its,* referring to a feminine possessor **sie**)
unser Freund	**uns(e)re** Freundin	**unser** Buch	(*our*)
euer Freund	**eu(e)re** Freundin	**euer** Buch	(*your*, familiar plural. See 2 b.)
ihr Freund	**ihre** Freundin	**ihr** Buch	(*their*)
Ihr Freund	**Ihre** Freundin	**Ihr** Buch	(*your*, conventional singular and plural. See 2 b.)

The possessive adjectives have the same endings as **ein** and **kein.**

4. Present Tense of Regular Verbs

sagen *to say*		**antworten** *to answer*	**öffnen** *to open*
ich sage	*I say*	ich antworte	ich öffne
du sagst	*you say*	du antwortest	du öffnest
er, sie, es sagt	*he, she, it says*	er, sie, es antwortet	er, sie, es öffnet

---

[1] All words which have the same endings as **ein** and **kein** are called **ein**-words.

wir sagen	*we say*	wir antworten	wir öffnen
ihr sagt	*you say*	ihr antwortet	ihr öffnet
sie sagen	*they say*	sie antworten	sie öffnen
Sie sagen	*you say*	Sie antworten	Sie öffnen

The infinitive of every verb ends in **-en** or **-n.**

The present tense of regular verbs is formed by adding personal endings (in bold type, above) to the present stem of a verb. The present stem is obtained by dropping the infinitive ending **-en** or **-n;** for example, **sagen,** stem **sag-; antworten,** stem **antwort-.**

An **e** is inserted before the endings **t** and **st** for ease of pronunciation if:
a. the stem ends in **d** or **t** (du antwor**test,** er antwor**tet,** ihr antwor**tet**);
b. the stem ends in **m** or **n** preceded by a different consonant other than **l, r** (du öff**nest,** er öff**net**).

The German present tense has three English equivalents: **ich sage** may mean *I say, I am saying, I do say.*

The present tense is also frequently used to express future action, especially if the sentence contains a time expression indicating future (tomorrow, next week, and the like):

Ich gehe heute abend ins Kino.
I'm going (I'll go) to the movies tonight.

Note: Expressions of time precede expressions of place.

5. Present and Past Tenses of Irregular Verb <u>sein</u> (*to be*)

PRESENT	PAST
ich **bin**	ich **war**
du **bist**	du **warst**
er, sie, es **ist**	er, sie, es **war**
wir **sind**	wir **waren**
ihr **seid**	ihr **wart**
sie, Sie **sind**	sie, Sie **waren**

ÜBUNGEN

Mündlich (*Oral*)

A. *Replace the subject in each of the following sentences by the appropriate form of the personal pronoun:*

    EXAMPLE: **Der Film** ist interessant.
                    Er ist interessant.

1. Professor Maier ist sein Deutschlehrer.
2. Brigitte geht heute ins Kino.
3. Das Drama ist von Dürrenmatt.
4. Ihre Stimme ist traurig.
5. Der Farbfilm war herrlich, nicht wahr?
6. Unser Freund ist leider kein Philosoph.
7. Meine Freundin kommt heute abend.
8. Das Buch ist wirklich sehr spannend.

B. *Conjugate in the present tense:*
1. antworten. 2. fragen. 3. sein. 4. gehen. 5. kommen. 6. rufen.
7. lachen. 8. kennen.

C. *Complete the second sentence in each pair according to the following example, using the proper form of the ein-word:*

EXAMPLE: Karl, hier ist dein Bruder. Herr Schmidt, ...
   Herr Schmidt, hier ist Ihr Bruder.

1. Günter, hier ist dein Buch. Herr Maier, ...
2. Brigitte, deine Deutschstunde war interessant, nicht wahr? Günter und Brigitte, ...
3. Herr Professor, Ihr Vater war gestern hier. Günter, ...
4. Heinz und Günter, euer Freund ist traurig. Herr und Frau Maier, ...
5. Fräulein Schmidt, Ihre Freundin kommt heute. Heinz, ...

D. *Replace the noun in each sentence by the noun indicated and change the ein-word accordingly:*

EXAMPLE: Ein Buch ist hier. (Frau)
   Eine Frau ist hier.

1. Kein Mann antwortet. (Stimme)
2. Mein Freund ist sehr nett. (Freundin)
3. Keine Aufgabe war sehr gut. (Film)
4. Unser Buch ist wirklich interessant. (Deutschstunde)
5. Seine Frau war traurig. (Lehrer)

E. *Complete the second sentence in each pair with the proper form of the verb:*

EXAMPLE: Er ruft, ,,Guten Morgen!" Ich . . . .
   Ich rufe, ,,Guten Morgen!"

1. Heinz, du bist hier. Herr Schmidt, Sie . . . .
2. Ich antworte nicht. Mein Bruder . . . .

3. Wir lachen oft. Du . . . .
4. Er kennt das Buch. Heinz und Brigitte . . . .
5. Mein Freund war gestern im Kino. Der Lehrer und seine Frau . . . .
6. Wir kommen heute abend. Ich . . . .
7. Du gehst oft ins Kino. Ihr . . . .
8. Fräulein Schön und Herr Maier lachen und sagen, „Auf Wiedersehen!"
   Er . . . .

Schriftlich (*Written*)

F. *Write in German:*
1. Gerhard and his friend Brigitte were at the movies. 2. The film was interesting, but it was very sad. 3. My brother and I are going this evening. 4. Our German teacher is coming, too. He often goes to the movies. 5. Brigitte says, "The film is good but the drama by Thomas Mann is really marvelous." 6. "It's not a drama; the book is a novel, isn't it?" says Gerhard. 7. "No," answers the professor, "it's not a novel and it is by Dürrenmatt."

German Information Center

Studenten

This picture represents a scene from the reading selection of Lesson 1. The following statements refer to the contents of the picture. Some are true, others false. If a statement is true, indicate by saying **ja** and repeat the statement (for example: Das [*that*] ist ein Bild. Ja, das ist ein Bild.). If a statement is false, correct it (for example: Das ist ein Film. Nein. Das ist kein Film. Das ist ein Bild.).

SUPPLEMENTARY VOCABULARY

auf dem Bild	in the picture
etwas	something
das Fahrrad	bicycle

1. Fräulein Schön und ihre Freundin sind auf dem Bild.
2. Brigitte sagt etwas zu Günter.
3. Brigitte und Günter sind im Kino.
4. Günter hat ein Fahrrad.
5. Es ist Brigittes Fahrrad.
6. Heinz lacht.
7. Der Deutschlehrer ist auch auf dem Bild.
8. Heinz hat kein Fahrrad.
9. Darum ist er so traurig.
10. Brigitte hat ein Buch.

PATTERN SENTENCE:

Heute wandern wir.

Heute ist Sonntag, das Wetter ist schön, die Sonne scheint warm und die Schulbücher sind vergessen.[1] Fritz spricht mit Günter:

„Was machen wir heute?" fragt er.

„Das ist ganz einfach", antwortet Günter, „du nimmst dein Auto und
5   wir fahren nach Garmisch.[2] Das sind nur fünfzig Kilometer. Es ist schon Herbst und jetzt sind die Wälder besonders[3] schön. In Garmisch gibt es ein Restaurant, ich kenne es. Dort ißt man sehr gut."

„Halt!" sagt Fritz, „das Restaurant kommt später. Zuerst wandern wir. Die Berge und Seen, die Bäume, Wälder und Felder sind . . ."

10   „Jetzt sage i c h ‚halt'!" ruft Günter. „Du bist ein Naturfreund, ein Idealist, aber ich bin ein Realist, ich esse zuerst und wandere später."

„Aber dann regnet es vielleicht", sagt Fritz, „und wir wandern nicht mehr."

„Ist das so schlimm?" fragt Günter. „Die Natur läuft nicht weg. Wir
15   wandern dann nächsten Sonntag."

„Günter, da fährt Herr Baum, siehst du?" sagt Fritz. „Vielleicht fährt er auch nach Garmisch. Warum fahren wir nicht auch gleich?[4]

---

[1] forgotten.   [2] *town in southern Bavaria.*   [3] especially.   [4] right away.

(Zwei Stunden später in Garmisch.)

Das Wetter ist gar nicht mehr schön. Wo sind unsere Freunde? Viele
Leute gehen ins Restaurant. Ja natürlich, dort sitzen auch Fritz und
Günter und Herr Baum. Fritz sagt: 20
„Guten Tag, Herr Baum, wie geht es Ihnen?"
„Danke, gut", antwortet Herr Baum, „und Ihnen?"
„Gar nicht gut", sagt Fritz. Er ist sehr traurig, aber Günter lacht und
liest die Speisekarte.[5] Draußen[6] regnet es, aber im Restaurant ißt, trinkt
und singt man und . . . wandert heute nicht mehr. Günter ruft nun: „Herr   25
Ober, . . .!"

(Fortsetzung folgt).[7]

[5] menu.   [6] outside.   [7] to be continued.

WORTSCHATZ

das **Auto, -s**[1]	car	**nehmen**	to take
der **Baum, ⸗e**	tree	**er nimmt**	
der **Berg, -e**	mountain	**nur**	only
da	there	der **Ober, -**	waiter
dann	then	das **Restaurant, -s**	restaurant
einfach	simple	**scheinen**	to shine
essen	to eat	**schlimm**	bad
er ißt		**schon**	already
fahren	to drive, go	**schön**	beautiful
er fährt		der **See, -n**	lake
das **Feld, -er**	field	**sehen**	to see
fünfzig	fifty	**er sieht**	
ganz	quite, whole	**singen**	to sing
geben	to give	**sitzen**	to sit
er gibt		die **Sonne**	sun
der **Herbst**	fall, autumn	der **Sonntag, -e**	Sunday
jetzt	now (*syn. with* **nun**)	**später**	later
der **Kilometer, -**	kilometer	**sprechen**	to speak, talk
laufen	to run	**er spricht**	
er läuft		**trinken**	to drink
lesen	to read	**viele**	many
er liest		**vielleicht**	perhaps
die **Leute** (*pl.*)	people	der **Wald, ⸗er**	forest, wood
machen	to make, do	**wandern**	to hike
man	(*indefinite personal pronoun*) one, you, people, *etc.*	**wann**	when
		warm	warm
		was	what
mit	with	**weg**	away
nach	to (*with places only*)	das **Wetter**	weather
die **Natur**	nature	**wo**	where
der **Naturfreund, -e**	nature lover	**wohin**	where (to)
		zuerst	at first

[1] Indicates plural ending: **die Autos.**

IDIOMS

es gibt	there is, there are
es regnet	it rains
halt!	stop!
im Restaurant	in the restaurant
ins Restaurant	(in)to the restaurant
nächsten Sonntag	next Sunday
nicht mehr	no (not any) more,
	no (not any) longer

PATTERNS AND FORMS

Patterns

In the first lesson, you learned the normal German sentence pattern:

PATTERN **1**: NORMAL WORD ORDER (STATEMENT)

S————V; p.e.	
Wir wandern heute.	*We'll hike today.*
Unsere Freunde essen dort.	*Our friends are eating there.*

Several other simple sentence patterns are equally important:

PATTERN **2**: INVERTED WORD ORDER

a. Statement

p.e.;   V————S
Heute wandern   wir.
Dort   essen   unsere Freunde.

b. Question

p.e.;   V————S;
1. **Wann wandern   wir?**   (Answer: **Wir wandern heute.**
                                           or: **Heute wandern wir.**)

  Wo   essen   unsere Freunde?   (Answer: **Unsere Freunde essen dort.**
                                           or: **Dort essen unsere Freunde.**)

p.e.;   V————S;   p.e.
2. **Warum wandern   wir   heute?**   (Answer: **Das Wetter ist
                                                schön heute.**)

  Warum   essen   unsere Freunde dort?   (Answer: **Das Restaurant ist
                                                sehr gut.**)

PATTERN 3: VERB-FIRST WORD ORDER

a. Question

V————S;	p.e.	
Wandern	**wir**	**heute?**
Essen	**unsere Freunde**	**dort?**

(Answer: **Ja.** or: **Nein.**)
(Answer: **Ja.** or: **Nein.**)

Observation 1: In a simple statement, the conjugated verb is always the *second* element. The first element may be the subject (normal word order: Pattern 1) or a predicate element (inverted word order: Pattern 2a). Normally no predicate element may come between subject and verb.

Observation 2a: Patterns 1 and 2a are interchangeable and do not basically differ in meaning.

Observation 2b: A question may be distinguished from a statement by a question word (such as **wo, wann**). In such questions, the verb also appears as the *second* element (Pattern 2b).

Observation 3a: If no question word is used, as in questions requiring a yes-or-no answer (Pattern 3a), the verb *begins* the sentence. This verb-first word order plus question intonation (and in writing a question mark) signals a yes-or-no question.

Forms

1. Plurals of Nouns

German has various ways of forming the plural of nouns. Some words of non-German origin have plurals in **-s,** but native German words never use this plural sign.

German nouns form their plurals according to one of the following patterns. Beginning with this lesson, plural endings are indicated in the Wortschatz.

SINGULAR	PLURAL	VOCABULARY LISTING
1. der **Lehrer**	die **Lehrer**	der **Lehrer, -**
der **Vater**	die **Väter**	der **Vater, =**
2. der **Freund**	die **Freunde**	der **Freund, -e**
der **Baum**	die **Bäume**	der **Baum, =e**
3. das **Feld**	die **Felder**	das **Feld, -er**
der **Mann**	die **Männer**	der **Mann, =er**
4. die **Frau**	die **Frauen**	die **Frau, -en**
die **Stunde**	die **Stunden**	die **Stunde, -n**
5. das **Auto**	die **Autos**	das **Auto, -s**

There is no sure way to predict the plural ending of a particular noun.
Memorize the plural of every noun you learn! Here are the plurals of other
nouns you learned in the first lesson:

1. der **Bruder**, ⸚; das **Fräulein**, -.
2. der **Film**, -e; der **Roman**, -e.
3. das **Buch**, ⸚er; das **Kind**, -er.
4. die **Aufgabe**, -n; die **Stimme**, -n; die **Freundin**, -nen (that is, **Freundinnen**;
   note that feminine nouns in **-in** double **n** before adding the plural ending);
   der **Herr**, -en.
5. das **Kino**, -s.

2. Plurals of Articles and Ein-Words

You have just seen that the plural of the definite article is **die** for all genders.
The plural of **ein**-words is also identical for all genders. (Note that **ein** has
no plural.)

<table>
<tr><td></td><td>SINGULAR</td><td></td></tr>
<tr><td>ein Freund</td><td>eine Freundin</td><td>ein Buch</td></tr>
<tr><td>kein Freund</td><td>keine Freundin</td><td>kein Buch</td></tr>
</table>

<table>
<tr><td></td><td>PLURAL</td><td></td></tr>
<tr><td>Freunde</td><td>Freundinnen</td><td>Bücher</td></tr>
<tr><td>keine Freunde</td><td>keine Freundinnen</td><td>keine Bücher</td></tr>
</table>

The possessive adjectives follow the same pattern:

SINGULAR	PLURAL
mein, meine, mein	meine
dein, deine, dein	deine
sein, seine, sein	seine
ihr, ihre, ihr	ihre
unser, uns(e)re, unser	uns(e)re
euer, eu(e)re, euer	eu(e)re
ihr, ihre, ihr	ihre
Ihr, Ihre, Ihr	Ihre

3. Vowel Change in the Present Tense

fahren	laufen
ich fahre	ich laufe
du **fährst**	du **läufst**
er, sie, es **fährt**	er, sie, es **läuft**

wir fahren	wir laufen
ihr fahrt	ihr lauft
sie, Sie fahren	sie, Sie laufen

sehen	**geben**	**nehmen**
ich sehe	ich gebe	ich nehme
du **siehst**	du **gibst**	du **nimmst**
er, sie, es **sieht**	er, sie, es **gibt**	er, sie, es **nimmt**
wir sehen	wir geben	wir nehmen
ihr seht	ihr gebt	ihr nehmt
sie, Sie sehen	sie, Sie geben	sie, Sie nehmen

Some verbs change the vowel of the second and third persons singular. In these forms, **a** becomes **ä**, **au** becomes **äu**, and **e** becomes **ie** or **i**. All other forms of these verbs are regular. Note that **nehmen** also has a consonant change in the two irregular forms.

Other verbs in this lesson with vowel change are: **essen** (du **ißt**, er **ißt**), **lesen** (du **liest**, er **liest**), **sprechen** (du **sprichst**, er **spricht**).

4. The Pronoun das

Was ist **das**?	**Das** ist ein Buch.
What is that?	*That is a book.*

Das ist ein Mann.	*That is a man.*
Das ist eine Frau.	*That is a woman.*
Das ist ein Kind.	*That is a child.*
Das sind Männer, Frauen und Kinder.	*Those (they) are men, women, and children.*

The pronoun **das** (*that, those, they* used emphatically) does not show gender or number. It can be used only when there is no previously mentioned noun or personal pronoun. Note that a plural verb may be used with **das**.

5. Wo and Wohin

Wo ist das Buch?	*Where is the book?*
Wohin geht er?	*Where is he going?*

Wo asks the question: *where?* (indicating location); **wohin** asks the question: *where to?* (indicating motion). They are never interchangeable and must be carefully distinguished.

6. <u>Gehen</u> and <u>Fahren</u>

Er **geht** ins Kino.
He is going to the movies.
Er nimmt sein Auto and **fährt** nach Garmisch.
He takes his car and goes (drives) to Garmisch.

Gehen has the basic meaning *to go* and also the specific meaning *to go on foot, to walk.* **Fahren** means *to go by means of a vehicle, to ride, to drive, to travel.*

ÜBUNGEN

Mündlich

A. *Change each of the following sentences to inverted word order by placing the indicated predicate element first:*

EXAMPLE: Die Frau kommt *heute.*
          Heute kommt die Frau.

1. Das Kino ist *dort.*
2. Fritz und Günter wandern *nächsten Sonntag.*
3. Es regnet *heute abend.*
4. Es ist schön *draußen.*
5. Man ißt und trinkt *im Restaurant.*
6. Ihr lest *oft.*
7. Die Sonne scheint *warm.*
8. Ich esse *zuerst.*
9. Das Wetter ist *heute* schön.
10. Er fährt *dann* nach Garmisch.

B. *Change the following statements to questions, using the indicated question words:*

EXAMPLE: Die Frau kommt heute. (Wann)
          Wann kommt die Frau?

1. Die Filme waren herrlich. (Wie)
2. Er spricht mit Günter. (Warum)
3. Sein Bruder und seine Freundin waren gestern im Kino. (Wann)
4. Günter ist plötzlich sehr traurig. (Warum)
5. Die Wälder sind heute schön. (Wie)
6. Nächsten Sonntag essen wir im Restaurant. (Wann)
7. Unsere Freunde sagen: „Auf Wiedersehen!" (Was)
8. Man wandert heute nicht mehr. (Warum)

C. *Change the following statements to questions, using* **wo** *or* **wohin:**

EXAMPLES: Dort ist Herr Schmidt.
Wo ist Herr Schmidt?

Er geht nach New York.
Wohin geht er?

1. Wir fahren heute abend nach München.
2. In Garmisch gibt es ein Restaurant.
3. Herr Baum ist auch da.
4. Brigitte und ihre Freundinnen essen im Restaurant.
5. Wir gehen nächsten Sonntag ins Kino.
6. Die Naturfreunde laufen weg.
7. In München scheint die Sonne heute.
8. Die zwei Leute kommen ins Restaurant.

D. *Change the following statements to yes-or-no questions:*

EXAMPLE: Das ist sehr schlimm.
Ist das sehr schlimm?

1. Es ist schon Herbst.
2. Wir wandern nicht mehr.
3. Die Sonne scheint heute.
4. Draußen regnet es.
5. Professor Maier war unser Deutschlehrer.
6. Die Aufgabe ist einfach.
7. Die Wälder sind jetzt sehr schön.
8. Herr und Frau Schmidt kommen später.
9. Er fährt zuerst nach München.
10. Sie kennt das Buch.

E. *Change the following sentences to the plural:*
1. Das Buch ist interessant.
2. Mein Freund geht oft ins Kino.
3. Dort fährt ein Auto.
4. Unser Lehrer ißt später.
5. Ihr Bruder ist im Restaurant.
6. Das ist kein Baum.
7. Der Mann und die Frau gehen ins Restaurant.
8. Seine Freundin ist traurig.
9. Euer Kind spricht Deutsch.
10. Der Berg, der Wald und das Feld sind schön.

F. *Change the following sentences by using the subject indicated:*

EXAMPLE: Sein Vater kommt. (du)
           Du kommst.

   1. Sie fahren nach München. (du)
   2. Ich war gestern im Kino. (er)
   3. Wir nehmen das Buch. (er)
   4. Er spricht mit Günter. (ihr)
   5. Wohin laufen Sie? (du)
   6. Wo essen wir heute abend? (ihr)
   7. Warum trinkt er nicht? (Sie)
   8. Wir lesen die Aufgabe. (er)
   9. Sieht er es? (ihr)
  10. Wir sprechen sehr viel. (sie)

Schriftlich

G. *Write in German:*

1. Next Sunday I am going to Munich (München).   2. Perhaps I'll go to the restaurant Annast.   3. There one sees many people.   4. In Munich it often rains, but in the restaurant it is very nice and cozy (gemütlich).   5. My friend Fritz often drives to Garmisch.   6. There he and his friends hike, and they see many mountains, lakes, and forests.   7. Suddenly it rains and the nature lovers run away.   8. Fritz also runs away, takes his car, and drives to Munich.   9. Two hours later he sits in the restaurant Annast and eats and drinks.   10. Where are his friends now?   11. Perhaps they will come also.   12. They (Das) are really nature lovers!   13. First they hike, then it rains and they go to the restaurant.   14. I am already there, but I am no nature lover.

Bergkirchlein
in Bayern

German Information Center

SUPPLEMENTARY VOCABULARY

die Kirche, -n	church
das Haus, ⸗er	house
was . . . noch	what else?
die Fahrräder	bicycles
(*pl. of* **das Fahrrad**)	

Answer the following questions in German (referring to the picture):

1. Wie ist das Wetter?
2. Regnet es?
3. Sind viele Autos auf dem Bild?
4. Sehen Sie auch Fahrräder?
5. Sieht man Wälder und Seen auf dem Bild?
6. Wandern viele Leute jetzt dort?
7. Was sehen Sie noch auf dem Bild?

PATTERN SENTENCE:

Lesen Sie bitte
die Speisekarte, meine Herren!

„Herr Ober, ich habe Hunger für drei!" ruft Günter laut.

„Das ist aber nett", sagt der Ober. „Lesen Sie bitte unsere Speisekarte! Dort finden Sie sicher[1] etwas."

„Danke", antwortet Günter, „aber sie ist so lang. Ohne Ihren Rat[2]

5 bestelle ich nichts. Was empfehlen Sie heute?"

„Der Koch empfiehlt seinen Rindsbraten in Burgundersoße,[3] Bratkartoffeln oder Kartoffelbrei und Gemüse."

„Gut", sagt Günter, „was für Gemüse haben Sie denn?"

„Erbsen, Bohnen, Karotten und Spargel", antwortet der Ober.

10 „Dann nehme ich Rindsbraten, Kartoffelbrei und Spargel", sagt Günter.

„Da steht ‚Tagessuppe', Herr Ober", sagt er dann. „Was für eine Suppe ist das heute?"

„Heute haben wir Gemüse- und Nudelsuppe", erklärt der Ober.

„Gut", sagt Günter, „ich bestelle Nudelsuppe." Dann liest Fritz die

15 Speisekarte.

„Nimm auch den Braten!" sagt Günter.

„Nein", sagt Fritz, „Braten hatten wir erst gestern. Ich habe fast keinen Hunger. Ich brauche etwas gegen meinen Durst. Herr Ober, für mich bringen Sie bitte ein Glas Bier und eine Portion Brot, Butter und Käse und

20 für meinen Freund hier ein Glas Rotwein! Du trinkst doch Rotwein, nicht wahr?"

„Nein, ich trinke nur Weißwein."

„Also dann ein Glas Weißwein", sagt Fritz.

---

[1] certainly. [2] advice. [3] Burgundy sauce.

32

Der Ober geht, bestellt das Essen und holt Messer, Gabeln, Löffel, Teller, Tassen, Gläser und Servietten. 25

„Unser Spaziergang⁴ durch den Wald war schön", sagt Fritz.

„Ja", sagt Günter, „aber schon dann hatte ich Hunger und jetzt . . . Fritz, da kommt unser Deutschlehrer! Ich sehe ihn durch das Fenster."

„Sieht er uns auch?" fragt Fritz. „Ist er allein?"

„Ich glaube, er sieht uns nicht", antwortet Günter. „Jetzt kommt seine 30 Frau um die Ecke. Kennst du sie?"

„Nicht sehr gut", sagt Fritz. „Ich glaube, sie fahren nach München. Dort kommt der Bus."

„Und hier kommt unser Ober", unterbricht Günter seinen Freund. „Er bringt unser Essen, dein Bier und meinen Wein." 35

„Guten Appetit, meine Herren!" sagt der Ober.

Unsere Freunde sagen „Danke" und dann kein Wort mehr. Sie haben jetzt den Mund voll.

⁴ walk.

WORTSCHATZ

all<u>ei</u>n	alone	die **Gabel, -n**	fork
also	thus, so (*do not confuse with English* also!)	das **Gem<u>ü</u>se -**	vegetable
		das **Glas, ⁼er**	glass
		glauben	to believe
best<u>e</u>llen	to order	**haben**	to have
das **Bier, -e**	beer	**hier**	here
die **Bohne, -n**	bean	**holen**	to fetch, get
der **Braten, -**	roast	der **Hunger**	hunger
der **Rindsbraten**	pot roast of beef	die **Kar<u>o</u>tte, -n**	carrot
brauchen	to need	die **Kart<u>o</u>ffel, -n**	potato
bringen	to bring	**Bratkartoffeln**	fried potatoes
das **Brot, -e**	bread	der **Kartoffelbrei**	mashed potatoes
der **Bus, -se**	bus	der **Käse**	cheese
die **Butter**	butter	der **Koch, ⁼e**	chef, cook
drei	three	**lang**	long
der **Durst**	thirst	**laut**	loud
die **Ecke, -n**	corner	der **Löffel, -**	spoon
empf<u>e</u>hlen	to recommend	das **Messer, -**	knife
er empfiehlt		der **Mund**	mouth
die **Erbse, -n**	pea	**nichts**	nothing
erkl<u>ä</u>ren	to explain, declare	die **Serviette, -n**	napkin
erst	only (*with expressions of time*)	der **Spargel, -**	asparagus
		die **Speisekarte, -n**	menu
das **Essen**	food, meal	**stehen**	to stand
etwas	something	die **Suppe, -n**	soup
fast	almost	die **Tagessuppe**	soup of the day
das **Fenster, -**	window	die **Gemüsesuppe**	vegetable soup
finden	to find	die **Nudelsuppe**	noodle soup
freundlich	friendly	der **Tag, -e**	day

die **Tasse, -n**	cup	der **Wein, -e**	wine
der **Teller, -**	plate	der **Rotwein**	red wine
unterbrechen	to interrupt	der **Weißwein**	white wine
er unterbricht		das **Wort, -e** and **=er**	word
voll	full		

IDIOMS

bitte	please
doch	*emphatic particle; example:*
	Du trinkst <u>doch</u> Rotwein?
	You do drink red wine?
Durst haben	to be thirsty
Hunger haben	to be hungry
Guten Appetit!	Enjoy your meal!
kein (-e, -) . . . mehr	no more, not any more, not another; *example:* **kein Wort mehr** not another word
was für ein, -e, - (*sing.*)	what kind of
was für (*pl.*)	what kind of
(es) steht	it says (*on the menu, in the newspaper, etc.*)

PATTERNS AND FORMS

Patterns

PATTERN 3: VERB-FIRST WORD ORDER (CONTINUED)

b. Imperative

>   V——S;   p.e.
> 1. **Lesen Sie** die Speisekarte, meine Herren!
> *Read the menu, gentlemen.*
> **Lesen wir** die Speisekarte!
> *Let's read the menu.*

>   V——;   p.e.
> 2. **Lies**   die Speisekarte, Günter!   *Read the menu, Günter.*
>   **Lest**   die Speisekarte, Kinder!   *Read the menu, children.*

Observation 3b: Commands require the same word order as yes-or-no questions (Pattern 3a). Verb-first word order plus command intonation signal a command. Note that, in German, commands are usually followed by an exclamation point.

Observation 3c: In the conventional imperative and the first person plural imperative (*let's* . . .: Pattern 3b, 1), regular verb-first word order is used. In the two familiar imperatives (Pattern 3b, 2) the subject is omitted, as in English.

Forms

1. Imperative

a. Conventional

sagen Sie!	**antworten Sie!**	**fahren Sie!**	
sehen Sie!	**geben Sie!**	**nehmen Sie!**	**seien Sie!**

b. First Person Plural

sagen wir!	**antworten wir!**	**fahren wir!**	
sehen wir!	**geben wir!**	**nehmen wir!**	**seien wir!**

c. Familiar Singular

sag(e)!	**antworte!**	**fahr(e)!**	
sieh!	**gib!**	**nimm!**	**sei!**

d. Familiar Plural

sagt!	**antwortet!**	**fahrt!**	
seht!	**gebt!**	**nehmt!**	**seid!**

a. The conventional imperative is the **Sie**-form of the verb, with the subject following.

b. The first person plural imperative (*let's . . .*) is the **wir**-form of the verb, with the subject following.

c. The familiar singular imperative of most verbs consists of the present stem of the verb plus the ending **e.** This **e** is frequently dropped in everyday speech: **sage** or **sag, komme** or **komm** (but not in stems ending in **d** or **t** or consonant plus **m** or **n: antworte; öffne**). The subject is always omitted.

Verbs like **sehen, geben,** and **nehmen,** which have vowel change of **e** to **ie** or **i** in the 2nd and 3rd persons singular (Lesson 2), have the same vowel change in the familiar singular imperative and never have a final **e.** No other verbs change vowel in the imperative.

d. The familiar plural imperative is the **ihr**-form of the verb with the subject omitted.

Note the irregularities in the verb **sein.**

2. Present and Past Tenses and Imperative of <u>haben</u> (*to have*)

PRESENT		PAST	
ich **habe**	wir **haben**	ich **hatte**	wir **hatten**
du **hast**	ihr **habt**	du **hattest**	ihr **hattet**
er, sie, es **hat**	sie, Sie **haben**	er, sie, es **hatte**	sie, Sie **hatten**

IMPERATIVE
haben Sie!
haben wir!
hab(e)!
habt!

3. Case

Der Mann ist hier.	Ich sehe **den Mann.**
The man is here.	*I see the man.*
Er ist hier.	Ich sehe **ihn.**
He is here.	*I see him.*

In the English sentences *The dog bites the man* and *The man bites the dog*, the position of the words indicates to us which sentence element is performing the action and which is receiving it or — in grammatical terms — which is the subject and which the direct object. This important distinction can also be indicated, however, by changing the form of the words, as in English: *He is here* (*He,* subject), *I see him* (*him,* direct object). In English we make such changes only in pronouns; for nouns we must rely on their position in the sentence to determine their function.

In German, nouns and pronouns are used in different forms, known as cases, according to their function in the sentence. The case of a noun is often indicated only by the form of its definite article or **ein**-word (Compare: **der** Mann, **den** Mann).

The subject of a sentence is in the nominative case (**er** and **der Mann** in the above examples). Likewise, the predicate element following the verb **sein** and similar verbs is in the nominative case (predicate nominative: **Er ist ein Mann**). Words are always listed in vocabularies and dictionaries in the nominative.

4. Accusative Case

German also has three other cases: genitive, dative, and accusative. In this chapter you will learn the accusative case, which is primarily the case of the direct object (**ihn** and **den Mann** in the above examples).

Ich sehe **den Mann.**	Ich sehe **keinen Mann.**	Ich sehe **ihn.**
Ich sehe **die Frau.**	Ich sehe **keine Frau.**	Ich sehe **sie.**
Ich sehe **das Buch.**	Ich sehe **kein Buch.**	Ich sehe **es.**

Ich sehe **die Männer, Frauen, Bücher.**
Ich sehe **keine Männer, Frauen, Bücher.**
Ich sehe **sie.**

The accusative form of most nouns is exactly like the nominative. The accusative of the definite article and **ein**-words differs from the nominative only in the masculine singular, which ends in **-en.** Similarly, nominatives and accusatives of third person pronouns are alike except for the masculine singular (**ihn,** accusative of **er**).

Accusative forms of the remaining personal pronouns are:

(NOMINATIVE)	ACCUSATIVE	
(ich)	**mich**	Er sieht **mich.**
(du)	**dich**	Er sieht **dich.**
(wir)	**uns**	Er sieht **uns.**
(ihr)	**euch**	Er sieht **euch.**
(Sie)	**Sie**	Er sieht **Sie.**

5. Prepositions with the Accusative Case

Er geht **durch den Wald.**	*He goes through the forest.*
Er macht es **für seinen Freund.**	*He does it for his friend.*
Er war immer **gegen mich.**	*He was always against me.*
Er geht **ohne seinen Freund.**	*He is going without his friend.*
Er kommt **um die Ecke.**	*He is coming around the corner.*

The accusative case is used after the following prepositions:

durch	*through*
für	*for*
gegen	*against, toward*
ohne	*without*
um	*around, about*

6. Adverbs

Das Wetter ist **schön.**	Sie singt **schön.**
The weather is beautiful.	*She sings beautifully.*
Ihre Stimme ist **laut.**	Sie spricht **laut.**
Her voice is loud.	*She speaks loudly.*
Der Film war **gut.**	Er liest **gut.**
The film was good.	*He reads well.*

Most German adjectives may also be used as adverbs, with no change in form and no ending of any kind.

7. Compound Nouns

das Gemüse + die Suppe = die Gemüsesuppe, -n
das Deutsch + die Stunde = die Deutschstunde, -n
das Deutsch + der Lehrer = der Deutschlehrer, -

Two or more nouns may form a compound noun. The gender of the compound and its plural depend on the gender and plural of the last noun in the compound. If several compound nouns with the same last element occur together in a sentence, this common element may be omitted and replaced by a hyphen in all compounds but the final one:

Heute haben wir **Gemüse-, Bohnen- und Nudelsuppe.**
Today we have vegetable soup, bean soup, and noodle soup.

8. Nouns of Quantity

Bringen Sie bitte **ein Glas Bier** und **eine Portion Brot und Butter!**
Please bring a glass of beer and a portion of bread and butter.

A noun expressing quantity is followed directly by another noun in the same case, without any preposition.

ÜBUNGEN

Mündlich

A. *Change the following conventional commands to familiar singular commands and familiar plural commands:*
1. Sprechen Sie nicht so laut! 2. Fahren Sie nach München! 3. Unterbrechen Sie mich nicht! 4. Lesen Sie die Speisekarte! 5. Gehen Sie durch den Wald! 6. Seien Sie nicht traurig! 7. Essen Sie nicht zuviel! 8. Bestellen Sie keinen Wein! 9. Nehmen Sie Ihr Buch! 10. Rufen Sie Ihren Vater!

B. *Change the following familiar commands to conventional commands:*
1. Frage den Mann! 2. Lauft nicht weg! 3. Mach deine Aufgaben! 4. Hole die Messer und Gabeln! 5. Bringt die Gläser und Tassen! 6. Lest eure Bücher! 7. Iß das Brot ohne Butter! 8. Erkläre den Film, bitte! 9. Sage kein Wort mehr! 10. Singt nicht so laut!

C. *Complete the second sentence in each pair, using the subject of the first sentence and changing it to accusative:*

EXAMPLE: Der Mann ist hier. Ich sehe . . . .
           Ich sehe den Mann.

1. Der Braten ist gut. Ich esse . . . .
2. Ich unterbreche ihn. Er unterbricht . . . .
3. Hier sind ein Messer, eine Gabel und ein Löffel. Der Ober bringt . . . .
4. Günter, wo ist dein Freund? Gehst du ohne . . . . ?

5. Die Suppe ist herrlich! Der Koch empfiehlt . . . .
6. Mein Deutschlehrer und seine Frau gehen jetzt ins Kino. Kennen Sie . . . . ?
7. Wo ist unser Auto? Wir brauchen . . . .
8. Heute ist der Wald so schön! Gehen wir durch . . . . !
9. Wir sind im Restaurant. Unsere Freunde sehen . . . .
10. Wo ist er? Ich habe ein Buch für . . . .
11. Der Roman ist sehr interessant. Lesen Sie . . . . !
12. Dort kommt unser Bus um die Ecke. Siehst du . . . . ?

D. *Replace the nouns in the following sentences by the appropriate forms of the personal pronoun:*

EXAMPLE: Erklären Sie den Film, bitte!
Erklären Sie ihn, bitte!

1. Günter bestellt das Essen. 2. Der Ober bringt den Braten. 3. Das Gemüse ist gut. 4. Trinken Sie Ihren Wein! 5. Die Naturfreunde wandern heute ohne meinen Bruder. 6. Wir brauchen die Messer und Gabeln. 7. Sehen Sie Frau Maier? 8. Wo ist deine Serviette? 9. Kennst du den Roman? 10. Der Koch empfiehlt die Gemüsesuppe.

E. *Complete the following sentences with the German equivalents of the words indicated:*
1. Er hat . . . (the plate, the napkin, the glass, the cups).
2. Er holt . . . (his books; our wine; her car).
3. Er ist . . . (our friend; their teacher; my brother).
4. Sie geht . . . (through the forest; around the corner; without her boy friend).
5. Er sieht . . . (a tree; the lakes; no people).
6. Es gibt[1] . . . (no more bread; many trees).

Schriftlich

F. *Write in German:*
1. "Fritz, I'm hungry. Let's eat." 2. "Where shall we go? I don't know any restaurants in Munich." 3. "I know the cook in the Restaurant Annast. 4. The soups are good there, and he recommends pot roast and fried potatoes." 5. "Perhaps I'll take the fried potatoes, but without the pot roast. I'm against pot roast!" 6. "Why? Do you eat only vegetables?" 7. "Yes, of course. A plate (of) carrots and beans and peas is so beautiful!" 8. "That's no food for a man! But come (on). Order your vegetables and

---

[1] Note that **es gibt** requires an accusative object. Why?

I'll order my roast." ... 9. In the restaurant, Günter calls the waiter and says: "Please bring a menu." 10. Fritz asks: "Waiter, what kind of soup is there today?" 11. The waiter answers: "There (it) says vegetable soup, but we have only noodle soup." 12. "Good," says Günter, "I'll take noodle soup and pot roast, and my friend will take soup and a plate (of) vegetables." 13. "Don't order for me, Günter," cries Fritz loudly. "I'm not hungry any more. 14. Waiter, bring me only a glass (of) wine."

Café in München

SUPPLEMENTARY VOCABULARY

auf deutsch	in German
das Café, -s	café
das Eis	ice cream
der Kaffee	coffee
der Kuchen, -	cake
der Tee	tea
der Tisch, -e	table

Antworten Sie auf deutsch!

1. Ist das ein Restaurant oder ein Café?
2. Was bestellt man im Restaurant?
3. Was bestellt man im Café?
4. Sitzen nur Frauen im Café?
5. Was sehen Sie durch die Fenster?
6. Rauchen alle Leute im Café?
7. Sehen Sie nur einen Tisch auf dem Bild?
8. Finden Sie das Café schön?

PATTERN SENTENCE:

Ich schicke
meinem Professor ein Buch.

Heidelberg, im November.

Lieber Herr Professor Müller!

Seit einem Monat bin ich hier in Heidelberg. Die Stadt und ihre Universität gefallen mir sehr. Das Studium ist schwer, aber Ihr Deutschunterricht
5   war gut, und ich verstehe die Professoren und Studenten ohne Schwierigkeit. Die Menschen hier sind freundlich und lieben das Leben und ihr Land. Das ist auch kein Wunder: das Neckartal mit seinen Schlössern und Dörfern ist wirklich sehr schön. Darum kommen so viele Touristen schon seit Jahren nach Heidelberg. Schon Goethe und Eichendorff[1] waren
10   begeistert von[2] dieser Stadt. Heidelberg mit seinem Schloß, der Brücke, den Kirchen und dem Blick von den Bergen ins Neckartal vergißt man nie wieder.

Und jetzt erzähle ich Ihnen kurz von meiner Reise nach Deutschland und von meinem Leben hier. Die Reise mit dem Schiff von New York
15   nach Hamburg war gemütlich und ruhig, d.h. ich war nicht seekrank! Auf dem Schiff tanzt man viel, auch ißt, trinkt und spricht man oft mit Freunden und Bekannten;[3] kurz, eine Schiffsreise ist erholsam.[4] Nach sieben Tagen waren wir in Hamburg. Von dort waren es acht Stunden mit dem Zug nach Heidelberg.

[1] *Johann Wolfgang von Goethe (1749-1832), famous German writer, author of "Faust." Joseph von Eichendorff (1788-1857), German Romantic poet.*   [2] enthusiastic about.   [3] acquaintances.   [4] relaxing.

Mein Leben hier ist sehr angenehm und interessant. Um neun Uhr   20
morgens gehe ich aus dem Haus. Nach den Vorlesungen[5] gehe ich manchmal mit meinen Freunden ins Restaurant. Oft essen wir auch bei mir oder
gehen zu einem Freund. Dann bringen wir ihm Brot, Butter, Wurst und
Käse und etwas zu trinken. Darum ist das Leben hier nicht sehr teuer. Mit
hundert Dollar, d.h. vierhundert Mark pro[6] Monat lebt man ganz gut.   25
Manchmal schickt mir mein Vater etwas Geld. Das hilft mir immer. Dann
kaufe ich ein Buch oder fahre mit dem Zug nach Mannheim und gehe ins
Nationaltheater.[7] Übrigens[8] habe ich ein Buch mit Studentenliedern.[9]
Ich schicke es Ihnen heute. Jetzt schließe ich meinen Brief mit einer
Strophe[10] aus einem Studentenlied von Viktor von Scheffel[11] über Heidel-   30
berg und grüße Sie herzlich,

Ihr
Peter Miller

Studentenlied

Alt Heidelberg, du Feine, du Stadt an Ehren reich,
am Neckar und am Rheine kein' andre kommt dir gleich.
Stadt fröhlicher Gesellen, an Weisheit schwer und Wein,
klar ziehn des Stromes Wellen, Blauäuglein blitzen drein.

(Old Heidelberg, you beautiful one, you city rich in honors,
no other equals you on the Neckar or on the Rhine.
City of gay fellows, heavy with wisdom and wine,
the river's clear waves are moving past, reflecting sparkling blue eyes.)

[5] lectures.   [6] per.   [7] *famous theater in Mannheim.*   [8] by the way.   [9] student songs.
[10] stanza.   [11] *Viktor von Scheffel (1826-1886), German poet and novelist.*

WORTSCHATZ

acht	eight	das **Geld**	money
als	as	**gemütlich**	cozy, comfortable,
angenehm	pleasant		enjoyable (*has no*
der **Blick, -e**	view, look		*definite English*
der **Brief, -e**	letter		*equivalent*)
die **Brücke, -n**	bridge	**grüßen**	to greet, say hello
(das) **Deutschland**	Germany		to
das **Dorf, ≃er**	village, small town	das **Haus, ≃er**	house
erzählen	to tell (*a story*)	**helfen** (*with dat.*)	to help
gefallen (*with dat.*)	to appeal (to), be	**er hilft**	
	pleasing (to)		
es gefällt mir	I like it		

herzlich	cordial(ly)	das **Schloß, ⸗sser**	castle
hundert	hundred	**schreiben**	to write
immer	always	**schwer**	difficult, heavy
das **Jahr, -e**	year	die **Schwierigkeit, -en**	difficulty
kaufen	to buy	**sieben**	seven
die **Kirche, -n**	church	die **Stadt, ⸗e**	city
krank	sick	das **Studium**	studying, studies
kurz	short(ly), in short	das **Tal, ⸗er**	valley
das **Land, ⸗er**	land, country	das **Neckartal**	Neckar valley
das **Leben**	life	**tanzen**	to dance
lieb	dear	**teuer**	expensive
lieben	to love	das **Theater, -**	theater
manchmal	sometimes	**übersetzen**	to translate
die **Mark** (*sing. and pl.*)	mark (*monetary unit*)	die **Universität, -en**	university
		der **Unterricht**	instruction
der **Mensch, -en**	human being, (*pl.*) people	der **Deutschunterricht**	German instruction
der **Monat, -e**	month	**vergessen**	to forget
neun	nine	**er vergißt**	
nie	never	**verstehen**	to understand
die **Reise, -n**	trip, journey	**vier**	four
die **Schiffsreise**	boat trip	**vierhundert**	four hundred
ruhig	quiet, calm	**wieder**	again
schicken	to send	das **Wunder, -**	wonder, miracle
das **Schiff, -e**	boat, ship	die **Wurst, ⸗e**	sausage
schließen	to close	der **Zug, ⸗e**	train

IDIOMS

etwas	some (*used only with singular nouns; for example,* **etwas Geld**)
morgens	in the morning
um acht Uhr	at eight o'clock
d.h. = **das heißt**	that is

PATTERNS AND FORMS

Patterns

PATTERN **4**: TWO OBJECTS

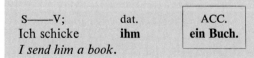

> S———V;   DAT.   ACC.
> Ich schicke **meinem Professor** **ein Buch.**
> *I send my professor a book.*

> S———V;   dat.   ACC.
> Ich schicke   **ihm**   **ein Buch.**
> *I send him a book.*

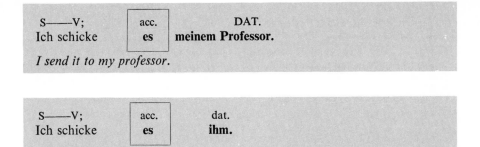

| S——V; Ich schicke | acc. es | DAT. meinem Professor. |

I send it to my professor.

| S——V; Ich schicke | acc. es | dat. ihm. |

I send it to him.

Note: In these patterns, DAT. and ACC. in capital letters signify nouns, dat. and acc. in small letters signify personal pronouns.

Observation 4a: If there are two objects, the dative (indirect) object precedes the accusative (direct) object, unless the accusative object is a personal pronoun.

Observation 4b: Personal pronoun objects immediately follow the conjugated verb. An accusative pronoun precedes a dative pronoun; both precede any noun.

PATTERN 5: PRONOUN OBJECT — NOUN SUBJECT (INVERTED WORD ORDER)

p.e.;   V——p.e.——S;   p.e.
Oft **schickt mir mein Vater** etwas Geld.
My father often sends me some money.
Heute **erklärt es der Lehrer** wieder.
Today the teacher explains it again.

Compare Pattern 2 (regular):

Oft **schickt er mir** etwas Geld.
Heute **erklärt er es** wieder.

Observation 5: Normally, S——V and V——S may not be separated by any predicate element. In inverted word order, however, a pronoun object usually precedes a noun subject (compare Observation 4b), even though it separates verb and subject.

Forms

1. Dative Case

Er gibt **dem Lehrer** das Buch.
Er gibt **seinem Lehrer** das Buch.
Er gibt **ihm** das Buch.

Sie gibt **der Freundin** das Buch.
Sie gibt **ihrer Freundin** das Buch.
Sie gibt **ihr** das Buch.

Ich gebe **dem Kind(e)** das Buch.
Ich gebe **meinem Kind(e)** das Buch.
Ich gebe **ihm** das Buch.

Er gibt **den Lehrern (Freundinnen, Kindern)** das Buch.
Sie gibt **ihren Lehrern (Freundinnen, Kindern)** das Buch.
Ich gebe **ihnen** das Buch.

The dative is the case primarily of the indirect object, indicating to or for whom something is done. The dative of the definite article and the **ein**-words ends in **-em** in the masculine and neuter singular, **-er** in the feminine singular, and **-en** in the plural of all genders. Masculine and neuter nouns of one syllable may add an optional ending **-e** in the dative singular. All nouns add **-n** in the dative plural unless their plural already ends in **-n**:

NOMINATIVE PLURAL	DATIVE PLURAL
die Lehrer	**den Lehrern**
die Kinder	**den Kindern**
die Bäume	**den Bäumen**

Exception: Nouns with **s**-plurals do not add **-n** in the dative plural (**die Autos, den Autos**).

The third-person pronoun ends in **-m** for masculine and neuter singular (**ihm**), **-r** for feminine singular (**ihr**), and **-n** for the plural of all genders (**ihnen**).

2. Review of Cases

Definite Article

SINGULAR

	MASC.	FEM.	NEUT.
NOM.	**der** Lehrer	**die** Freundin	**das** Buch
DAT.	**dem** Lehrer	**der** Freundin	**dem** Buch
ACC.	**den** Lehrer	**die** Freundin	**das** Buch

PLURAL

NOM.	**die** Lehrer (Freundinnen, Bücher)
DAT.	**den** Lehrern (Freundinnen, Büchern)
ACC.	**die** Lehrer (Freundinnen, Bücher)

Ein-Words

SINGULAR

NOM.	**ein** Lehrer	**eine** Freundin	**ein** Buch
DAT.	**einem** Lehrer	**einer** Freundin	**einem** Buch
ACC.	**einen** Lehrer	**eine** Freundin	**ein** Buch

PLURAL

NOM.	**keine** Lehrer (Freundinnen, Bücher)
DAT.	**keinen** Lehrern (Freundinnen, Büchern)
ACC.	**keine** Lehrer (Freundinnen, Bücher)

Personal Pronouns

SINGULAR

NOM.	**ich**	**du**	**er**	**sie**	**es**
DAT.	**mir**	**dir**	**ihm**	**ihr**	**ihm**
ACC.	**mich**	**dich**	**ihn**	**sie**	**es**

PLURAL

NOM.	**wir**	**ihr**	**sie**	**Sie**
DAT.	**uns**	**euch**	**ihnen**	**Ihnen**
ACC.	**uns**	**euch**	**sie**	**Sie**

3. Prepositions with the Dative

Er kommt **aus dem Restaurant.**
He comes out of the restaurant.
Er steht **bei seiner Freundin.**
He is standing beside his friend.
Er spricht **mit dem Koch.**
He is speaking with the cook.
Ich schreibe den Brief **nach der Deutschstunde.**
I'll write the letter after German class.
Seit dem Tag hatte er keine Freunde mehr.
Since that day he had no more friends.
Wir sprechen **von unserem Vater.**
We are speaking of our father.
Ich gehe **zu meinem Freund.**
I'm going to (see) my friend.

The dative case is used after the prepositions:

aus	*from, out of*		**seit**	*since*
bei	*near, beside, at the house of*		**von**	*of, by, from*
mit	*with*		**zu**	*to*
nach	*after, to*			

4. Prepositions with More than One Meaning

You have seen that prepositions often have more than one meaning. Observe the various uses of prepositions as you meet them. For example:

bei (basic meaning *close to, near, beside, with*)[1]:

Ich kenne ein Restaurant **bei Garmisch.**
I know a restaurant near Garmisch.

Idiomatic meaning:

Er ißt **bei seinem Bruder.**
He eats at his brother's (at his brother's house, place).

mit (basic meaning *with*)

Idiomatic meaning:

Er fährt **mit dem Zug.**
He goes by train.

nach (basic meanings *after; to,* used only with places):

Er schreibt den Brief **nach der Deutschstunde.**
He'll write the letter after German class.
Er fährt **nach Deutschland.**
He is going to Germany.

von (basic meanings *of; by; from*):

Er spricht **von seinem Vater.**
He is speaking of his father.
Das Buch ist **von Goethe.**
The book is by Goethe.
Er fährt **von Berlin** nach Frankfurt.
He goes from Berlin to Frankfurt.

5. (Schon) seit or schon + Present Tense

Er ist (schon) seit drei Jahren hier.
or
Er ist schon drei Jahre hier.
He has been here for three years.

To describe an action that began in the past and continues into the present, German uses the present tense with **schon, seit,** or **schon seit.** (English uses the perfect tense: *he has been.*)

---

[1] Caution: **bei** is not the equivalent of *by*!

6. Verbs Requiring a Dative Object

Er antwortet mir.	*He answers me.*
Es gefällt ihm.	*He likes it. It appeals to him.*

Certain verbs (including **antworten, gefallen,** and **helfen**) require an object in the dative case. Other verbs of this type will be indicated in the vocabularies.

ÜBUNGEN

Mündlich

A. *Replace the accusative object in each sentence by the appropriate personal pronoun:*

EXAMPLE: Der Mann gibt dem Lehrer das Buch.
Der Mann gibt es dem Lehrer.

1. Der Vater erklärt seinen Kindern die Aufgabe. 2. Übersetzen Sie Ihren Studenten das Gedicht! 3. Der Ober bringt unserem Freund die Wurst. 4. Mein Bruder empfiehlt seiner Freundin den Roman. 5. Geben Sie Ihrem Freund ein Glas Wein! 6. Der Mann kauft seiner Frau ein Auto. 7. Der Koch empfiehlt den Leuten seine Gemüsesuppe. 8. Erklären Sie meinem Bruder und seiner Freundin das Gedicht! 9. Fritz, gib deinem Vater das Brot, bitte! 10. Die Frau bringt ihrem Mann die Serviette.

B. *Replace the dative object in Übung A by the appropriate personal pronoun:*

EXAMPLE: Der Mann gibt dem Lehrer das Buch.
Der Mann gibt ihm das Buch.

C. *Replace both objects in Übung A by the appropriate personal pronouns:*

EXAMPLE: Der Mann gibt dem Lehrer das Buch.
Der Mann gibt es ihm.

D. *Begin each of the following sentences with the indicated word or words:*

1. Sein Vater schreibt ihm *heute* einen Brief. 2. Fritz bestellt *heute abend* keine Gemüsesuppe. 3. Sein Freund bestellt sie *heute abend*. 4. Mein Bruder sieht ihn *nächsten Sonntag*. 5. Er gibt ihm *dann* zwei Mark. 6. Der Professor hatte das Buch *gestern* im Restaurant. 7. Der Professor hatte es *gestern* im Restaurant.

E. *Complete the second sentence in each pair with the proper case form of the noun or pronoun from the first sentence:*

EXAMPLE: Das ist sein Auto. Er fährt mit . . . .
                    Er fährt mit seinem Auto.

1. Unser Deutschlehrer kauft ein Bild. Das Bild gefällt . . . .
2. Er antwortet uns. Wir antworten . . . .
3. Hier ist ihr Haus. Sie kommt aus . . . .
4. Sie hat kein Geld mehr. Wir helfen . . . .
5. Das Schloß hat viele Fenster. Die Sonne scheint durch . . . .
6. Sie kennen meinen Bruder, nicht wahr? Wir essen bei . . . .
7. Das Schiff fährt nach Hamburg. Wir fahren mit . . . .
8. Mein Vater kommt nicht. Ich gehe ohne . . . .
9. Wo ist die Universität? Fährt der Bus zu . . . ?
10. Sie schreiben mir. Ich schreibe . . . .

F. *Change the nouns to plural:*

1. Er schreibt einen Brief.
2. Wir antworten dem Lehrer.
3. Ich helfe meinem Bruder.
4. Der Naturfreund wandert durch den Wald.
5. Das Dorf gefällt mir.
6. Die Stadt mit ihrem Schloß und ihrer Brücke ist herrlich.
7. Der Mann hat kein Haus und kein Auto.
8. Der Zug fährt durch das Tal.
9. Wo ist mein Buch?
10. Was macht der Mann mit dem Messer?

Schriftlich

G. *Write in German:*

1. "Mr. Miller, why don't you write your professor a letter? 2. You have been here now for four weeks. 3. You like Heidelberg with its University, don't you? 4. Why don't you tell it to him?" 5. "Yes, I like the city, and the people are so friendly. 6. I'll write to him and tell him about my trip, my studies (singular), my life here, and my friends. 7. By the way (übrigens), Mrs. Huber, this evening my friends are coming to (see) me. 8. They are bringing me some wine and we'll eat at my place. 9. But I have no more bread and no more cheese." 10. "And you also have no more money, Mr. Miller, have you? 11. Here are two marks. Buy your friends some bread and cheese. 12. I also have a sausage. I'll give it to you." 13. "Thanks, Mrs. Huber, that is very nice of you. 14. In Heidelberg the people are really friendly!"

German Information Center

Heidelberg: Alte Brücke und Schloß

SUPPLEMENTARY VOCABULARY

liegen	to lie, be situated
das Gebäude, -	building
klein	small, little
groß	large, big

Antworten Sie auf deutsch!

1. Liegt Heidelberg am Rhein?
2. Ist Heidelberg ein Dorf?
3. Wie viele Schiffe sehen Sie?
4. Was für Gebäude sehen Sie in der Stadt?
5. Ist das Schloß sehr klein?
6. Was sehen Sie noch auf dem Bild?

PATTERN SENTENCE:

Wir fahren heute
mit dem Bus in die Stadt.

Wir stehen an der Haltestelle und warten auf den Bus. Es regnet, aber das ist nicht schlimm. Mein Freund hat einen Regenmantel und ich habe einen Schirm. Neben uns steht eine Frau unter einem Baum. Sie ist ganz naß. Oh, dort kommt endlich unser Bus. Er ist natürlich besetzt und wir
5 bekommen keinen Sitzplatz mehr. Aber im Bus ist es wenigstens[1] warm und trocken. Wir fahren gewöhnlich mit dem Auto in die Stadt, aber oft findet man keinen Parkplatz.

Zwischen meinem Freund und mir steht eine Mutter mit ihrem Kind. Plötzlich fragt sie mich:

10 „Entschuldigen Sie bitte, wohin fährt denn der Bus? Fährt er nicht zum Hauptbahnhof?"

„Nein, der Bus fährt zum Schloß."

„Das ist ja furchtbar", ruft die Frau laut, „da bekomme ich meinen Zug nicht mehr!"

15 „Seien Sie ruhig, liebe Frau!" sage ich zu ihr. „Wir sind bald am Marktplatz. Dort steigen Sie in die Linie 10 (zehn) und in fünf Minuten sind Sie am Bahnhof."

„Danke", antwortet die Frau und geht mit dem Kind an den Ausgang. Mein Freund sagt noch zu ihr:

20 „Gehen Sie nicht über die Straße, die Linie 10 kommt hinter uns!"

An der Haltestelle nach dem Marktplatz steigen wir auch aus dem Bus. Wir brauchen Bücher und ein paar Sachen für unsere Wohnung. Hier sind einige Geschäfte und Buchhandlungen und ein Kaufhaus. Ich habe nicht viel Zeit, also sage ich zu meinem Freund:

[1] at least.

„Warum gehst du nicht zuerst in die Buchhandlung und kaufst die   25
Bücher? Ich gehe inzwischen zum Kaufhof[2] und kaufe die Seife und die
Zahnpaste."

„Gut", antwortet er, „bis später."

Nach einer Weile komme ich wieder aus dem Kaufhaus. Da steht mein
Freund schon und wartet auf mich. Er lacht und ich frage ihn: 30
„Was hast du denn?" Er antwortet:

„Ich war schon in der Buchhandlung, da kommt die Verkäuferin und
fragt mich: ,Was wünschen Sie?' und ich sage: ,Ein Stück Seife und eine
Tube Zahnpaste, bitte!' Sie macht große Augen und sagt: ,Es tut mir sehr
leid, mein Herr, aber das führen[3] wir nicht. Wir verkaufen nur Goethe,   35
Schiller[4] usw.' ,Entschuldigen Sie bitte', sage ich dann zu ihr, ,ich war
gerade in Gedanken bei meinem Freund im Kaufhaus. Er kauft ein paar
Sachen für unsere Wohnung. Ich brauche einige Bücher.' Es war wirklich
komisch. Da liegen so viele Bücher auf den Tischen, und ich spreche von
Seife und Zahnpaste. Hast du alles?"   40

„Ja, natürlich. Fahren wir jetzt wieder nach Hause? Dort kommt gerade
die Linie 6 (sechs)."

„Nein, ich bleibe noch in der Stadt. Ich gehe mit der Verkäuferin aus
der Buchhandlung später ins Kino. Sie war so nett zu mir. Mach nicht so
große Augen! Auf Wiedersehen! Schnell, dort ist dein Bus! Oh, nimm   45
bitte meine Bücher und lege sie auf meinen Schreibtisch!"

---

[2] *Chain of department stores with branches in most major cities.*   [3] **führen** *here* to carry.
[4] *Friedrich von Schiller (1759-1805), famous German poet and dramatist.*

WORTSCHATZ

alles	everything	**furchtbar**	awful, terrible
das **Auge, -n**	eye	der **Gedanke, -n**	thought
der **Ausgang, ̈e**	exit	**gerade**	just
der **Bahnhof, ̈e**	(railroad) station	das **Geschäft, -e**	store, shop
der **Hauptbahnhof**	central station	**gewöhnlich**	usual(ly), ordi-
bald	soon		nary, ordinarily
bekommen	to get, receive	die **Haltestelle, -n**	(bus or streetcar)
besetzt	occupied, full,		stop
	taken	**hängen**	to hang
bleiben	to stay, remain	**inzwischen**	meanwhile
die **Buchhandlung, -en**	bookstore	das **Kaufhaus, ̈er**	department store
einige	some, a few	**legen**	to place, put, lay
endlich	finally	**liegen**	to lie
entschuldigen	to excuse	die **Linie, -n**	line
fünf	five	die **Linie 10**	number 10 car

der **Mantel,** ⸗	overcoat	**steigen**	to climb
der **Regenmantel**	raincoat	**steigen in**	to get aboard
die **Min̪ute, -n**	minute	**steigen aus**	to get off
die **Mutter,** ⸗	mother	das **Stück, -e**	piece
naß	wet	der **Tisch, -e**	table
noch	still, yet	der **Schreibtisch**	desk
der **Platz,** ⸗e	place	**trocken**	dry
der **Marktplatz**	marketplace	**verk̪aufen**	to sell
der **Parkplatz**	parking lot, park-	die **Verk̪äuferin, -nen**	salesgirl
	ing space	**viel**	much
der **Sitzplatz**	seat	die **Wand,** ⸗e	wall
die **Sache, -n**	thing	**warten**	to wait
der **Schirm, -e**	umbrella	die **Weile**	while
schnell	fast, quick	die **Wohnung, -en**	apartment
sechs	six	**wünschen**	to wish, desire
die **Seife, -n**	soap	die **Zahnpaste**	toothpaste
		zehn	ten
		die **Zeit, -en**	time

IDIOMS

bis später	so long
ein paar	a few
entschu̪ldigen Sie bitte!	pardon me, please!
es tut mir leid	I am sorry
große Augen machen	to look surprised
nach Hause	home (*with verbs of motion*)
zu Hause	at home
usw. = und so weiter	and so on, etc.
warten auf (*with acc.*)	to wait for

PATTERNS AND FORMS

Patterns

PATTERN 6: NORMAL WORD ORDER; SEVERAL ADVERBIAL EXPRESSIONS

> S——V ; p.e. (time), p.e. (manner), p.e. (place)
> Wir fahren   in die Stadt.
> Wir fahren **heute**   in die Stadt.
> Wir fahren **heute**   **mit dem Bus** in die Stadt.
> *We are going into town by bus today.*

Observation 6: If a simple sentence contains several adverbial expressions, expressions of time **(heute)** precede expressions of manner **(mit dem Bus),** and both precede expressions of place **(in die Stadt).**

PATTERN 7: DIRECT OBJECT PLUS ADVERBIAL EXPRESSIONS

Mein Freund kauft **heute ein Buch in der Buchhandlung.**
My friend is buying a book in the bookstore today.
Mein Freund kauft **es heute in der Buchhandlung.**
My friend is buying it in the bookstore today.

Observation 7: A direct object precedes most adverbial expressions, though it often follows time expressions. Note, however, that personal pronoun objects precede all adverbial expressions (Observation 3).

PATTERN 8: POSITION OF **nicht**

Er kauft das Buch.	Er kauft das Buch **nicht.**
He buys the book.	*He does not buy the book.*
Er gibt ihm das Buch.	Er gibt ihm das Buch **nicht.**
He gives him the book.	*He does not give him the book.*
Er kommt heute.	Er kommt heute **nicht.**
He is coming today.	*He is not coming today.*

But

Es ist sehr schön.	Es ist **nicht** sehr schön.
It is very beautiful.	*It is not very beautiful.*
Er spricht laut.	Er spricht **nicht** laut.
He speaks loudly.	*He does not speak loudly.*
Er fährt in die Stadt.	Er fährt **nicht** in die Stadt.
He drives into town.	*He does not drive into town.*

Observation 8: Nicht normally *follows* direct and indirect objects and most time expressions, and normally *precedes* other predicate elements. *Note:* **Nicht** immediately precedes any element it specifically negates:

Er kauft **nicht** das Buch, sondern die Seife.
He does not buy the book, but the soap.
Er kommt **nicht** heute, sondern später.
He is not coming today, but later.

Remember: **Nicht** plus **ein** becomes **kein** (*not a, no*):

Er hat ein Buch.	Er hat **kein** Buch.
He has a book.	*He has no book. He doesn't have a book.*

Forms

1. Prepositions with Accusative or Dative

Wohin geht er?   **Wo** steht er?
Where is he going?   *Where is he standing?*
Er geht **an das Fenster.**   Er steht **an dem Fenster.**
He is going to the window.   *He is standing at the window.*
Er geht **hinter das Haus.**   Er steht **hinter dem Haus.**
He is going behind the house.   *He is standing behind the house.*
Er geht **in das Restaurant.**   Er steht **in dem Restaurant.**
He is going into the restaurant.   *He is standing in the restaurant*

The accusative is used after the following prepositions if they answer the question **Wohin?** — indicating motion toward the object of the preposition. The dative is used if they answer the question **Wo?** — indicating location:

an	*to, at, on*	**über**	*over, across*
auf	*on, onto*	**unter**	*under*
hinter	*behind*	**vor**	*before, in front of*
in	*in, into*	**zwischen**	*between*
neben	*beside, near*		

2. Contraction of Prepositions with Definite Articles

ins Restaurant = in das Restaurant
im Restaurant = in dem Restaurant

Many prepositions may be contracted with forms of the definite article into one word:

ans	**= an das**	**im**	**= in dem**
am	**= an dem**	**ins**	**= in das**
aufs	**= auf das**	**zur**	**= zu der**
beim	**= bei dem**		

3. Special Uses of Prepositions

an

Basic meaning: 1. with dative: *at, on (the side of)*
                2. with accusative: *to, on(to)*

Das Bild hängt **an der Wand.**   *The picture is hanging on the wall.*
Er hängt das Bild **an die Wand.**   *He hangs the picture on the wall.*

auf

Basic meaning: 1. with dative: *on* (*top of*)
              2. with accusative: *on*(*to*)

Das Buch liegt **auf dem Tisch.**	*The book is lying on the table.*
Er legt es **auf den Tisch.**	*He lays the book on the table.*

vor

Basic meaning: *before, in front of* [1]
Er steht **vor der Kirche.** (place)
He is standing in front of the church.
Er sieht ihn **vor der Deutschstunde.** (time)
He sees him before German class.

Idiomatic meaning: *ago*

Vor zwei Jahren war er hier.	*Two years ago he was here.*

4. Prepositions Meaning "to"

zu

The most general preposition of the group; used with persons and frequently with places (but not geographical names):

Er geht **zu seinem Freund.**	Er geht **zum Bahnhof.**
He is going to (*see*) *his friend.*	*He is going to the station.*

an

Meaning: *up to* (*the side of, the edge of*), but not *into:*

Er geht **an das Fenster.**	*He is going to the window.*

in

Meaning: *into* (a building):

Er geht **ins Restaurant.**	*He is going to the Restaurant.*

nach

Used only with names of cities, countries, and continents:

Er fährt **nach München.**	*He is going to Munich.*

[1] Caution: **vor** never equals English *for.*

ÜBUNGEN

Mündlich

A. *Form sentences according to the following examples; use the correct forms of the words and phrases listed alphabetically:*

EXAMPLE 1: Mein Freund fährt oft mit dem Bus in die Stadt.

1. heute, Lehrer und ich, Restaurant, sitzen.
2. fahren, heute abend, München, Studenten, Zug.
3. Günter und seine Freundin, nächsten Sonntag, Wald, wandern.
4. Auto, Bahnhof, schon seit zwei Stunden, warten, wir.

EXAMPLE 2: Er gibt ihm das Buch nicht.

1. Aufgabe, erklären, Lehrer, nicht, sie.
2. bringen, Essen, Leute, nicht, Ober.
3. Bruder, empfehlen, Freundin, nicht, Roman.
4. bringen, Frau, Mann, nicht, Serviette.

EXAMPLE 3: Er fährt nicht in die Stadt.

1. Mann und Frau, nicht, Roman, sprechen, von.
2. gehen, Kino, nicht, wir.
3. er, Freund, gehen, nicht, ohne.
4. an, Fenster, nicht, sie, stehen.

EXAMPLE 4: Er legt das Buch nicht auf den Tisch.

1. Buch, er, lesen, nicht, Restaurant.
2. es, Kinder, nicht, sagen, vor, wir.
3. Bruder, es, machen, nicht, ohne, sie.
4. Brot, essen, Gabel, mit, nicht, wir.

B. *Complete the second sentence in each pair by using the proper form of the prepositional phrase in the first sentence:*

EXAMPLE: Das Bild hängt an der Wand. Er hängt das Bild . . . .
        Er hängt das Bild an die Wand.

1. Er geht an die Ecke. Er steht . . . .
2. Ich lege die Butter auf den Teller. Die Butter liegt . . . .
3. Die Seife liegt hinter der Zahnpaste. Lege die Seife . . . !
4. Die Frau steigt ins Auto. Sie sitzt . . . .
5. Das Geld liegt neben dem Glas. Fritz legt das Geld . . . .

6. Die Sonne steht über dem Berg. Wir wandern . . . .
7. Was legst du unter das Buch? Der Brief liegt . . . .
8. Das Auto steht vor dem Haus. Es fährt . . . .
9. Der Ober legt das Messer zwischen den Löffel und die Gabel. Das Messer liegt . . . .

C. *Answer the following questions in German, using the words indicated below in your answers:*

Wohin gehen Sie?

1. Fenster 2. Kaufhaus 3. Deutschland 4. mein Bruder 5. Deutschstunde 6. Haltestelle 7. New York 8. Tisch (hinter) 9. Straße (über) 10. Tisch und Fenster (zwischen).

Wo ist die Verkäuferin?

11. Buchhandlung 12. Ecke 13. Wald 14. Bahnhof 15. Kaufhaus (vor) 16. Tisch (hinter) 17. ihr Bruder (bei) 18. Tisch und Fenster (zwischen).

D. *Review. Change the verb in each of the following sentences to the imperative (conventional, familiar singular, and familiar plural):*

EXAMPLE: Er bringt mir das Buch.
Bring mir das Buch! Bringt mir das Buch! Bringen Sie mir das Buch!

1. Sie lesen die Speisekarte.
2. Wir bleiben zu Hause.
3. Fritz hilft seinem Freund.
4. Ich vergesse die Wörter nicht.
5. Er fährt mit dem Auto.
6. Du kommst mit uns.
7. Wir essen nicht zuviel.
8. Ich schicke meinem Professor ein Buch.

Schriftlich

E. *Write in German:*
1. "Do you think it will rain today?" 2. "Yes, perhaps. Why don't you go across the street into the department store and buy an umbrella?" 3. "Good. Do you need an umbrella, too?" 4. "No thanks, I already have one (use indefinite article) at home." 5. But you aren't there now and you need it here. 6. I'll buy one for you, too." 7. "But I don't have any

money now." 8. "Your father will send you some money again soon, won't he? Give it to me later." 9. "Thanks. Are you going to buy them first or are you coming with me to the bookstore?" 10. "I'm going to the Kaufhof first. Then I'll wait for you here." 11. "Good. Meanwhile I'll buy our textbooks in the bookstore. So long." 12. In the Kaufhof, the salesgirl says: "Good day, sir, what do you wish?" 13. "Do you have umbrellas?" "What kind of umbrella do you need? 14. We have many, and they are lying on the table there between the two windows. 15. I'll show them to you." 16. "I need two umbrellas, one for me and one for my friend. Are they very expensive?" 17. "No, here are two. Do you like them? 18. They are not expensive and they are very beautiful, aren't they?" 19. "Yes, they are really marvelous — for a lady (eine Dame)!" 20. "Excuse me. Of course you need men's umbrellas (Herrenschirme)!"

German Information Center

Buchhandlung

SUPPLEMENTARY VOCABULARY

tragen	to wear, carry
die Tasche, -n	pocket
nennen	to call, name
welche von diesen	which of these

Antworten Sie auf deutsch!

1. Was für ein Geschäft ist das?
2. Was macht die Verkäuferin?
3. Was liegt auf den Tischen?
4. Trägt der Mann in der Ecke einen Regenmantel? Warum?
5. Verkauft man nur deutsche[1] Bücher in der Buchhandlung?
6. Bekommt man hier auch Taschenbücher?
7. Warum nennt man sie „Taschenbücher"?
8. Wie viele Leute sehen Sie auf dem Bild?
9. Hängen Bilder an den Wänden?
10. Welche von diesen Sachen gibt es nicht auf dem Bild: Bücher, Zeitschriften, Schirme, Seife, Wände, Löffel, Schreibtische, Romane?

[1] The **e** in **deutsche** is a plural adjective ending.

Aufgabe 6

PATTERN SENTENCE:

„Ich lernte
die Sprache der Tiere."

Über den Wert der Erziehung.[1]

Vor Jahren — ich war noch ein Kind — erzählte mir meine Mutter ein Märchen. Es interessiert Sie sicher auch, und darum erzähle ich es Ihnen jetzt:

Es war einmal ein Graf.[2] Er hatte nur einen Sohn. Der Sohn aber war
5   sehr dumm und lernte nichts. Da sagte der Vater eines Tages zu ihm:

„Höre, mein Sohn, du lernst hier nichts. Darum schicke ich dich in die Stadt auf die Universität. Dort lernst du sicher etwas."

Nach einem Jahr war der Junge wieder zu Hause, und der Vater fragte ihn:

10   „Was lerntest du während des Jahres in der Stadt?" Der Sohn antwortete: „Vater, ich lernte die Sprache der Hunde."

„Das ist ja furchtbar", sagte der Vater, „das kommt nur wegen deiner Dummheit. Du bist und bleibst dumm trotz meines Geldes!"

Am Ende des Sommers schickte der Vater seinen Sohn in eine andere
15   Stadt auf eine andere Universität. Er studierte auch dort ein Jahr und sagte dann zu seinem Vater:

„Jetzt verstehe ich noch eine Sprache, nämlich die Sprache der Vögel." Da wurde der Vater sehr zornig[3] und sagte:

[1] *Freely adapted from a fairy tale by the brothers Grimm (Jakob, 1785-1863, and Wilhelm, 1786-1859) who collected and, from 1812 to 1814, edited and published their famous "Kinder- und Hausmärchen."*   [2] **der Graf, -en** count.   [3] angry.

62

„Warum bist du nur so dumm und verschwendest[4] mein Geld? Aber ich versuche es trotz deiner Dummheit noch einmal mit dir. Im Herbst 20 gehst du wieder in eine andere Stadt auf eine andere Universität. Ich gebe dir aber einen Rat: Lerne etwas, sonst[5] bist du mein Sohn nicht mehr!"

Nach wieder einem Jahr fragte der Vater seinen Sohn noch einmal: „Was lerntest du während des Jahres?" Und der Junge antwortete ihm: „Ich lernte die Sprache der Frösche."[6] Da holte der Vater seine Diener[7] 25 und sagte zu ihnen:

„Das ist mein Sohn nicht mehr. Bringt ihn in den Wald und tötet ihn!" Aber im Wald hatten die Diener Mitleid mit dem Jungen und töteten statt seiner ein Reh.[8] Dem Vater zeigten sie die Augen und die Zunge des Rehes. 30

Der Junge aber wanderte durch den Wald bis zu dem Turm eines Schlosses. Da waren viele Hunde — sie waren wild und gefährlich — und darum reiste niemand durch den Wald. Aber zu ihm waren die Hunde sehr freundlich und erzählten ihm ihre Geschichte:

„Seit Jahren hüten wir einen Schatz. Er liegt hier unter dem Turm. Wir 35 zeigen dir den Schatz, dann nimmst du ihn und wir sind frei." Das machte der Junge. Jetzt hatte er viel Geld, und man hörte seitdem keine Hunde mehr in dem Wald.

Dann wanderte der Junge weiter und eines Tages war er auf der Straße nach Rom. Da hörte er am Rande[9] der Straße einige Frösche. Sie sagten: 40 „Ach, wie traurig, der Papst[10] in Rom ist tot! Wer wird jetzt Papst?" Zwei Wochen darauf war der Junge in Rom. Dort fragten die Kardinäle[11] schon lange:

„Wer wird jetzt unser Papst?" Und endlich sagten sie: „Warten wir auf ein Wunder Gottes!" In dem Augenblick öffnete der Junge die Tür der 45 Peterskirche[12] und zwei Tauben[13] setzten sich[14] auf seine Schultern. Da sagten die Kardinäle:

„Das ist das Wunder Gottes!" Und sie fragten den Jungen: „Wirst du unser Papst?" Der Junge war ganz erstaunt, aber die Tauben flüsterten:[15] 50

„Sage ja!" Endlich sagte er:

„Ja, ich werde euer Papst." Da machten ihn die Kardinäle zum Papst. Der Junge aber fragte die Tauben:

---

[4] **verschwenden** to waste. [5] otherwise. [6] **der Frosch, ⸗e** frog. [7] **der Diener, -** servant. [8] **das Reh, -e** deer. [9] **der Rand, ⸗er** edge. [10] **der Papst, ⸗e** pope. [11] **der Kardinal, ⸗e** cardinal. [12] St. Peter's. [13] **die Taube, -n** dove. [14] sat down. [15] **flüstern** to whisper.

„Was tut denn ein Papst?" Darauf antworteten ihm die zwei Tauben:
55   „Hab keine Angst! Wir bleiben bei dir bis an dein Lebensende und erklären dir alles."

Die Moral der Geschichte aber ist: Lernen auch Sie viele Sprachen, sie bringen Ihnen Erfolg!

WORTSCHATZ

ach	oh, alas	**öffnen**	to open
ander-	other, different	der **Rat**	advice
der **Augenblick, -e**	moment	**reisen**	to travel
bis	until	der **Schatz, ⸗e**	treasure
darauf	thereupon, after that	die **Schulter, -n**	shoulder
dumm	stupid	**seitdem**	since then
die **Dummheit, -en**	stupidity	**sicher**	certain, safe, sure
das **Ende, -n**	end	der **Sohn, ⸗e**	son
das **Lebensende**	end of life	der **Sommer, -**	summer
der **Erfolg, -e**	success	die **Sprache, -n**	language
erstaunt	surprised	die **Straße, -n**	street, road
die **Erziehung**	education	**studieren**	to study
frei	free	das **Tier, -e**	animal
gefährlich	dangerous	**tot**	dead
die **Geschichte, -n**	story, history	**töten**	to kill
(der) **Gott, ⸗er**	God	die **Tür, -en**	door
hören	to hear, listen	der **Turm, ⸗e**	tower, spire
der **Hund, -e**	dog	**versuchen**	to try
hüten	to guard, protect	der **Vogel, ⸗**	bird
interessieren	to interest	**weiter**	further
der **Junge, -n**	boy, youngster	**wer**	who
lange	long, a long time	**werden**	to become
lernen	to learn	**er wird**	
das **Märchen, -**	fairy tale	der **Wert, -e**	value
nämlich	namely, that is to say	die **Woche, -n**	week
		zeigen	to show
niemand	nobody	die **Zunge, -n**	tongue

IDIOMS

Angst haben (vor, *with dat.*)	to be afraid (of)
bis zu, bis nach, bis an, bis in, bis auf	(up) to, as far as
eines Tages	one day, some day
es war einmal	once upon a time there was
Mitleid haben mit	to feel sorry for
noch ein, -e, -	another, an additional
noch einmal	once more, once again

PATTERNS AND FORMS

Patterns

PATTERN 9: GENITIVE CONSTRUCTIONS

a. Ich lernte **die Sprache der Tiere.**
I learned the language of the animals.
Die Mäntel der Frauen liegen auf dem Tisch.
The women's coats are lying on the table.

b. **Günters Mutter** erzählte ihm ein Märchen.
Günter's mother told him a fairy tale.

Observation 9: The genitive case expresses primarily possession (English: *the child's, of the child*). The noun in the genitive case (the possessor) normally follows the noun denoting the thing possessed, but the genitive of proper names generally precedes, as in English.

Forms

1. Genitive Case

Der Mantel des Lehrers liegt auf dem Tisch.
The teacher's coat is lying on the table.
Der Mantel eines Lehrers . . . .
A teacher's coat . . . .

Der Mantel der Frau liegt auf dem Tisch.
The woman's coat is lying on the table.
Der Mantel einer Frau . . . .
A woman's coat . . . .

Der Mantel des Kindes liegt auf dem Tisch.
The child's coat is lying on the table.
Der Mantel eines Kindes . . . .
A child's coat . . . .

Die Mäntel der Lehrer (Frauen, Kinder) liegen auf dem Tisch.
The teachers' (women's, children's) coats are lying on the table.
Die Mäntel ihrer Lehrer (Frauen, Kinder) . . . .
Their teachers' (wives', children's) coats . . . .

The genitive of the definite article and of **ein**-words ends in **-es** in the masculine and neuter singular, in **-er** in the feminine singular and the plural of all genders.

Most masculine and neuter nouns add **-s** or **-es** in the genitive singular; in general, those of one syllable add **-es (des Kindes),** those of more than one syllable add **-s (des Lehrers).**

The genitive of proper names is usually indicated by adding **-s** to the name: **Günters Buch.**

2. Prepositions with the Genitive

Er kommt (an)statt seines Bruders.
He is coming instead of his brother.
Trotz seiner Dummheit lernte er viel.
In spite of his stupidity he learned much.
Während des Sommers studiere ich nicht.
During the summer I don't study.
Wegen des Wunders machten sie ihn zum Papst.
Because of the miracle they made him pope.

The most common prepositions followed by the genitive are:

anstatt or **statt**	*instead of*
trotz	*in spite of*
während	*during*
wegen	*because of*

3. Personal Pronouns

The genitive of personal pronouns is rarely used, though it occurs after prepositions (**statt seiner** *instead of him*). It is listed below for completeness. We can now give the entire declension of the personal pronoun:

NOMINATIVE	GENITIVE	DATIVE	ACCUSATIVE
ich	**meiner**	**mir**	**mich**
du	**deiner**	**dir**	**dich**
er	**seiner**	**ihm**	**ihn**
sie	**ihrer**	**ihr**	**sie**
es	**seiner**	**ihm**	**es**
wir	**unser**	**uns**	**uns**
ihr	**euer**	**euch**	**euch**
sie	**ihrer**	**ihnen**	**sie**
Sie	**Ihrer**	**Ihnen**	**Sie**

4. Simple Past Tense of Regular Weak Verbs

sagen		**antworten**	
ich sag**te**	*I said*	ich antwort**ete**	*I answered*
du sag**test**	*you said*	du antwort**etest**	*you answered*
er, sie, es sag**te**	*he, she, it said*	er, sie, es antwort**ete**	*he, she, it answered*
wir sag**ten**	*we said*	wir antwort**eten**	*we answered*
ihr sag**tet**	*you said*	ihr antwort**etet**	*you answered*
sie, Sie sag**ten**	*they (you) said*	sie, Sie antwort**eten**	*they (you) answered*

In English and German there are two types of verbs, according to the manner in which they form their past tenses and past participles. One type merely adds endings to the present stem (*ask, asked, [has] asked*). Verbs belonging to this most common type are called *weak verbs*. The other type changes the vowel of the stem (*sing, sang, [has] sung*). Such verbs are called *strong verbs*.

In this lesson we shall consider the simple past tense of regular weak verbs. Such verbs form their past stem by adding to the present stem the past tense sign -**te** plus the past tense personal endings: **-, st, -; -n, -t, -n.** If the present stem ends in **d** or **t,** add -**ete** plus personal endings (**antwortete**).[1]

5. Present and Simple Past Tenses of <u>werden</u> (*to become*)

PRESENT	SIMPLE PAST
ich **werde**	ich **wurde**
du **wirst**	du **wurdest**
er, sie, es **wird**	er, sie, es **wurde**
wir **werden**	wir **wurden**
ihr **werdet**	ihr **wurdet**
sie, Sie **werden**	sie, Sie **wurden**

6. The German Alphabet

ROMAN TYPE		PRONUNCIATION[2]	GERMAN TYPE (FRAKTUR)[3]	
A	a	ah	𝔄	a
B	b	beh	𝔅	b
C	c	zeh	ℭ	c
D	d	deh	𝔇	d
E	e	eh	𝔈	e
F	f	eff	𝔉	f

[1] -**ete** is also added in verbs such as **öffnen,** with **m** or **n** preceded by a different consonant (other than **l, r**).

[2] Pronunciation is given in German sounds; the letters are to be pronounced in German.

[3] The reading sections in the first seven lessons are reprinted in German type (Fraktur) in Appendix B.

ROMAN TYPE		PRONUNCIATION	GERMAN TYPE (FRAKTUR)	
G	g	geh	G	g
H	h	hah	H	h
I	i	ie	J	i
J	j	jott	J	j
K	k	kah	K	k
L	l	ell	L	l
M	m	emm	M	m
N	n	enn	N	n
O	o	oh	O	o
P	p	peh	P	p
Q	q	kuh	Q	q
R	r	err	R	r
S	s	eß	S	ſ, s
T	t	teh	T	t
U	u	uh	U	u
V	v	fau	V	v
W	w	weh	W	w
X	x	iks	X	x
Y	y	üpsilon	Y	y
Z	z	zett	Z	z
	ß	eßzett		ß
Ä	ä	ah Umlaut	Ä	ä
Ö	ö	oh Umlaut	Ö	ö
Ü	ü	uh Umlaut	Ü	ü

ÜBUNGEN

Mündlich

A. *Form sentences according to the following examples, using the words and phrases indicated:*

EXAMPLE 1: Das Buch meines Vaters liegt auf dem Tisch.

1. Auto, mein Freund, sein, teuer. 2. Das, sein, Bild, seine Freundin. 3. Mutter, Kind, kommen, bald. 4. Er, erzählen, er, Geschichte, Hunde. 5. Was, sein, Moral, Märchen? 6. Junge, öffnen, Tür, Wohnung. 7. Er, warten, an, Ausgang, Bahnhof. 8. Warum, gefallen, Sie, Ende, Roman, nicht? 9. Du, fahren, durch, Straßen, Stadt. 10. Sonne, scheinen, durch, Fenster, Schlösser.

EXAMPLE 2: Während des Sommers studiere ich nicht.

1. Trotz, seine Erziehung, er, bleiben, dumm. 2. Wegen, Wetter, er, gehen, nicht, aus, Haus. 3. Während, Tag, scheinen, Sonne. 4. Statt, die Bücher, er kaufen, Zahnpaste.

B. *Change the verbs in the following sentences to the simple past:*
1. Haben Sie Angst vor dem Hund? 2. Wir verkaufen keine Bücher. 3. Der Junge antwortet dem Lehrer nicht. 4. Der Lehrer erklärt es ihm noch einmal. 5. Es wird gefährlich. 6. Romane interessieren mich nicht. 7. Ich lege den Brief auf seinen Schreibtisch. 8. Kaufst du einen Regenmantel? 9. Bist du nicht erstaunt? 10. Die Leute warten an der Haltestelle und werden naß.

C. *Change the verbs in the following sentences to the present tense:*
1. Die Hunde hüteten den Schatz. 2. Wir öffneten das Fenster und hörten die Vögel singen. 3. Meine Mutter erzählte mir ein Märchen. 4. Warum studierte der Junge die Sprache der Tiere? 5. Du wurdest zornig. 6. Wo lernten Sie Deutsch? 7. Wir zeigten ihm das Bild des Schlosses. 8. Ich wartete auf ihn in der Buchhandlung.

D. *Spell the following words in German:*
Erziehung, Schulter, interessieren, Zunge, gefährlich, Straße, Junge, Vögel Woche, Türme.

E. *Review. Replace the personal pronouns in the following sentences by suitable nouns:*

EXAMPLE: Er gibt es ihm.
          Der Vater gibt seinem Sohn das Geld.

1. Zeig es ihr nicht! 2. Sie erzählen sie ihnen. 3. Er erklärt ihn ihr. 4. Er bringt sie ihnen. 5. Sie empfiehlt es ihm. 6. Er verkauft sie ihm. 7. Schicken Sie ihn ihr! 8. Gib es ihnen nicht!

Schriftlich

F. *Write in German:*
1. "Where were you today, Günter? 2. You weren't in your German class again. 3. I was waiting for you." 4. "I did not study the lesson; I had no time. 5. I was at my brother's yesterday and he was very sick." 6. "I am sorry. How is he today?" 7. "Thanks, he is well now. 8. But what did you learn in your German class today?" 9. "The teacher told us a

story and then he asked us: 'Who does not understand the story?'   10. I said
nothing, but I never understand his stories."   11. "What kind of a story
was it?"   12. "It was a fairy tale by the brothers Grimm."   13. "Tell it to
me."   14. "Once upon a time there was a boy.   15. He had much money,
but in spite of his money he was very stupid.   16. His father sent him to the
university, and he learned the language of the dogs and the language of the
birds and . . . another language."   17. "He was not stupid at all," said
Günter, "he learned three languages and we . . ."   18. "Don't interrupt me!
I'll forget the end of the story.   19. His father's dogs told him about a
treasure.   20. I believe he killed them and traveled with the dogs' treasure
to Rome.   21. There two birds made him pope (zum Papst)."   22. "I don't
understand that. Because of the birds he became pope?   23. What is the
moral (die Moral) of the story?"   24. "Learn many languages and perhaps
you'll also become pope!"

G. *Composition*
Write a brief summary in German of the contents of the reading selection
in this lesson. Do not try to be too original. Use only the vocabulary and
patterns that you have learned so far.

Was macht der Junge auf dem Bild?

Altes und Neues[1]

Deutschland in Zahlen

Wir stehen auf einem der Bahnsteige des Münchener[2] Hauptbahnhofs und warten auf den Schnellzug nach Hamburg. Wir hatten eine Woche Ferien und waren während dieser Zeit in den bayrischen Alpen.[3] Wir waren z.B. auf dem Watzmann (2 713 m[4]) bei Berchtesgaden und auf der

5 Zugspitze (2 963 m = 9 722 Fuß) in der Nähe von Garmisch-Partenkirchen. Nach diesen vielen Wanderungen sind wir ziemlich müde. Jetzt fahren wir mit dem Zug nach Hamburg. Auf solch einer Reise sieht man fast ganz Westdeutschland, d.h. man fährt durch mindestens sechs der zehn Länder[5] der Bundesrepublik Deutschland. Diese sechs Länder

10 heißen: Bayern, Baden-Württemberg, Rheinland-Pfalz, Nordrhein-Westfalen, Niedersachsen und Hamburg selbst. Die vier anderen Bundesländer sind Hessen, das Saarland, Schleswig-Holstein und Bremen. West-Berlin ist auch ein Teil der Bundesrepublik, es ist aber kein Bundesland. Die Bundesrepublik, zusammen mit West-Berlin, umfaßt[6] ein Gebiet[7] von

15 248 427,72 qkm,[8] d.h. sie ist nicht ganz so groß wie der Staat Oregon

---

[1] something old and something new.   [2] *Names of cities may be used as adjectives by adding* **-er.** *Such adjectives are not declined.*   [3] Bavarian Alps.   [4] **der Meter** meter (*3.28 ft*); *2,713 meters = 8,901 ft.*   [5] **das Land,** ⸗**er** *here* state.   [6] **umfassen** to comprise.   [7] **das Gebiet, -e** area.   [8] **der Quadratkilometer** square kilometer (*0.386 sq mi*); *248,427.72 square kilometers = 95,904 sq mi.*

(96 981 Quadratmeilen[9]). In der Bundesrepublik wohnen aber fast 56 Millionen Menschen, in Oregon dagegen nur ungefähr 1,8 Millionen!

Plötzlich ertönt[10] eine Stimme aus dem Lautsprecher[11] und unterbricht unsere Gedanken über das Thema „Deutschland in Zahlen":

„Der Schnellzug nach Hamburg über Augsburg, Ulm, Stuttgart, Heidel- 20 berg, Mannheim, Mainz, Bonn, Köln, Düsseldorf und Hannover hat leider fünfzehn Minuten Verspätung. Ich wiederhole: Der Schnellzug..." Solch eine Verspätung ist zwar nicht sehr angenehm, aber sie gibt uns jetzt noch einige Minuten Zeit. Während dieser Viertelstunde erzählen wir Ihnen schnell den Rest unserer Geschichte über Deutschland. Haben Sie 25 übrigens keine Angst, Sie brauchen alle diese Zahlen und Namen nicht auswendig zu lernen! Eine gute Aussprecheübung ist dieses Lesestück aber, nicht wahr?

Wir sehen auf die Uhr. Es ist jetzt 8.13 Uhr (acht Uhr dreizehn), der Zug kommt also wahrscheinlich um 8.28 Uhr. Die Reise nach Hamburg 30 dauert ungefähr zwölf Stunden, d.h. wir sind um halb neun dort. Die Reise ist sehr lang, aber wir sehen auch viel von Deutschland. Und jetzt erzählen wir weiter.

Welche Fragen interessieren Sie denn besonders? Natürlich, das Geld! In Deutschland verwendet man die Mark. Sie hat hundert Pfennige und 35 ist ungefähr 25 Cent wert. Für einen Dollar bekommen Sie also vier deutsche Mark (DM). Und wie ist das Klima[12] in Deutschland? Es ist ziemlich mild, besonders im Rheintal. Dort beträgt[13] die Durchschnitts-temperatur[14] 10 bis[15] 11° C (Celsius),[16] das sind also ungefähr 50 bis 52° Fahrenheit. 40

Und jetzt noch ein Wort über Entfernungen: diese mißt[17] man in Deutschland, wie überall in Europa, in Kilometern. Ein Kilometer ist 0,62 Meilen, oder umgekehrt[18]: eine Meile ist ungefähr 1,6 km. Die Entfernung zwischen München und Hamburg ist ungefähr 800 km. Wie viele Meilen sind das also? Ja, ungefähr 500 Meilen. Bei der Umrechnung[19] 45 von Kilometern in Meilen teilen Sie die Kilometerzahl durch 1,6 oder Sie multiplizieren sie mit 0,62.

Vergessen wir aber in unserer Geschichte nicht den östlichen Teil Deutschlands. Er heißt jetzt Deutsche Demokratische Republik,[20] oder einfach DDR. Früher war das die sowjetische Besatzungszone.[21] Dort 50

[9] square miles.   [10] **ertönen** to sound.   [11] **der Lautsprecher, -** loudspeaker.   [12] **das Klima** climate.   [13] **betragen** to amount to.   [14] average temperature.   [15] to.   [16] ° = **Grad** degrees; **Celsius** centigrade.   [17] **messen** to measure.   [18] vice versa.   [19] **die Um-rechnung, -en** conversion.   [20] German Democratic Republic.   [21] Soviet zone of occupation.

leben ungefähr siebzehn Millionen Deutsche auf einem Gebiet von 107 830 qkm (= 41 537 Quadratmeilen), einem Gebiet also von der Größe des Staates Ohio (41 222 Quadratmeilen). Der „Eiserne Vorhang"[22] und die Berliner Mauer[23] trennen diese Menschen von Westdeutschland. Hier,
55   in der DDR, liegt z.B. Thüringen, früher das „Herz" Deutschlands. Namen wie Martin Luther, Friedrich Schiller und Johann Wolfgang von Goethe erinnern uns an diesen Teil Deutschlands. Jener übersetzte auf der Wartburg[24] die Bibel in die deutsche Sprache, diese lebten viele Jahre in Weimar. Ost-Berlin, Magdeburg, Leipzig und Dresden sind Großstädte[25]
60   dieses Gebiets.

Überall in Deutschland, im Osten und Westen, gibt es viele Wälder, Berge, Seen und Flüsse. Ihre Namen finden Sie auf der Landkarte in diesem Buch. Studieren Sie diese Landkarte gut. Sie lernen dabei[26] viel über Deutschland.

65   Jetzt ertönt wieder die Stimme aus dem Lautsprecher:

„Achtung, Achtung, Bahnsteig sieben! Der Schnellzug nach Hamburg fährt ein.[27] Vorsicht, bitte!" Das ist unser Zug. Hoffentlich haben wir schönes Wetter auf unserer Reise. In der nächsten Aufgabe erzählen·wir Ihnen mehr über Deutschland.

[22] Iron Curtain.   [23] wall.   [24] *famous castle in Thuringia.*   [25] **die Großstadt, =e** major city.   [26] in doing so.   [27] is arriving.

WORTSCHATZ

all-	all	die **Größe, -n**	size, greatness
alt	old	**halb**	half
der **Bahnsteig, -e**	platform	**heißen**	to be called
besonders	especially, particularly	das **Herz, -ens, -en**	heart
		hoffentlich	it is to be hoped, I hope, let us hope
die **Bundesrepublik**	Federal Republic		
dagegen	on the other hand	die **Landkarte, -n**	map
dauern	to last, take (of time)	**leben**	to live
		leider	unfortunately
deutsch	German	das **Lesestück, -e**	reading selection
die **Entfernung, -en**	distance	**mehr**	more
erinnern (an, *with acc.***)**	to remind (of)	die **Meile, -n**	mile
		mindestens	at least
die **Ferien** (*pl.*)	vacation	**müde**	tired
der **Fluß, =sse**	river	**multiplizieren**	to multiply
die **Frage, -n**	question	**nächst-**	next
früher	earlier, formerly	die **Nähe**	vicinity
der **Fuß, =e**[1]	foot	der **Name, -ns, -n**	name
groß	big, large, great	**neu**	new

[1] When denoting measurement, **Fuß** is used in the singular only.

der **Osten**	east	die **Übung, -en**	exercise
östlich	eastern	die **Aussprache-**	pronunciation exer-
der **Pfennig, -e**	penny	**übung**	cise
der **Schnellzug, ⸗e**	express train	die **Uhr, -en**	clock, watch
selbst	itself (*following*	**ungefähr**	approximately
	nouns or pro-	die **Verspätung, -en**	delay
	nouns)	**verwenden**	to use
der **Staat, -en**	state	die **Viertelstunde, -n**	quarter hour
der **Student, -en**	student (male)	**wahrscheinlich**	probably
die **Studentin,**	student (female)	die **Wanderung, -en**	walking tour, hike
-nen		**wert**	worth
der **Teil, -e**	part	der **Westen**	west
teilen	to divide	**wiederholen**	to repeat
das **Thema, Themen**	topic, theme	**wieviel, wie viele**	how much, how
trennen	to separate		many
überall	everywhere	**wohnen**	to reside, live
übrigens	by the way	die **Zahl, -en**	number, figure
		ziemlich	rather, quite

IDIOMS

Achtung	attention
auswendig lernen	to memorize, learn by heart
denn	*emphatic particle used chiefly in questions:* **was denn** = but what, what on earth. *See also Idioms in Lesson 1:* **Was hast du denn?**
es ist . . . Uhr	it is . . . o'clock
so . . . wie	as . . . as
Verspätung haben	to be late (*of trains, planes, etc.*)
Vorsicht, bitte!	watch out, please!
Wie spät ist es? *or* **Wieviel Uhr ist es?**	What time is it?
zwar . . . aber	indeed (to be sure) . . . but
z.B. = **zum Beispiel**	for example

PATTERNS AND FORMS

Patterns: Review

1. NORMAL WORD ORDER   **Wir wandern heute.**

2. INVERTED WORD ORDER

a. Statement   **Heute wandern wir.**
b. Question   **Wann wandern wir?**
   Warum wandern wir heute?

3. VERB-FIRST WORD ORDER

a. Question   **Wandern wir heute?**

b. Imperative   **Lesen Sie die Speisekarte, meine Herren!**
                                     Lesen wir die Speisekarte!
                                     Lies die Speisekarte, Günter!
                                     Lest die Speisekarte, Kinder!

4. TWO OBJECTS   **Ich schicke meinem Professor ein Buch.**
                                     Ich schicke ihm ein Buch.
                                     Ich schicke es meinem Professor.
                                     Ich schicke es ihm.

5. PRONOUN OBJECT-NOUN SUBJECT (INVERTED WORD ORDER)

Oft schickt mir mein Vater etwas Geld.

6. SEVERAL ADVERBIAL EXPRESSIONS

Wir fahren heute mit dem Bus in die Stadt.

7. ADVERBIAL EXPRESSIONS PLUS OBJECT

Mein Freund kauft heute ein Buch in der Buchhandlung.

8. POSITION OF **nicht**   **Er kauft das Buch nicht.**
                                     Es ist nicht sehr schön.

9. GENITIVE CONSTRUCTIONS   **Ich lernte die Sprache der Tiere.**

Forms

1. Review of Noun Declensions

SINGULAR

NOM.	**der Mann**	**die Frau**	**das Buch**
GEN.	**des Mannes**	**der Frau**	**des Buches**
DAT.	**dem Mann(e)**	**der Frau**	**dem Buch(e)**
ACC.	**den Mann**	**die Frau**	**das Buch**

PLURAL

NOM.	**die Männer**	**die Frauen**	**die Bücher**
GEN.	**der Männer**	**der Frauen**	**der Bücher**
DAT.	**den Männern**	**den Frauen**	**den Büchern**
ACC.	**die Männer**	**die Frauen**	**die Bücher**

Note: Feminine nouns never add any ending in the singular. Most masculine
and neuter nouns add **-s** or **-es** in the genitive singular; masculine and neuter

nouns of one syllable may add **-e** in the dative singular. All nouns (except those few with plurals in **-s**) end in **-n** in the dative plural.

2. Special Declensions

a.

	SINGULAR	
NOM.	**der Student**	**der Herr**
GEN.	**des Studenten**	**des Herrn**
DAT.	**dem Studenten**	**dem Herrn**
ACC.	**den Studenten**	**den Herrn**

	PLURAL	
NOM.	**die Studenten**	**die Herren**
GEN.	**der Studenten**	**der Herren**
DAT.	**den Studenten**	**den Herren**
ACC.	**die Studenten**	**die Herren**

A number of masculine nouns, most of which denote human beings, add **-en** throughout the singular and plural (except for the nominative singular). These include: **der Student, der Soldat** (*soldier*), **der Mensch, der Tourist. Der Herr,** however, adds **-n** in the singular, **-en** in the plural. All such nouns will be indicated in the vocabularies as follows: **der Student, -en, -en** (genitive singular and nominative plural endings).

b.

	SINGULAR		
NOM.	**der Name**	**der Gedanke**	**das Herz**
GEN.	**des Namens**	**des Gedankens**	**des Herzens**
DAT.	**dem Namen**	**dem Gedanken**	**dem Herzen**
ACC.	**den Namen**	**den Gedanken**	**das Herz**

	PLURAL		
NOM.	**die Namen**	**die Gedanken**	**die Herzen**
GEN.	**der Namen**	**der Gedanken**	**der Herzen**
DAT.	**den Namen**	**den Gedanken**	**den Herzen**
ACC.	**die Namen**	**die Gedanken**	**die Herzen**

The nouns **der Name, der Gedanke, das Herz** are irregular in the singular.

3. Formation of Feminine Nouns

der Freund (*pl.* **die Freunde**)
die Freundin (*pl.* **die Freundinnen**)

der Student (*pl.* **die Studenten**)
die Studentin (*pl.* **die Studentinnen**)

der Lehrer (*pl.* **die Lehrer**)
die Lehrerin (*pl.* **die Lehrerinnen**)

der Amerikaner (*pl.* **die Amerikaner**)
die Amerikanerin (*pl.* **die Amerikanerinnen**)

Many nouns denoting male persons (especially nouns of occupation or nationality) have equivalent feminine nouns with the suffix **-in**. These feminine nouns form their plurals in **-innen**.

4. Der-Words

The following adjectives are declined like the definite article and are therefore commonly called "**der**-words":

SINGULAR

dieser, diese, dieses	*this, the latter*
(**jener, jene, jenes**	*that, the former*)[1]
jeder, jede, jedes	*each, every*
(**mancher, manche, manches**	*many a*)[2]
(**solcher, solche, solches**	*such a*)[2]
welcher, welche, welches	*which, what*

PLURAL

diese	*these, the latter*
(**jene**	*those, the former*)[1]
alle	*all*
manche	*some*
solche	*such*
welche	*which, what*

MODEL DECLENSION: **dieser**

SINGULAR

NOM.	**dieser** Mann	**diese** Frau	**dieses** Buch
GEN.	**dieses** Mannes	**dieser** Frau	**dieses** Buches
DAT.	**diesem** Mann(e)	**dieser** Frau	**diesem** Buch(e)
ACC.	**diesen** Mann	**diese** Frau	**dieses** Buch

PLURAL

NOM.	**diese** Männer	**diese** Frauen	**diese** Bücher
GEN.	**dieser** Männer	**dieser** Frauen	**dieser** Bücher
DAT.	**diesen** Männern	**diesen** Frauen	**diesen** Büchern
ACC.	**diese** Männer	**diese** Frauen	**diese** Bücher

[1] **Jener** is rarely used except in the meaning of *the former*. To express English *that book*, use **dieses Buch (da)** or **das Buch (da)** (stressing **das** in speech).

[2] **Mancher** and **solcher** are usually replaced in the singular by **manch ein** and **so ein (solch ein)**, in which **manch** and **solch** are uninflected and **ein** follows its usual declension: **so (solch) ein Mann, so (solch) eine Frau, so (solch) ein Buch.**

5. Der-Words and Ein-Words Used as Pronouns

a. Der-Words

Welcher Mann ist hier? **Dieser** ist hier.
Which man is here? This one is here.
Welche Frau ist hier? **Diese** ist hier.
Which woman is here? This one is here.
Welches Buch ist hier? **Dieses** ist hier.
Which book is here? This one is here.

Der-words may stand alone as pronouns (not modifying any noun). They have the same endings as **der**-words used as adjectives.

b. Ein-Words

Kein Mann ist hier. **Keiner** ist hier.
No man is here. No one (none) is here.
Ich sehe eine Frau. Ich sehe **eine.**
I see a woman. I see one.
Ich habe ein Buch. Ich habe **ein(e)s.**
I have a book. I have one.

Ein-words used as pronouns are declined exactly like **dieser;** that is, they have the ending **-er** in the nominative singular masculine and **-(e)s** in the nominative and accusative singular neuter, where **ein**-words used as adjectives have no ending.

Compare:

EIN-WORDS USED AS ADJECTIVES

SINGULAR

NOM.	**kein** Mann	**keine** Frau	**kein** Buch
GEN.	**keines** Mannes	**keiner** Frau	**keines** Buches
DAT.	**keinem** Mann(e)	**keiner** Frau	**keinem** Buch(e)
ACC.	**keinen** Mann	**keine** Frau	**kein** Buch

PLURAL

NOM.	**keine** Männer	**keine** Frauen	**keine** Bücher
GEN.	**keiner** Männer	**keiner** Frauen	**keiner** Bücher
DAT.	**keinen** Männern	**keinen** Frauen	**keinen** Büchern
ACC.	**keine** Männer	**keine** Frauen	**keine** Bücher

EIN-WORDS USED AS PRONOUNS

	SINGULAR			PLURAL
NOM.	keiner	keine	kein(e)s	keine
GEN.	keines	keiner	keines	keiner
DAT.	keinem	keiner	keinem	keinen
ACC.	keinen	keine	kein(e)s	keine

6. Numbers and Time

a. Cardinal Numbers

0	null				
1	eins	11	elf	21	einundzwanzig
2	zwei	12	zwölf	22	zweiundzwanzig
3	drei	13	dreizehn	23	dreiundzwanzig
4	vier	14	vierzehn	24	vierundzwanzig
5	fünf	15	fünfzehn	25	fünfundzwanzig
6	sechs	16	sechzehn	26	sechsundzwanzig
7	sieben	17	siebzehn	27	siebenundzwanzig
8	acht	18	achtzehn	28	achtundzwanzig
9	neun	19	neunzehn	29	neunundzwanzig
10	zehn	20	zwanzig	30	dreißig

40	vierzig	110	hundertzehn
50	fünfzig	125	hundertfünfundzwanzig
60	sechzig	200	zweihundert
70	siebzig	300	dreihundert
80	achtzig	500	fünfhundert
90	neunzig	1 000	tausend[1]
100	hundert	2 375	zweitausenddreihundertfünfundsiebzig
101	hunderteins	1 000 000	eine Million

Note: (the year) 1967 = neunzehnhundertsiebenundsechzig
1749-1832 = siebzehnhundertneunundvierzig bis achtzehnhundertzweiunddreißig

[1] Note that German uses space, not a comma, to indicate thousands: 1 000 (occasionally a period may be used instead: 1.000). A comma in German is equivalent to an English decimal. Thus German 2,75 (zwei Komma sieben fünf) is equivalent to English 2.75.

b. Telling Time

Wie spät ist es?
Wieviel Uhr ist es? } *What time is it?*

1.00 **Es ist ein Uhr.**
1.10 **Es ist zehn (Minuten) nach eins.**
1.15 **Es ist Viertel nach eins.**
1.25 **Es ist fünf vor halb zwei.** (or: **Es ist fünfundzwanzig [Minuten] nach eins.**)
1.30 **Es ist halb zwei.**
1.40 **Es ist zehn nach halb zwei.** (or: **Es ist zwanzig [Minuten] vor zwei.**)
1.45 **Es ist Viertel vor zwei.** (or: **Es ist dreiviertel zwei.**)
1.50 **Es ist zehn (Minuten) vor zwei.**
2.00 **Es ist zwei Uhr.**

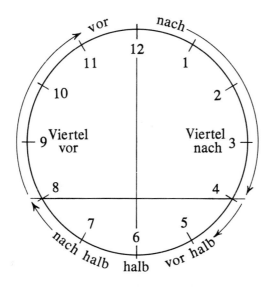

Official time (transportation schedules, theater programs, radio, etc.) is on a 24-hour basis:

8.15 = **acht Uhr fünfzehn** (8:15 A.M.)
8.30 = **acht Uhr dreißig** (8:30 A.M.)
20.30 = **zwanzig Uhr dreißig** (8:30 P.M.)
20.45 = **zwanzig Uhr fünfundvierzig** (8:45 P.M.)

ÜBUNGEN

Mündlich

A. *Form sentences according to the following examples, using the correct forms of words and phrases indicated in alphabetical order:*

EXAMPLE 1: Heute wandern wir durch den Wald.

1. dauern, Ferien, leider, nur, Woche, zwei.
2. sehen, überall, viele, Vogel, wir.
3. haben, hoffentlich, keine Verspätung, Zug.

EXAMPLE 2: Warum wandern wir heute?

1. dieser Fluß, heißen, wie?
2. du, fahren, morgen, wohin?
3. auf, Leute, warten, wo, Zug?

EXAMPLE 3: Lesen Sie die Speisekarte, meine Herren!

1. auswendig, lernen, diese Wörter!
2. mit, multiplizieren, neun, diese Zahl!
3. Name, diese Städte, wiederholen!

EXAMPLE 4: Ich schicke meinem Professor das Buch.

1. er, erzählen, sein Freund, Geschichte.
2. Hunde, Junge, Schatz, zeigen.
3. erklären, Lesestück, sie, Student.

EXAMPLE 5: Wir fahren heute mit dem Bus in die Stadt.

1. allein, dieses Haus, ich, in, jetzt, wohnen.
2. er, gestern, zu Hause, sein, wahrscheinlich.
3. er, gehen, gewöhnlich, in, Kino, mich, ohne.

B. *Make the sentences under examples 4 and 5 in A negative by adding* **nicht:**

EXAMPLES: Ich schicke meinem Professor das Buch nicht.
Wir fahren heute nicht mit dem Bus in die Stadt.

C. *Decline in the singular and plural:*

1. mein Name   2. kein Mensch   3. dieser Herr   4. jedes Herz   5. welcher Fluß   6. diese Übung   7. unser Land

D. *Complete the second sentence in each pair, using the proper ein-word as a pronoun:*

EXAMPLE: Ich habe mein Buch. Hast du . . . ?
Hast du deins?

1. Er fährt mit seinem Auto. Wir fahren mit . . . .
2. Johann ist kein Student. Günter ist auch . . . .
3. Ich verkaufte mein Haus. Er verkaufte . . . .
4. Ich schreibe meiner Mutter. Brigitte schreibt . . . .
5. Sie sagt zu mir: „Hier ist dein Schirm. Wo ist . . . ?"
6. Mein Vater und dein Vater waren gestern krank; meiner ist heute noch krank. Wie geht es . . . ?
7. Ich erzählte ihm meine Geschichte. Er erzählte mir . . . .
8. Ich mache jetzt meine Übungen. Machen Sie auch . . . ?

E. *Answer the following questions in complete sentences:*
1. Wieviel Uhr ist es jetzt? 2. Um wieviel Uhr beginnt Ihre Deutschstunde? 3. Wie alt sind Sie? 4. Wie viele Länder hat die Bundesrepublik Deutschland? 5. Wann gehen Sie heute nach Hause? 6. Wie viele Brüder haben Sie? 7. Wie viele Minuten hat eine Stunde? 8. Wie viele Stunden hat ein Tag? 9. Wie viele Tage hat ein Monat? 10. Wie viele Tage hat ein Jahr?

F. *Say in German:*
1. Es ist 11.15, 2.30, 12.25, 9.45, 1.00, 1.05.
2. Der Zug fährt um 14.18, 15.55, 22.30.
3. 2 365; 5 691 452; 4 999; 1 267.
4. 3,1416; 1,732; 0,75.

G. *Change the following sentences to plural:*
1. Wie heißt diese Studentin? 2. Welcher Zug ist das? 3. Solch eine Lehrerin gefällt mir. 4. Nicht jedes Buch ist interessant. 5. Manch ein Tourist kennt diese Stadt nicht. 6. Die Uhr dieses Herrn ist neu. 7. Was für eine Landkarte ist das?

Schriftlich

H. *Write in German:*
1. Two friends are waiting for the train to New York. 2. "This train is always at least a quarter-hour late," said Hans. 3. "That isn't so bad," answered Peter, "but yesterday it was forty minutes late. 4. I was here at

11:30 and I waited until (bis) 12:10." 5. "What were you doing here yesterday?" 6. "I was waiting for my father. He was in Washington yesterday. 7. By the way, he bought me this book about (über) Germany for tourists and students." 8. "Does it also have a map?" 9. "Of course it has one. I'll show it to you." 10. "My brother is studying in Marburg. Is Marburg on your map? It's not on mine." 11. "On this map you'll find everything: rivers, mountains, cities, and villages." 12. "But where is Marburg? Is it a village or a city?" 13. "How stupid! Everyone knows Marburg. 14. Its university is famous, it has a castle, it lies on the Lahn,[1] and 43,500 people live there." 15. "That's very interesting, but please show me Marburg!" 16. "I hope I'll find it . . . 17. I see Flensburg, Hamburg, Wolfsburg, Magdeburg, but where *is* (*use* denn) Marburg?" 18. "It's not far (weit) from Frankfurt. There's Frankfurt and there's the Lahn. 19. Oh, I see Limburg. Do they (man) make the cheese there?" 20. "Maybe. There is another city with '-burg': Weilburg, and there is Marburg — finally!"

[1] **die Lahn** *river in western Germany.*

German Information Center

Frankfurt: Im Hauptbahnhof

SUPPLEMENTARY VOCABULARY

rechts	(to the) right
links	(to the) left

Antworten Sie auf deutsch!

1. Was für ein Gebäude ist das?
2. Ist das Gebäude sehr klein?
3. Wo stehen die Leute?
4. Was machen sie da?
5. Wie viele Züge sehen Sie?
6. Ist der Zug rechts so neu wie der Zug links?
7. Welcher Zug ist wahrscheinlich ein Schnellzug?
8. Welche von diesen Dingen sehen Sie nicht auf dem Bild: Bahnsteige, Fenster, eine Uhr, Türen, einen Schatz, einen Fluß, ein Kind, Vögel, Füße, eine Landkarte?

Aufgabe 8

PATTERN SENTENCE:

Sie werden so eine schöne Reise nie vergessen.

In der letzten Aufgabe erzählten wir Ihnen einige interessante Dinge über Deutschland, seine Geographie usw. Heute erzählen wir Ihnen von etwas Neuem, nämlich von unserer Bahnfahrt von München nach Hamburg. Begleiten[1] Sie uns in Gedanken auf dieser Reise durch deutsches

5 Land! Sie wird Ihnen sicher gefallen.

Der Zug — er besteht aus zehn langen Schnellzugwagen, einem Speisewagen und einem Gepäckwagen — fährt langsam aus dem Münchener Hauptbahnhof. Wir haben sehr schönes Wetter und blauen, wolkenlosen[2] Himmel. Bald lassen wir die Großstadt hinter uns und fahren durch die

10 süddeutsche Hochebene,[3] das Land zwischen den Alpen und der Donau.[4] Rechts und links sehen wir Felder, Wiesen und nette, kleine Dörfer mit hellen, freundlichen Häusern und Gärten und barocken Kirchen. Auf den Wiesen weiden[5] braune Kühe. Es ist ein farbiges[6] und frohes Bild. Bayern produziert[7] viel Milch, Butter, Käse, Fleisch und Bier. Bald ist unser

15 langer Zug in Augsburg, der alten Stadt am Lech.[8] Weiter geht es nach Ulm, mit seinem schönen gotischen Münster.[9] Man sieht es sehr gut vom Zug aus. Es hat den höchsten[10] Kirchturm der Welt (161 m).

Von Ulm ist es nicht weit nach Stuttgart, der Hauptstadt des Landes Baden-Württemberg. Stuttgart liegt im Neckartal zwischen Bergen und

---

[1] **begleiten** to accompany.   [2] **wolkenlos** cloudless.   [3] South German plateau.   [4] **die Donau** Danube.   [5] **weiden** to graze.   [6] **farbig** colorful.   [7] **produzieren** to produce.   [8] **der Lech** *river in Southern Germany.*   [9] **gotisch** Gothic; **das Münster, -** cathedral.   [10] highest.

86

dunklen Wäldern. Viel Industrie gibt es in dieser großen Stadt, z. B. die 20
bekannten Autofabriken[11] von Mercedes-Benz und Porsche.

Da kommt der Schaffner und kontrolliert[12] die Fahrkarten.

„Entschuldigen Sie, bitte", fragen wir ihn, „wann werden wir in Heidelberg sein?"

„In ungefähr anderthalb Stunden", antwortet er. Das ist schön, dann 25
wird es gerade Zeit sein zum Mittagessen. Wir werden im Speisewagen
essen.

Der Aufenthalt[13] in Stuttgart war nur kurz, und unser Zug hat fast
keine Verspätung mehr. Wir fahren wieder durch viele Dörfer und kleine
alte Städte, und bald sind wir im Rheintal. Hier ist das Klima sehr warm, 30
und darum wachsen hier auch Gemüse, Getreide,[14] viel Obst — Pfirsiche,[15]
Äpfel, Birnen, Pflaumen[16] —, ein sehr guter Wein und sogar Tabak.[17]
Jetzt fährt der Zug in den schönen, modernen Heidelberger Hauptbahnhof. Auf dem Bahnsteig verkauft man den Leuten im Zug Zeitungen,
Zeitschriften, Erfrischungen[18] und Zigaretten. Wir aber gehen in den 35
Speisewagen und essen dort gut zu Mittag. Der Zug fährt wieder und ist
nach einer Viertelstunde schon in Mannheim. Hier fahren wir über den
Rhein. Auch in der Nähe von Mannheim gibt es viel Industrie, aber bald
fahren wir durch große Weinberge.[19]

Nach Mainz wird das Rheintal eng. Auf dem Fluß fahren Schiffe, auf 40
den Straßen viele Autos, und auf beiden Seiten des Flusses sehen wir
schöne alte Schlösser. Dann kommt der berühmte „Lorelei-Felsen",[20]
und wir denken an das bekannte Gedicht des deutschen Dichters Heinrich
Heine (1797-1856):

Die Lorelei 45

Ich weiß nicht, was soll es bedeuten,
Daß ich so traurig bin;
Ein Märchen aus alten Zeiten,
Das kommt mir nicht aus dem Sinn.

46 **weiß** know   47 **daß** that
    soll is supposed to   49 **Sinn** mind
    bedeuten mean

---

[11] automobile factories.   [12] **kontrollieren** to check.   [13] **der Aufenthalt, -e** stop.   [14] **das Getreide** grain.   [15] **der Pfirsich, -e** peach.   [16] **die Pflaume, -n** plum.   [17] **der Tabak** tobacco.   [18] **die Erfrischung, -en** refreshment.   [19] **der Weinberg, -e** vineyard.   [20] rock.

50   Die Luft ist kühl und es dunkelt,
     Und ruhig fließt der Rhein;
     Der Gipfel des Berges funkelt
     Im Abendsonnenschein.

     Die schönste Jungfrau sitzet
55   Dort oben wunderbar,
     Ihr goldnes Geschmeide blitzet,
     Sie kämmt ihr goldenes Haar.

     Sie kämmt es mit goldenem Kamme,
     Und singt ein Lied dabei;
60   Das hat eine wundersame,
     Gewaltige Melodei.

     Den Schiffer im kleinen Schiffe
     Ergreift es mit wildem Weh;
     Er schaut nicht die Felsenriffe,
65   Er schaut nur hinauf in die Höh'.

     Ich glaube, die Wellen verschlingen
     Am Ende Schiffer und Kahn;
     Und das hat mit ihrem Singen
     Die Lorelei getan.

70   Das ist wirklich ein schönes Gedicht, nicht wahr? Vielleicht werden Sie
     es sogar auswendig lernen.

50 **Luft**   air
   kühl   cool
   dunkelt   is getting dark
51 **fließt**   flows
52 **Gipfel**   top
   funkelt   glitters
53 **Abendsonnenschein**   light of the evening sun
54 **schönste Jungfrau**   most beautiful maiden
55 **oben**   above
   wunderbar   in splendor
56 **goldnes Geschmeide blitzet**   golden jewelry
   sparkles
57 **kämmt**   combs
   Haar   hair
58 **Kamm**   comb
59 **Lied**   song
60 **wundersam**   strange
61 **gewaltige Melodei**   powerful melody
62 **Schiffer**   boatsman
63 **ergreift es mit wildem Weh**   is seized
   by a wild pain
64 **schaut**   sees
   Felsenriffe   rocky cliffs
65 **hinauf**   up
   Höhe   height
66 **Wellen**   waves
   verschlingen   devour
67 **Kahn**   boat
68 **hat . . . getan**   has done
   Singen   singing

Jetzt sind wir in Bonn, der Geburtsstadt[21] des großen deutschen Komponisten[22] Ludwig van Beethoven (1770-1827), und der Hauptstadt der Bundesrepublik. Schon nach wenigen Minuten ist unser Zug in Köln, und dort sehen wir vom Zug aus den berühmten gotischen Dom[23] mit seinen zwei großen Türmen. Nach Köln beginnt bald das Ruhrgebiet[24] mit seinen vielen Fabriken und Bergwerken.[25] Es ist das größte[26] Industriegebiet Europas. Das Auge sieht fast nichts Grünes, nur Fabriken und Städte. Aber dann kommen wir nach Hannover und etwas später in die norddeutsche Tiefebene,[27] eine ruhige und schöne Landschaft. Es wird langsam dunkel. Nach kurzer Zeit sind wir in Hamburg, der großen Hafenstadt[28] an der Elbe. Es war eine lange Reise, aber sie war auch sehr schön. Bald werden Sie vielleicht auch eine Reise nach Deutschland machen und alles selbst sehen.

75

80

[21] **die Geburtsstadt, ⸗e** birthplace.   [22] **der Kompon̦ist, -en** composer.   [23] **der Dom, -e** cathedral.   [24] **Ruhr** district.   [25] **das Bergwerk, -e** mine.   [26] largest.   [27] North German lowlands.   [28] **die Hafenstadt, ⸗e** port city.

WORTSCHATZ

anderthalb	one and a half	**lassen**	to leave, let
der **Apfel, ⸗**	apple	**er läßt**	
die **Bahnfahrt, -en**	train trip	**letzt-**	last
beginnen	to begin	**links**	left
beide	both, the two	die **Milch**	milk
bekannt	well known	das **Mittagessen, -**	lunch
berühmt	famous	**modern**	modern
die **Birne, -n**	pear	das **Obst**	fruit
blau	blue	**rechts**	right
braun	brown	der **Schaffner,-**	(train) conductor
der **Dichter, -**	poet	die **Seite, -n**	side, page
das **Ding, -e**	thing	**selbst**	self, in person, personally
dunkel	dark		
eng	narrow	**sogar**	even
etwas	somewhat	**wachsen**	to grow
die **Fahrkarte, -n**	ticket	**er wächst**	
das **Fleisch**	meat	der **Wagen, -**	car
froh	happy, gay	der **Gepäckwagen**	baggage car
der **Garten, ⸗**	garden	der **Schnellzug-**	passenger car on
das **Gedicht, -e**	poem	**wagen**	an express train
grün	green	der **Speisewagen**	dining car
die **Hauptstadt, ⸗e**	capital	**weit**	far
hell	bright	die **Welt, -en**	world
der **Himmel, -**	sky, heaven	**wenige**	few
hoch	high	die **Wiese, -n**	meadow
der **Kirchturm, ⸗e**	church steeple	die **Zeitschrift, -en**	magazine
klein	small, little	die **Zeitung, -en**	newspaper
die **Kuh, ⸗e**	cow	die **Zigarette, -n**	cigaret
langsam	slow		

IDIOMS

best<u>e</u>hen aus	to consist of
denken an (*with acc.*)	to think of
eine Reise machen	to take a trip
von . . . aus	from
zu Mittag essen	to eat (have) lunch

PATTERNS AND FORMS

Patterns

PATTERN **10a**: VERB PLUS INFINITIVE (FUTURE TENSE)

1. Normal Word Order

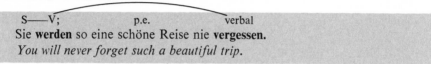

> S——V;   p.e.   verbal
> Sie **werden** so eine schöne Reise nie **vergessen**.
> *You will never forget such a beautiful trip.*

2. Inverted Word Order

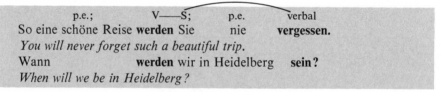

> p.e.;   V——S;   p.e.   verbal
> So eine schöne Reise **werden** Sie   nie   **vergessen**.
> *You will never forget such a beautiful trip.*
> Wann   **werden** wir in Heidelberg   **sein**?
> *When will we be in Heidelberg?*

Observation 10a: A conjugated verb may be used together with an additional verbal element, or verbal (abbreviated Vbl.); for example, an infinitive (compare English *you will forget*). In a simple sentence,[1] the conjugated verb is usually in second place (Lesson 2), but any additional verbal elements are at the end. The typical pattern for the German simple sentence with verb and verbal is thus:

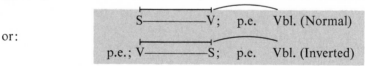

or:

> S————V;   p.e.   Vbl. (Normal)
>
> p.e.; V————S;   p.e.   Vbl. (Inverted)

Forms

1. Future Tense

> Ich **werde** so eine schöne Reise nie **vergessen**.
> Du **wirst** so eine schöne Reise nie **vergessen**.
> Er (sie, es) **wird** so eine schöne Reise nie **vergessen**.

---

[1] A simple sentence contains only one S——V combination (that is, one clause). When forming part of a larger sentence, it is usually called a main (or independent) clause.

Wir **werden** so eine schöne Reise nie **vergessen.**
Ihr **werdet** so eine schöne Reise nie **vergessen.**
Sie **werden** so eine schöne Reise nie **vergessen.**

The future tense consists of the present tense of **werden** plus infinitive.

2. Adjective Endings

Predicate adjectives (that is, adjectives that follow the verb) have no endings:

Der Mann ist **alt.**   Die Frau ist **alt.**   Das Buch ist **alt.**
The man is old.   *The woman is old.*   *The book is old.*
Die Männer sind **alt.**
The men are old.

Attributive adjectives (that is, adjectives that precede nouns) always have endings. These endings have two important functions: they distinguish attributive adjectives from predicate adjectives and adverbs and help identify the case, number, and gender of the noun they modify.

3. Adjectives After a Definite Article or Der-Word

SINGULAR

NOM.	der gute Mann	die gute Frau	das gute Buch
GEN.	des guten Mannes	der guten Frau	des guten Buches
DAT.	dem guten Mann(e)	der guten Frau	dem guten Buch(e)
ACC.	den guten Mann	die gute Frau	das gute Buch

PLURAL

NOM.	die guten Männer	die guten Frauen	die guten Bücher
GEN.	der guten Männer	der guten Frauen	der guten Bücher
DAT.	den guten Männern	den guten Frauen	den guten Büchern
ACC.	die guten Männer	die guten Frauen	die guten Bücher

Since a definite article or **der**-word identifies case, number, and gender of a noun, the adjective merely adds the so-called "weak" endings, **-e** or **-en:** **-e** in the entire nominative singular and in the accusative singular feminine and neuter; **-en** everywhere else.

4. Adjectives After Ein-Words

SINGULAR

NOM.	kein gut**er** Mann	keine gute Frau	kein gut**es** Buch
GEN.	keines guten Mannes	keiner guten Frau	keines guten Buches
DAT.	keinem guten Mann(e)	keiner guten Frau	keinem guten Buch(e)
ACC.	keinen guten Mann	keine gute Frau	kein gut**es** Buch

PLURAL

NOM.	keine guten Männer	keine guten Frauen	keine guten Bücher
GEN.	keiner guten Männer	keiner guten Frauen	keiner guten Bücher
DAT.	keinen guten Männern	keinen guten Frauen	keinen guten Büchern
ACC.	keine guten Männer	keine guten Frauen	keine guten Bücher

After **ein**-words, adjectives also have the weak endings **-e** or **-en,** except in the nominative singular masculine and neuter and the accusative singular neuter. Since the **ein**-words have no endings in these three forms, the adjectives have more specific endings: the so-called "strong" endings **-er, -es** (like **dieser, dieses**).

5. Unpreceded Adjectives

SINGULAR

NOM.	guter Wein	gute Suppe	gutes Wetter
GEN.	gut**en** Weines	guter Suppe	gut**en** Wetters
DAT.	gutem Wein	guter Suppe	gutem Wetter
ACC.	guten Wein	gute Suppe	gutes Wetter

PLURAL

NOM.	gute Leute
GEN.	guter Leute
DAT.	guten Leuten
ACC.	gute Leute

If no **der**-word or **ein**-word precedes, the adjective alone must identify the case, number, and gender of the following noun. Accordingly it takes the strong endings (like **dieser, diese, dieses**) throughout, except in the genitive singular masculine and neuter, which end in **-en.**[1]

6. Several Adjectives Modifying the Same Noun

Der **gute alte** Mann.	Ein **guter alter** Mann.	**Gute alte** Männer.
The good old man.	*A good old man.*	*Good old men.*

Two or more adjectives modifying the same noun have the same endings.

[1] Note that in these forms the noun itself usually has an identifying ending (**-s** or **-es**).

7. Limiting Adjectives

The limiting adjectives **einige** (*some*), **mehrere** (*several*), **viele** (*many*), **wenige** (*few*) occur only in the plural and are normally not preceded by a **der**-word or an **ein**-word; they have strong endings, as do adjectives following them:

Viele berühmte Männer werden hier sein.
Many famous men will be here.
Wir lesen die Bücher **mehrerer berühmter** Männer.
We are reading the books of several famous men.
Sie werden **einigen berühmten** Männern Briefe schreiben.
They will write letters to some famous men.
Ich sehe **wenige berühmte** Männer hier.
I see few famous men here.

Note: **Alle** (*all*) is a **der**-word (Lesson 7) and is therefore followed by adjectives with weak endings:

Alle berühmten Männer sind interessant.
All famous men are interesting.

8. Adjectives Used as Nouns

Der Alte ist hier.	*The old man is here.*
Ein Alter ist hier.	*An old man is here.*
Ich sehe **die Alte.**	*I see the old woman.*
Hier sind **die Alten.**	*Here are the old people.*

Das Alte ist nicht immer gut.
The old is not always good.
That which is old is not always good.
Old things are not always good.

Altes und Neues.
Old and new. or: *Old things and new things.*

In English, some adjectives may be used as nouns: *Help the poor* (= *poor people*). In German, any descriptive adjective may be used as a noun (capitalized) with weak or strong adjective endings. Masculine and feminine adjective-nouns refer to people, neuters to things or abstractions. Note the following expressions:

etwas Gutes	*something good*
nichts Altes	*nothing old*
viel Interessantes	*much (that is) interesting*

wenig Schönes   *little (that is) beautiful*
but
alles Neue   *everything new*

Etwas, nichts, viel, wenig are followed by neuter adjective-nouns with strong endings; **alles,** however, is followed by adjective-nouns with weak endings.

ÜBUNGEN

Mündlich

A. *Change the following sentences to future tense:*
1. Denkst du immer an mich? 2. Wann essen wir zu Mittag? 3. Unser Deutschlehrer macht eine Reise nach Europa. 4. Ich kaufe eine Fahrkarte. 5. Wohin fahrt ihr nächsten Sonntag? 6. Alle Züge haben heute Verspätung. 7. Die Bahnfahrt dauert ungefähr acht Stunden. 8. Wir lernen das Gedicht auswendig.

B. *Complete the second sentence of each pair according to the following example:*

EXAMPLE: Dieses Haus ist groß. Ich sehe ein . . . .
          Ich sehe ein großes Haus.

1. Dieses Buch ist interessant. Ich lese dieses . . . .
2. Dieser Dichter ist berühmt. Das Drama ist von dem . . . .
3. Unser Garten ist schön und groß. Wir haben einen . . . .
4. Diese Studenten sind krank. Ich habe Mitleid mit diesen . . . .
5. Der Gedanke ist furchtbar. Das ist ein . . . .
6. Das Wetter ist heute warm. Heute haben wir . . . .
7. Mein Regenmantel ist neu. Hier ist mein . . . .
8. In Deutschland sind viele Kirchen sehr alt. Wir besuchen dort viele . . . .
9. Dieses Restaurant ist teuer. Er ißt gewöhnlich in diesem . . . .
10. Das Bier ist warm. Ich trinke nie . . . .
11. In Heidelberg sind die Leute sehr nett. Ich kenne einige . . . .
12. Die Straßen dieses Dorfes sind eng. Das Dorf hat . . . .
13. Seine Wohnung ist hell und modern. Er wohnt in einer . . . .
14. Viele Dichter sind berühmt. Wir lesen Gedichte vieler . . . .
15. Diese Aufgaben sind nicht schwer. Der Lehrer gibt uns keine . . . .
16. Mein Freund ist krank. Das ist die Wohnung meines . . . .
17. Kennst du dieses alte Schloß? Ich kenne alle . . . .
18. Das Wetter ist sehr schön. Was machen Sie gewöhnlich bei . . . ?
19. Diese Geschichten sind sehr traurig. Ich bin kein Freund . . . .
20. Um dieses kleine Dorf liegen viele Felder. Felder findet man in der Nähe aller . . . .

C. *Translate:*
1. das Interessante   2. die Traurige   3. der Dumme   4. das Schöne
5. die Schöne   6. alles Gute   7. nichts Gefährliches   8. etwas Herrliches
9. ein Kranker   10. mein Lieber

D. *Say in German, using adjectives as nouns:*
1. everything new   2. nothing new   3. something simple   4. the sad thing
5. a German   6. a German woman   7. the German   8. not much new
9. many sick people   10. my little ones

E. *Review. Change the following sentences to past tense:*
1. Er kauft eine Zeitung.   2. Ich mache eine lange Bahnfahrt.   3. Es wird dunkel.   4. Wir lernen das Gedicht auswendig.   5. Hat der Zug Verspätung?   6. Kinder, seid ihr müde?   7. Die Studenten wiederholen die Aufgabe.   8. Wir multiplizieren diese Zahlen.   9. Das erinnert mich an meine Ferien.   10. Wir wohnen in der Hauptstadt unseres Landes.

Schriftlich

F. *Write in German:*
1. Two good friends are sitting in the modern dining car of an express train.
2. The train is going through green fields, quiet forests, and nice little villages.   3. They look out the window and at first don't say a word.
4. Everything is so beautiful, especially the great mountains and the deep valleys.   5. Finally one of the two says: "I shall never forget it!   6. This trip is marvelous, isn't it?   7. One sees so much (that is) new and interesting.
8. Such trips through the wide (weit) world really make me happy!   9. But what is the matter with you? You are so sad and aren't looking out the window any more.   10. Don't you like this beautiful country?"   11. "Oh, I have nothing against this country, but one mountain is as beautiful as another.   12. At home (bei uns) there are also big mountains."   13. "But such famous old churches and castles we don't have."   14. "The old doesn't interest me.   15. I like our large, modern cities."   16. "I don't understand you. The comfortable life in a small city or village is so nice.   17. But, by the way, the Germany of today also has its modern side.   18. Its large cities, as for example Berlin, Munich, Hamburg, are as modern as ours.
19. Many Germans have cars and (the) life is no longer so slow.   20. Today one finds the old and the new together.   21. Soon there will probably no longer be much (that is) old."   22. "Then everything will be new and I will really like it."

G. *Composition*
Describe in German a train trip through Germany.

German Information Center

Bonn: Rathaus und Marktplatz

Beschreiben Sie das Bild!

SUPPLEMENTARY VOCABULARY

der **Markt,** =e	market
das **Rathaus,** =er	town hall
das **Denkmal,** =er	monument
das **Hotel, -s**	hotel
die **Apotheke, -n**	drug store
beschreiben	to describe

Aufgabe 9

Wir wollen Ihnen jetzt zwei Geschichten erzählen.

„Kein Mensch muß müssen", behauptet Gotthold Ephraim Lessing (1729-1781) in seinem großen Drama „Nathan der Weise". Er mußte es ja wissen, denn er war einer der bekanntesten deutschen Dichter, und Dichter wissen meistens mehr als gewöhnliche Menschen. Aber S i e müssen trotzdem müssen, denn Sie wollen ja Deutsch lernen, nicht wahr? Darum   5
geben wir Ihnen gleich noch einen Ausspruch[1] eines anderen deutschen Dichters, Friedrich Rückert (1788-1866). Auch ihn interessierten die Modalverben,[2] denn er sagte einmal:

> Sechs Wörtchen nehmen mich in Anspruch[3] jeden Tag,
> Ich soll, ich muß, ich kann, ich will, ich darf, ich mag.   10

Ja, es ist schon richtig, die Modalverben gehören zu den wichtigsten Wörtern. Diese sechs Wörter werden wir also unter anderem[4] in dieser Aufgabe üben, und sie werden Ihnen dann sicher keine großen Schwierig-keiten mehr machen. Wir erklären sie Ihnen mit Hilfe von zwei netten alten deutschen Legenden. Eine dieser Legenden ist für die Damen, die   15

---

[1] **der Ausspruch, ⸗e** utterance, saying.   [2] modal auxiliary verbs.   [3] make demands on me.   [4] among other things.

andere für die Herren. Die Geschichte für die Damen müssen wir natürlich zuerst erzählen, nicht wahr? Sie heißt: „Die Frauen von Weinsberg".[5]

Vor mehr als 800 Jahren wollte König Konrad die Stadt Weinsberg erobern.[6] Der Krieg dauerte lange, und die Bürger der Stadt waren zuerst

20 stärker als die Soldaten des Königs. Endlich aber hatten die Leute in der Stadt nichts mehr zu essen. Da schickte König Konrad einen Boten[7] in die Stadt. Dieser sagte zu den Bürgern:

„Der König kann nicht länger warten, er wird die Stadt zerstören. Die Frauen aber will er verschonen,[8] und sie sollen darum die Stadt verlassen.

25 Sie dürfen auch ihr Kostbarstes[9] auf die Schultern nehmen und aus der Stadt tragen. Morgen früh dürfen keine Frauen mehr in Weinsberg sein."

Am nächsten Morgen wartete König Konrad vor der Stadt. Da marschierten die Frauen Weinsbergs aus der Stadt — mit ihren Männern auf den Schultern. Die Soldaten sagten zum König:

30 „Das dürfen die Frauen aber nicht, sie wollen uns betrügen!"[10] Der König aber lachte und erklärte:

„Das sind die klügsten Frauen der Welt, denn ihre Männer sind ihnen das Kostbarste. Ohne sie können sie nicht leben. Laßt sie also gehen!"

Das war die Geschichte für die Damen, und jetzt kommt die andere,

35 für die Herren. Sie handelt auch wieder vom Krieg, aber von einem späteren, dem Dreißigjährigen Krieg.[11] Während dieses Krieges eroberte General Tilly die Stadt Rothenburg,[12] eine der ältesten und schönsten Städte Deutschlands. Wegen ihres Alters und ihrer großen Schönheit wollte er sie nicht zerstören. Aber was konnte er tun? Ein General kann

40 doch zu einer eroberten[13] Stadt nicht einfach sagen: „Der Krieg ist aus, gehen wir wieder nach Hause!" Also mußte Tilly schnell etwas erfinden.[14] Nun liegt Rothenburg im schönen Franken, und dort wächst viel und guter Wein. Tilly hatte einen großen Krug.[15] Dieser faßte[16] drei Liter.[17] Plötzlich hatte er die beste Idee seines Lebens. Er schickte einen seiner Soldaten

45 durch alle Straßen der Stadt. Dieser mußte überall ausrufen:[18]

„Kommt heute abend alle auf den Marktplatz! Der General will euch etwas Wichtiges sagen!" (Man sagte damals noch nicht „Sie" zueinander.[19])

Am Abend waren Tausende[20] von Bürgern auf dem Marktplatz. Da

50 sagte Tilly zu ihnen: „Einer von euch muß diesen Krug Wein auf einen

---

[5] *town in Württemberg, near Heilbronn.*   [6] conquer.   [7] **der Bote, -n** messenger.   [8] spare.
[9] **kostbar** valuable.   [10] deceive.   [11] Thirty Years' War (*1618-1648*).   [12] *town in Bavaria,*
west of Nürnberg.   [13] conquered.   [14] invent.   [15] **der Krug, ⸗e** pitcher.   [16] **fassen** to
hold.   [17] *1 liter = 1.057 US quarts.*   [18] proclaim.   [19] to one another.   [20] thousands.

Stadt Weinsberg

Die Weiber von Weinsberg
Historisches Gemälde und Statue von Professor Graevenitz

Zug austrinken;[21] sonst werde ich eure Stadt zerstören!" Keiner wollte
es versuchen, denn drei Liter sind sehr viel! Endlich sagte der Bürgermeister — sein Name war Nusch —:

„Gebt mir den Krug! Ich kann wahrscheinlich von euch allen am
55   meisten trinken. Drei Liter sind zwar etwas mehr als ich gewöhnlich
trinke, das weiß ich, aber ich werde es versuchen. Für unsere Stadt ist mir
nichts zu viel!"

Tilly reichte[22] ihm den Krug. Der Bürgermeister atmete[23] einmal tief
und dann trank[24] er und trank — niemand weiß mehr, wie lange! Nach
60   einer Weile war der Krug leer, und die Bürger Rothenburgs waren natürlich sehr glücklich. Am glücklichsten aber waren Bürgermeister Nusch
und General Tilly. Dieser konnte nun endlich sagen:

„Ich werde eure schöne Stadt nicht zerstören. Der Krieg ist zwar aus,
aber ich werde noch eine Weile bei euch bleiben, denn euren Wein muß ich
65   auch versuchen!" Und die ganze Stadt feierte das Ende des Krieges.

---

[21] drink up at one draught.   [22] **reichen** to hand, pass.   [23] **atmen** to breathe.   [24] drank.

WORTSCHATZ

der **Abend, -e**	evening	**marschieren**	to march
das **Alter**	age	**meistens**	mostly, usually
aus	over, finished	**morgen**	tomorrow
behaupten	to claim, maintain	der **Morgen**	morning
der **Bürger, -**	citizen	**richtig**	right, correct
der **Bürgermeister, -**	mayor	die **Schönheit, -en**	beauty
damals	at that time	der **Soldat, -en, -en**	soldier
die **Dame, -n**	lady	**sonst**	otherwise
denn (*conj.*)	for	**stark**	strong
einmal	once	**tief**	deep
feiern	to celebrate	**tragen**	to carry
gehören (*with dat.*)	to belong	**er trägt**	
gehören zu	to be part of	**trotzdem**	nevertheless, all the
glücklich	happy		same
die **Hilfe**	help	**tun**	to do
die **Idee, -n**	idea	**üben**	to practice
klug	clever, wise	**verlassen**	to leave
der **König -e**	king	**wichtig**	important
der **Krieg -e**	war	**wissen**	to know
leer	empty	**er weiß**	
die **Legende -n**	legend	**zerstören**	to destroy
der (das) **Liter, -**	liter	**zu**	too

IDIOMS

handeln von	to deal with
jeden Tag	every day
morgen früh	tomorrow morning
noch nicht	not yet

PATTERNS AND FORMS

Patterns

PATTERN **10b**: VERB PLUS INFINITIVE (MODALS)

1. Normal Word Order

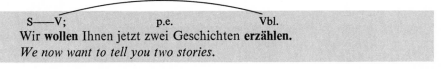

S——V;   p.e.   Vbl.
Wir **wollen** Ihnen jetzt zwei Geschichten **erzählen.**
We now want to tell you two stories.

2. Inverted Word Order

p.e.;   V——S; p.e.   Vbl.
Diese Geschichte **müssen** wir zuerst **erzählen.**
We must tell this story first.

Observation 10b: The pattern for a clause containing a modal auxiliary plus an infinitive is the same as Pattern 10a (future).

Forms

1. Present and Simple Past of Modal Auxiliaries

The following six verbs are called modal auxiliaries; they are used most frequently as helping verbs (auxiliaries) with a following infinitive, and they express the attitude of the subject to the action expressed by the infinitive (*he wants to go, he must go, he can go, he may go, he's supposed to go*).

dürfen	*to be permitted to, may*[1]
können	*to be able to, can*
mögen	*to like (to)*
müssen	*to have to, must*
sollen	*to be supposed to*
wollen	*to want (to)*

PRESENT

dürfen	**können**	**mögen**
ich **darf**	ich **kann**	ich **mag**
du **darfst**	du **kannst**	du **magst**
er, sie, es **darf**	er, sie, es **kann**	er, sie, es **mag**

[1] The forms *may, can, must* exist only in certain tenses in English; in other tenses other forms must be substituted, for example *I must*, but *I had to*. In German, modals exist in all tenses.

wir **dürfen**	wir **können**	wir **mögen**
ihr **dürft**	ihr **könnt**	ihr **mögt**
sie, Sie **dürfen**	sie, Sie **können**	sie, Sie **mögen**

müssen	**sollen**	**wollen**
ich **muß**	ich **soll**	ich **will**
du **mußt**	du **sollst**	du **willst**
er, sie, es **muß**	er, sie, es **soll**	er, sie, es **will**
wir **müssen**	wir **sollen**	wir **wollen**
ihr **müßt**	ihr **sollt**	ihr **wollt**
sie, Sie **müssen**	sie, Sie **sollen**	sie, Sie **wollen**

Note that modal auxiliaries are irregular in the singular of the present tense.

SIMPLE PAST

In the past, modals have the same endings as weak verbs (Lesson 6); however, modals that have umlaut in the infinitive lose it in the past: ich **durfte, konnte, mochte, mußte, sollte, wollte.**

Note also the consonant change in **mo_ch_te.**

2. Special Uses of Modal Auxiliaries

a. Must; does not have to; must not

Er **muß** heute **gehen.**	*He must (has to) go today.*
Er **muß** heute **nicht gehen.**	*He does not have to go today.*
Er **darf** heute **nicht gehen.**	*He must not go today.*

Müssen in the negative means *not to have to;* to express the prohibition *must not,* use **dürfen** in the negative.

b. To be (supposed) to; to be said to

| Er **soll** heute **gehen.** | *He is supposed to (is to) go today.* |
| Er **soll** sehr reich **sein.** | *He is supposed to (is said to) be very rich.* |

Sollen means *to be supposed to,* both in the sense of obligation (*he is to go*) and reputation (*he is said to be*).

c. Infinitive omitted

| **Er kann es nicht.** | *He can't do it.* |
| **Er soll heute in die Stadt.** | *He is supposed to go into town today.* |

Verbs meaning *to do* or *to go* need not be expressed after a modal auxiliary, since they are easily understood from the context.

d. Used as independent verb with direct object

Er kann Deutsch.	*He knows German* (that is, he is able to use it).
Er mag Deutsch.	*He likes German.*
Er will dieses Buch nicht.	*He doesn't want this book.*

Modal auxiliaries are occasionally used as independent verbs with direct objects.

3. Present and Simple Past of <u>wissen</u> (*to know a fact*)

PRESENT	PAST
ich **weiß**	ich **wußte**
du **weißt**	du **wußtest**
er, sie, es **weiß**	er, sie, es **wußte**
wir **wissen**	wir **wußten**
ihr **wißt**	ihr **wußtet**
sie, Sie **wissen**	sie, Sie **wußten**

The verb **wissen** is conjugated like a modal auxiliary.

4. Verbs Meaning "to know"

a. Ich **kenne diesen Mann.**   *I know (am acquainted with) this man.*
Er **kennt diese Stadt nicht.**   *He doesn't know (isn't acquainted with) this city.*

kennen = to be acquainted with a person, place, or thing

b. Ich **weiß nichts.**   *I don't know anything.*
Ich **weiß, was das ist.**   *I know what that is.*

wissen = to know a fact (usually used with indefinite words like **alles, nichts,** or followed by a clause)

c. Ich **kann Deutsch.**   *I know German.*
Ich **kann lesen.**   *I know how to read.*

können = 1. to know a language;   2. to know how to do something

5. Comparison of Adjectives and Adverbs

a. Predicate Adjectives and All Adverbs

Diese Wohnung ist **klein.**	*This apartment is small.*
Seine Wohnung ist **kleiner.**	*His apartment is smaller.*
Meine Wohnung ist **am kleinsten.**	*My apartment is smallest.*

Sie singt **schön**.	*She sings beautifully.*
Ihre Freundin singt **schöner**.	*Her friend sings more beautifully.*
Du singst **am schönsten**.	*You sing most beautifully.*

Predicate adjectives and all adverbs form their comparatives by adding **-er** (compare English *smaller*); their superlative is a phrase consisting of **am** plus the adjective or adverb with the ending **-sten** (compare English *smallest*). Note that all comparatives and superlatives are formed by adding endings; there is no construction like English *more beautiful, most beautiful*.

b. Attributive Adjectives

Die **kleine** Wohnung ist sehr teuer.
The small apartment is very expensive.
Die **kleinere** Wohnung ist auch teuer.
The smaller apartment is also expensive.
Die **kleinste** Wohnung ist nicht teuer.
The smallest apartment is not expensive.

Attributive adjectives form their comparatives and superlatives in **-er** and **-st** plus adjective endings (Lesson 8).

Caution! Distinguish carefully:

| ein kleiner Hund | *a small dog* |
| ein kleinerer Hund | *a smaller dog* |

c. als; so . . . wie

| Mein Freund ist **älter als** ich. | *My friend is older than I.* |
| Sein Bruder ist **so alt wie** ich. | *His brother is as old as I.* |

In comparisons, **als** is equivalent to *than;* **so . . . wie** is equivalent to *as . . . as*.

d. immer plus comparative

Das Leben wird **immer teurer**.
Life is becoming more and more expensive.
Er sagt das **immer wieder**.
He says that again and again.

Immer plus comparative is equivalent to *more and more . . .* ; note also the idiom **immer wieder**.

6. Irregularities in the Comparative and Superlative

a. Adjectives with stems ending in **d, t,** or s-sounds **(s, ß, z, tz)** add -est in the superlative: der **interessanteste** Film.

b. Most common monosyllabic adjectives with the vowel **a**, **o**, or **u** take Umlaut in the comparative and superlative:

POSITIVE		COMPARATIVE	SUPERLATIVE
alt	(*old*)	**älter**	**ältest-**[1]
dumm	(*stupid*)	**dümmer**	**dümmst-**
klug	(*clever*)	**klüger**	**klügst-**
krank	(*sick*)	**kränker**	**kränkst-**
kurz	(*short*)	**kürzer**	**kürzest-**
lang	(*long*)	**länger**	**längst-**
stark	(*strong*)	**stärker**	**stärkst-**

c. Adjectives ending in **-er, -el** usually drop **e** in the comparative:

dunkel	(*dark*)	**dunkler**	**dunkelst-**
teuer	(*expensive*)	**teurer**	**teuerst-**

Note: These adjectives also usually drop **e** in the positive form before endings: die **dunkle** Nacht *the dark night;* das **teure** Auto *the expensive car.*

d. A few adjectives have irregular comparatives and superlatives. Those that have occurred so far are:

groß	(*large*)	**größer**	**größt-**
gut	(*good*)	**besser**	**best-**
hoch	(*high*)	**höher**	**höchst-**[2]
viel	(*much*)	**mehr**	**meist-**[3]

ÜBUNGEN

Mündlich

A. *Restate each of the following sentences using the proper form of the modal auxiliary indicated:*

EXAMPLE: Er geht heute nicht in die Stadt. (können)
             Er kann heute nicht in die Stadt gehen.

1. Lernen Sie Deutsch? (wollen) 2. Der General zerstörte die alte Stadt nicht. (wollen) 3. Kleine Kinder trinken kein Bier. (dürfen) 4. Diese Zeit-

---

[1] Superlative forms listed with a hyphen must be used with the proper adjective endings or in the phrases **am . . . -sten.**

[2] The **c** of **hoch** is also lost in the positive before endings: ein **hoher** Baum.

[3] The comparative form **mehr** never takes an adjective ending:

Er hat **mehr** Geld als ich.	*He has more money than I.*
Ich habe **mehr** Freunde als er.	*I have more friends than he.*

The superlative **meist-,** when used attributively, is always preceded by a definite article: **die meisten Leute** *most people.*

schrift ist sehr interessant. (sollen)   5. Die Soldaten marschierten jeden Tag.
(müssen)   6. Er lernt das Gedicht auswendig. (müssen)   7. Er weiß es noch
nicht. (können)   8. Ich bleibe bis heute abend. (dürfen)   9. Du warst um
acht Uhr hier. (sollen)   10. Hoffentlich versteht ihr Deutsch. (können)
11. Ich kaufe keine Bücher mehr. (wollen)   12. Er erklärte es mir nicht.
(können) 13. Er schreibt keine Briefe. (mögen)   14. Geht ihr ins Kino?
(dürfen)   15. In dieser Aufgabe üben wir die Modalverben. (müssen)
16. Warten wir auf ihn? (sollen)   17. Man öffnet dieses Fenster nicht.
(dürfen)   18. Auf so einer Reise sieht man fast ganz Westdeutschland.
(können)   19. Ihr seid sicher sehr müde. (müssen)   20. Ich lese jeden
neuen Roman. (wollen)

B. *Say in German, using the correct equivalent of the verb "to know":*
1. Do you know him? (3 forms of *you*)   2. No, but I know his older brother.
3. He must know everything.   4. My German friend doesn't know any
English.   5. I don't know that.   6. We all know this famous novel by
Thomas Mann.   7. You (3 forms) know how to read, don't you?   8. Don't
ask me, I don't know anything.

C. *Change all adjectives and adverbs in the following sentences to comparatives:*
1. Er wohnt in einer schönen Stadt.   2. Ein guter Dichter schreibt interessante Geschichten.   3. Ein kluger Student studiert viel.   4. Große
Autos sind immer teuer.   5. Das alte Haus ist so schön wie das neue.
6. Die starken Soldaten konnten lange marschieren.   7. Hier ist das Leben
so gemütlich wie in einer großen Stadt.   8. Ihm gefällt das moderne Bild.
9. Im Sommer sind die Tage lang und warm.   10. Die kurzen Geschichten
dieses kleinen Buches gefallen uns gut.

D. *Change all adjectives and adverbs in the following sentences to superlatives:*
1. Diese Bücher sind wichtig.   2. Mein kleiner Sohn ißt immer viel.
3. Viele Leute wissen das nicht.   4. Wo kann man gutes Obst kaufen?
5. Der kluge Student studiert viel.   6. Die starken Soldaten konnten lange
marschieren.   7. Große Autos sind nicht immer teuer.   8. Alte Geschichten
sind oft interessant.   9. Glückliche Stunden vergißt man nie.   10. Kleine
Dörfer haben oft schöne Kirchen.

E. *Review. Change the following sentences to plural:*
1. Die kluge Frau von Weinsberg trägt ihren Mann auf der Schulter.
2. Die gute Idee des Bürgers gefällt dem Soldaten.   3. Für eine Bahnfahrt
muß man eine Fahrkarte kaufen.   4. Von dem Kirchturm aus kann man
eine grüne Wiese sehen.   5. Er ißt einen Apfel und eine Birne.   6. Auf der
Landkarte findet der Student den See, den Fluß und die Hauptstadt des

Landes. 7. Hat sein Haus einen großen Garten? 8. Der Junge will eine Zeitung und eine Zeitschrift kaufen. 9. Kann er diese Zahl mit einer anderen multiplizieren? 10. Der Zug fährt durch ein schönes Tal und einen dunklen Wald.

Schriftlich

F. *Write in German:*
1. "Hello Fritz! Tell me, what did you learn in German class today? 2. I couldn't come again today. 3. I had (to go) to the city, for I wanted to buy the latest (*in German:* newest) novel by Günter Grass." 4. "Such novels are interesting, to be sure, but our German teacher's stories are much more interesting. 5. He can tell the best stories." 6. "What kind of stories did he tell you today? 7. I hope you could understand them. 8. His stories are not supposed to be difficult, but I find them more difficult than the reading selections in our book." 9. "You go to the city too often and not often enough to German class. 10. You must not (do) that." 11. "I know, our German teacher always says that too. 12. But I don't want to hear that. 13. You are supposed to tell me his "marvelous" stories. 14. I have to learn them too; you know that, don't you?" 15. "The shorter of the two stories was for the ladies. 16. It dealt with the women of Weinsberg, the cleverest women[1] in (*German:* of) the world. 17. They had to leave their city during a war, but they were allowed to carry their most valuable possession (ihr Kostbarstes) out of the city." 18. "And what was that? Their money?" 19. "No, you don't know (the) women as well as you think. 20. Their husbands were dearer to them than their money." 21. "And that is supposed to be clever? 22. I hope the other story is better than this one."

G. *Composition*
For the ladies: Summarize in your own words in German the story of the women of Weinsberg.

For the gentlemen: Summarize in your own words in German the story of the salvation of Rothenburg.

---

[1] Note that this noun is also the object of the preposition *with*.

Dr. Wolff & Tritschler,
Frankfurt am Main

Der Meistertrunk von Rothenburg ob der Tauber

SUPPLEMENTARY VOCABULARY

der Meistertrunk	record drink, master draught
die Hand, ⸗e	hand
der Bart, ⸗e	beard
weiß	white

Antworten Sie auf deutsch!

1. Wer ist der Mann rechts auf dem Bild?
2. Was hat er in den Händen?
3. Was macht er? Warum?
4. Was für ein Mann steht neben ihm?
5. Steht General Tilly (der Mann mit dem weißen Bart) hinter dem Tisch?
6. Welche von diesen Sachen sehen Sie nicht auf dem Bild: ein dickes Buch, mehrere Frauen, zwei Männer mit Bärten, zwei große Tische, eine große Landkarte, einen Soldaten, einen Krug Milch.

Aufgabe 10

Ich habe mit Herrn Frei telephoniert.

Vor einer Woche habe ich mit Herrn Frei telephoniert, und er hat mich gefragt:

„Herr Trübner, warum haben Sie uns schon so lange nicht mehr besucht? Meine Frau hat gesagt, wahrscheinlich kommt Herr Trübner nicht mehr gerne zu uns. Wir haben früher in der Vorstadt gewohnt, hat sie   5 gesagt, und jetzt geht er sicher lieber zu seinen anderen Freunden aufs Land als zu uns in die Stadt. Sie wissen, Herr Trübner, wir haben ein altes Haus gekauft, und ich habe es vom Keller bis zum Dach renoviert. Es ist jetzt sehr schön, und Sie müssen uns wirklich bald besuchen."

„Das tue ich gern, Herr Frei", habe ich zu ihm gesagt. „Leider habe   10 ich in letzter Zeit sehr viel Arbeit gehabt. Ich bin viel gereist und konnte keinen meiner Freunde besuchen. Aber jetzt habe ich wieder etwas mehr Zeit."

„Das ist aber sehr nett", hat Herr Frei erwidert. „Können Sie vielleicht am kommenden Wochenende auf ein paar Stunden zu uns kommen?"   15

„Sehr gern, Herr Frei. Ich mache meine Besuche am liebsten am Samstagabend. Da kann ich am Sonntagmorgen etwas länger schlafen." Und dann habe ich noch ganz vorsichtig[1] gefragt: „Darf meine Bekannte auch kommen?"

„Aber sicher, Herr Trübner. Wie heißt sie denn? Seit wann haben Sie   20 denn eine Freundin?"

---

[1] careful(ly).

„Sie heißt Sonja Schön, und ich kenne sie erst seit ein paar Wochen. Ich habe sie sehr gern, und sie wird Ihnen und Ihrer Frau sicher auch gefallen. Ich habe gedacht . . .‟

25   „Ja, was haben Sie gedacht?‟

„Darf ich ein paar Schallplatten bringen? Sie haben doch einen Plattenspieler, nicht wahr? Meine Freundin tanzt sehr gern, und sie hat mir gestern einige neue Langspielplatten gebracht. Ich habe sie noch nicht gehört, aber sie sind sicher gut.‟

30   „Aber natürlich. Bringen Sie also Ihre Freundin und Ihre neuen Platten. Wir haben zwar ein Radio und einen Fernsehapparat, aber zur Unterhaltung und zum Tanzen sind Schallplatten besser. Wir erwarten Sie also am Samstagabend gegen² acht Uhr. Ist Ihnen das recht?‟

„Ja, das ist sehr nett von Ihnen, Herr Frei. Grüßen Sie bitte Ihre Frau

35   von mir! Auf Wiedersehen bis Samstag, Herr Frei.‟

„Übrigens, Herr Trübner, was trinkt denn Ihre Freundin am liebsten? Doch sicher kein Wasser?‟

„Aber Herr Frei, machen Sie bitte keine Umstände!‟³

„Gut, wir werden schon etwas finden. Auf Wiedersehen am Samstag,

40   Herr Trübner.‟

„Auf Wiedersehen, Herr Frei.‟

Es ist Montagabend, und ich sitze im Wohnzimmer und schreibe einen Brief an meinen Freund.

Lieber Günter!

45   Vorgestern, am Samstag, haben Sonja und ich Freis besucht. Du kennst sie doch, nicht wahr? Es war ein sehr netter Abend. Wir haben viel getanzt — Frau Frei nannte mich nur „den tanzenden Studenten‟ —, und Freis haben uns dann ihr Haus gezeigt. Herr Frei hat es ganz renoviert. Es ist ziemlich groß, hat eine Garage, sechs Zimmer, eine moderne Küche

50   und Bad. Ich hatte das Haus vorher nicht gekannt, aber ich glaube es war ziemlich altmodisch.⁴ Freis hatten ihr Haus in der Vorstadt schon verkauft, denn sie wollten in die Stadt ziehen. Sie hatten lange etwas Modernes gesucht, aber ohne Erfolg. Darum haben sie dann ein altes Haus ziemlich billig gekauft und es ganz modernisiert. Wir haben im Wohnzimmer

55   getanzt; dort stehen der Fernsehapparat, das Radio, ein großes Sofa und einige bequeme Sessel und Stühle. Neben dem Wohnzimmer ist das Eßzim-

---

² *here* about.   ³ please, don't trouble yourself.   ⁴ old-fashioned.

mer, und von dort geht man in die Küche. Oben sind drei Schlafzimmer —
in einem schlafen die Kinder —, Herrn Freis Arbeitszimmer und das Bad.
An den Wänden hängen überall schöne Bilder.

Frau Frei ist eine gute Hausfrau. Sie hat uns gesagt: „Ich koche sehr   60
gern. Am liebsten bin ich in der Küche. Da habe ich meinen neuen
Kühlschrank und die Waschmaschine. Die meisten unserer Bekannten
sagen zwar ‚Ach, ist Frau Frei aber altmodisch!' Mir ist das aber ganz
gleichgültig und meinem Mann auch. Er hat gern ein gemütliches Haus
und ißt gern gut." „Das sieht man, denn er ist wirklich etwas zu dick",   65
habe ich später zu Sonja gesagt. Da wurde sie aber sehr böse und hat
erklärt: „Das sagt man nicht. Das ist gar nicht nett von dir!"

Herr Frei ist am liebsten in seinem Arbeitszimmer, denn dort stehen die
meisten seiner Bücher, und darum kann er dort auch am besten arbeiten.
Wir waren bis nach zwölf bei Freis. Herr Frei hat uns bis ans Auto   70
gebracht und Sonja sogar die Tür geöffnet. Er ist wirklich ein freundlicher
Mann, das muß man sagen. Darum hat mich Sonja auch böse genannt
wegen meiner unfreundlichen Bemerkung.[5]

Ich muß nun schließen. Ich habe übrigens schon lange nichts mehr von
Dir gehört. Schreib mir doch bitte bald wieder!   75

Mit herzlichen Grüßen,

Dein Fritz.

[5] **die Bemerkung, -en** remark.

WORTSCHATZ

die **Arbeit, -en**	work		die **Küche, -n**	kitchen
arbeiten	to work		der **Kühlschrank, ⸗e**	refrigerator
das **Bad, die Bade-**			der **Montag, -e**	Monday
zimmer	bath, bathrooms		der **Montagabend, -e**	Monday evening
der, die **Bekannte, -n**	acquaintance		**nennen**	to name, call
bequem	comfortable		**oben**	upstairs
der **Besuch, -e**	visit		der **Plattenspieler, -**	record player
besuchen	to visit		das **Radio, -s**	radio
billig	cheap, inexpensive		der **Samstag, -e**	Saturday
böse	angry, bad, evil		der **Samstagabend, -e**	Saturday evening
das **Dach, ⸗er**	roof		die **Schallplatte (die**	record
dick	thick, heavy		**Platte), -n**	
erwarten	to expect		die **Langspiel-**	
erwidern	to reply		**platte, -n**	LP record
der **Fernsehapparat, -e**	TV-set		**schlafen**	to sleep
gern(e)	gladly		**er schläft**	
die **Hausfrau, -en**	housewife		der **Sessel, -**	easy chair
der **Keller, -**	basement, cellar		das **Sofa, -s**	sofa, couch
kochen	to cook		der **Sonntagmorgen, -**	Sunday morning

der **Stuhl, ⸗e**	chair	das **Wasser**	water
suchen	to seek, search	das **Wochenende**	weekend
telephonieren	to phone	**ziehen**	to move
unfreundlich	unfriendly	das **Zimmer, -**	room
die **Unterhaltung, -en**	conversation, entertainment	das **Arbeitszimmer, -**	study
vorgestern	day before yesterday	das **Eßzimmer, -**	dining room
		das **Schlafzimmer, -**	bedroom
vorher	previously		
die **Vorstadt, ⸗e**	suburb(s)	das **Wohnzimmer, -**	living room
die **Waschmaschine, -n**	washing machine		

IDIOMS

auf ein paar Stunden, Tage, Wochen usw.	for a few hours, days, weeks, etc.
aufs Land	(in)to the country
es ist mir gleichgültig	I don't care, it doesn't matter to me
es ist mir recht	it is all right with me
gern haben	to like, love
in letzter Zeit	recently
mit herzlichen Grüßen	cordially
Wie heißen Sie?	What is your name?
Ich heiße . . .	My name is . . .

PATTERNS AND FORMS

Patterns

PATTERN **11**: VERB PLUS PAST PARTICIPLE (COMPOUND TENSES)

a. Normal Word Order

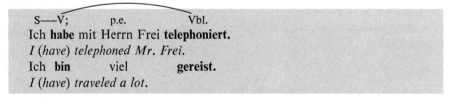

```
    S—V;        p.e.            Vbl.
Ich habe mit Herrn Frei telephoniert.
I (have) telephoned Mr. Frei.
Ich bin      viel        gereist.
I (have) traveled a lot.
```

b. Inverted Word Order

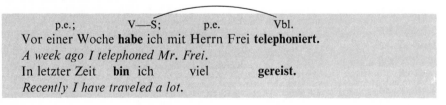

```
    p.e.;        V—S;       p.e.        Vbl.
Vor einer Woche habe ich mit Herrn Frei telephoniert.
A week ago I telephoned Mr. Frei.
In letzter Zeit bin ich      viel       gereist.
Recently I have traveled a lot.
```

Observation 11: A compound tense consists of an auxiliary verb **(haben** or **sein)** plus a past participle. The pattern is the same as Pattern 10.

Forms

1. Past Participle of Regular Weak Verbs

The past participle of regular weak verbs (see Lesson 6) consists of the present stem plus the prefix **ge-** and the ending **-t:** sagen — **gesagt.**

Verbs that insert **e** in the past tense add **-et** in the past participle:

INFINITIVE	PAST	PAST PARTICIPLE
antworten	antwortete	**geantwortet**
öffnen	öffnete	**geöffnet**

Verbs that do not bear the principal stress on the first syllable omit **ge-** in the past participle:

INFINITIVE	PAST PARTICIPLE
telephonieren	**telephoniert**
besuchen	**besucht**

2. Compound Tenses

In German, as in English, the past participle may never be used alone as a verb; it is a verbal used with an auxiliary to form the compound tenses: the compound past (English: *I have said*), the past perfect (English: *I had said*), and the future perfect (English: *I shall have said*).

3. Compound Past

ich habe mit Herrn Frei **telephoniert**
du hast mit Herrn Frei **telephoniert**
er (sie, es) hat mit Herrn Frei **telephoniert**
wir haben mit Herrn Frei **telephoniert**
ihr habt mit Herrn Frei **telephoniert**
sie (Sie) haben mit Herrn Frei **telephoniert**

The compound past of most German verbs consists of the present tense of the auxiliary verb **haben** plus past participle.

ich bin viel **gereist**	**wir sind** viel **gereist**
du bist viel **gereist**	**ihr seid** viel **gereist**
er (sie, es) ist viel **gereist**	**sie (Sie) sind** viel **gereist**

Some verbs form their compound tenses with the auxiliary verb **sein** instead of **haben** (compare biblical English: *I am come*). All intransitive verbs[1] expressing motion or change of condition are conjugated with **sein.**

---

[1] An intransitive verb cannot take a direct (accusative) object. A transitive verb does take such an object.

4. Use of the Compound Past

The compound past is commonly used in everyday speech instead of the simple past, with no difference in meaning.

In more formal (especially written) German, a distinction is made between the tenses. The simple past is used:

a. to narrate a series of events:

Der Junge **wanderte** weiter, . . . da **hörte** er am Rande der Straße einige Frösche.
The boy walked on, . . . then he heard several frogs at the side of the road.

b. to describe a continuing action in the past:

Damals **lebte** er noch in Deutschland.
At that time he was still living in Germany.

The compound past is used to describe a single completed action:

Goethe **hat** das Drama „Faust" **geschrieben.**
Goethe wrote the Drama "Faust."
Ich **habe** das Drama schon **gelesen.**
I have (already) read the drama.

Note that a German compound past may be equivalent to an English simple past (*wrote*) or compound past (*have read*).

5. Past Perfect

ich hatte mit Herrn Frei **telephoniert** (*I had telephoned Mr. Frei*)
du hattest mit Herrn Frei **telephoniert**
er (sie, es) hatte mit Herrn Frei **telephoniert**
wir hatten mit Herrn Frei **telephoniert**
ihr hattet mit Herrn Frei **telephoniert**
sie (Sie) hatten mit Herrn Frei **telephoniert**

ich war viel **gereist** (*I had traveled a lot*)
du warst viel **gereist**
er (sie, es) war viel **gereist**
wir waren viel **gereist**
ihr wart viel **gereist**
sie (Sie) waren viel **gereist**

The past perfect tense consists of the past tense of **haben** or **sein** plus past participle.

6. Principal Parts of Verbs

In German, as in English, the infinitive, the simple past tense (third person singular), and the past participle are called the principal parts of a verb, since all tenses can be formed from these three parts:

sagen	**sagte**	**gesagt**
reisen	**reiste**	**ist gereist**[1]

7. Principal Parts of Irregular Weak Verbs

kennen	**kannte**	**gekannt**	*to know, be acquainted with*
nennen	**nannte**	**genannt**	*to name, call*
bringen	**brachte**	**gebracht**	*to bring*
denken	**dachte**	**gedacht**	*to think*
wissen	**wußte**	**gewußt**	*to know (a fact)*
haben	**hatte**	**gehabt**	*to have*

8. Present Participle

The present participle is formed by adding the ending **-d** to the infinitive of any German verb: **sagend** (*saying*), **reisend** (*traveling*), **sprechend** (*speaking*).

The present participle is used primarily as an adjective in German; as an attributive adjective it has the usual adjective endings:

das **kommende** Wochenende	*the coming weekend*
der **tanzende** Student	*the dancing student*

9. German Equivalents of English "to like"

a.
Ich habe ihn gern.	*I like him.*
Er hat solche Gedichte gern.	*He likes (is fond of) such poems.*
Ich habe dich gern.	*I love you.*

gern haben = *to like, be fond of* (to have a subjective, emotional response to something or someone; with reference to people, it frequently means *to love*).

b.
Dieses Bild gefällt mir.
I like this picture. (This picture appeals to me.)
Dieser Mann gefällt mir nicht.
I don't like this man. (He doesn't appeal to me.)

gefallen = *to like;*[2] *to appeal to* (more impersonal, objective appreciation)

---

[1] Verbs conjugated with **sein** will be listed with **ist** before the past participle as a reminder.
[2] Note the reversal of subject and object in German and English: **Es gefällt mir** *I like it.*

Contrast:

Ich habe diese Stadt gern.
(*I am fond of it; I like living there; I have ties to it.*)
Diese Stadt gefällt mir.
(*It appeals to me; it is attractive, interesting to visit.*)

c. **Ich mag dieses Buch nicht.**   *I don't like this book.*
   Ich mag ihn nicht.   *I don't like him.*
   Ich mag gute Suppe.   *I like good soup.*

mögen = *to like* (especially frequent in the negative or with reference to foods)

d. **Ich tanze gern.**   *I like to dance; I like dancing.*
   Ich koche lieber.   *I prefer to cook; I like cooking better.*
   Ich lese am liebsten.   *I like best to read; I like reading best.*

   Ich esse gern Brot.   *I like (to eat) bread.*

gern plus verb = *to like* to do (the action expressed by the verb)

Gern essen, gern trinken is frequently used instead of **mögen** with foods and beverages. Note the irregular comparison: **gern, lieber, am liebsten.**

ÜBUNGEN

Mündlich

A. *Change to the compound past:*
1. Er nennt mich seinen besten Freund. 2. Wir arbeiten heute acht Stunden. 3. Behauptet er das? 4. Ich erwarte ihn um fünf Uhr am Bahnhof. 5. Ich denke oft an Sie. 6. Der Professor besucht den kranken Studenten. 7. Wissen Sie das nicht? 8. Interessiert dich dieser Film? 9. Der Ober bringt uns ein Glas Wasser. 10. Die Mutter erzählt ihren Kindern Geschichten. 11. Er erinnert mich an meinen alten Vater. 12. Er öffnet die Tür des Büros. 13. Diese Häuser gehören alle Herrn Schmidt. 14. Reisen Sie auch viel? 15. Kauft er die Fahrkarten? 16. Er legt die Zeitung auf den Tisch. 17. Warum verkaufst du dein Auto nicht? 18. Die Studenten lernen das Gedicht auswendig. 19. Mein Freund wohnt in der Hauptstadt des Landes. 20. Warum studiert er Deutsch?

B. *Change the sentences in A to the past perfect.*

C. *Change the verb in each of the following sentences to a present participle modifying the noun:*

EXAMPLE: Das Jahr kommt.
das kommende Jahr

1. Das Kind schläft. 2. Der Ober singt. 3. Die Frau spricht. 4. Ein Mann lacht. 5. Eine Studentin liest. 6. Ein Auge sieht. 7. Die Vögel fliegen. 8. Diese Hausfrauen arbeiten. 9. Unsere Soldaten marschieren. 10. Mein Freund wartet.

D. *Use the appropriate German equivalent of "to like":*[1]
1. I like such people. 2. We like to speak German. 3. He likes cold beer. 4. Do you like to go to the movies? 5. I prefer to go to the theater. 6. I like best staying at home. 7. Do you like the new railroad station? 8. The students like their teacher. 9. I don't like butter. 10. He likes this green car.

E. *Change to the simple past:*
1. Warum wissen Sie das nicht? 2. Ich denke gern an die Bahnfahrt. 3. Wir kennen diese Stadt noch nicht. 4. Bringt er Ihnen die neuste Zeitung? 5. Ich nenne ihm meinen Namen. 6. Warum hast du keine Zeit? 7. Es wird dunkel. 8. Ich weiß nicht, was er denkt. 9. Ich bringe ihm Geld. 10. Er kennt meinen Vater.

Schriftlich

F. *Write in German (use the compound past wherever possible):*
1. Mr. Trübner is speaking with Mrs. Huber in front of the door of her apartment. 2. "Excuse me, Mrs. Huber, I am looking for my friend, Mr. Frei. 3. A few years ago he lived here in this house. 4. I have heard nothing from him for a long time. 5. I sent him several letters, but he never answered me. 6. I asked the people upstairs, but they do not know him. 7. Did you know him?" 8. "But of course. You are Mr. Trübner, aren't you? 9. You visited Mr. Frei often. 10. Sometimes I was there, too, and we danced together. 11. Mr. Frei had a good record player in the living room, and you brought some new LP records. 12. Those were marvelous times! I have not danced for such a long time. 13. But you don't want to hear such old stories, do you? 14. You reminded me of the good old times, and I thought only of those beautiful evenings. 15. My husband — he has been dead for years — called me the 'dancing housewife.' 16. He said: 'Hilde, you can cook and dance better than all other women.' 17. Some-

[1] Note that in some sentences more than one form may be possible.

times I cooked for Mr. Frei and his friends.   18. I like to cook, but I like dancing still better.   19. But I must tell you about (von) Mr. Frei.   20. He now has a wife and a child and has bought a big house in the suburb(s). 21. Day before yesterday I phoned him and he told me about (von) his vacation.   22. He and his wife traveled with their small child through the whole country.   23. The trip lasted three weeks and it rained almost every day.   24. It was terrible! But he is now home again and you must visit him."   25. "Gladly, but where does he live?"   26. "Oh, didn't I tell you that yet?"

*Haus und
Grundriß*

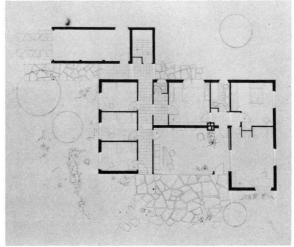

German Information Center

SUPPLEMENTARY VOCABULARY

der Grundriß, -sse	plan
die Treppe, -n	stairs
die Garage, -n	garage
der Gang, ̈e	hall

Das erste Bild zeigt ein modernes deutsches Haus.
Das zweite Bild zeigt den Grundriß dieses Hauses.
Beschreiben Sie den Grundriß!
Gefällt Ihnen das Haus? Warum (nicht)?

Aufgabe 11

PATTERN SENTENCE:

Der berühmte Goethe ist auch einmal jung gewesen.

In früheren Aufgaben dieses Buches haben wir Ihnen einiges über das Leben in Deutschland erzählt. Sie sind z. B. mit Gerhard, Günter, Heinz und Brigitte ins Kino gegangen, in Gedanken wenigstens. (Hoffentlich haben Sie das nicht schon wieder vergessen!) Sie haben Fritz und Günter
5 auf einer Wanderung gesehen, sind mit ihnen in einem Restaurant gewesen und haben dort etwas gegessen und getrunken. In einer anderen Aufgabe haben Sie Peter Miller geholfen, seinem Professor einen Brief zu schreiben, und in wieder anderen sind Sie mit dem Bus und Zug gefahren, haben alte Legenden gelesen, sind mit Deutschland geographisch bekannt geworden
10 und haben Heines berühmtes Gedicht von der noch berühmteren Lorelei gelernt.

In dem nun folgenden Text werden Sie einem ganz neuen Thema begegnen. Dieses Thema heißt „Der junge Goethe". Bitte sagen Sie nun nicht: „Warum sollen wir so altes Zeug lernen? Goethe ist doch schon
15 vor über 130 Jahren gestorben!" Unser kleiner Bericht wird Ihnen aber sicher gefallen. Und übrigens, geschrieben und gedruckt ist er ja, also müssen Sie ihn lesen, nicht wahr?

Goethe — das wissen Sie alle — hat nicht nur Deutschland, sondern auch der ganzen zivilisierten Welt sehr viel gegeben. Darum interessiert
20 Sie vielleicht gerade die Jugend dieses großen Mannes, des Dichters des „Faust",[1] des „Wilhelm Meister"[2] und vieler anderer berühmter Werke,

---

[1] *Goethe's most famous work, a drama in two parts, on which he worked for about 60 years.*
[2] *educational and developmental novel (final version completed 1828-1829).*

120

denn Jugendjahre,[3] Eltern, Erziehung, Religion, Freunde, Bekannte usw. formen ja bekanntlich[4] den Menschen am meisten.

„Am 28sten August 1749, mittags mit dem Glockenschlage[5] zwölf kam ich in Frankfurt am Main auf die Welt", so beginnt Goethes autobio- 25 graphisches Werk „Dichtung und Wahrheit".[6] Er war das älteste von sechs Kindern der Eheleute[7] Johann Kaspar und Katharina Elisabeth Goethe. Beide waren gebildete[8] Leute — der Vater war Jurist und Kaiser-licher Rat[9] und besaß eine Bibliothek von 1500 Bänden — und so erzogen sie ihren Ältesten zunächst zu Hause. Erst später ging er in eine öffent- 30 liche[10] Schule. Schon mit sieben Jahren schrieb der kleine Johann Wolf-gang ein Gedicht. Er schrieb es seiner Großmutter zum Neujahrstag[11] 1757. Ein Musterknabe[12] war der junge Goethe aber nicht, im Gegenteil! In „Dichtung und Wahrheit" erzählt er uns nämlich folgende Geschichte.

Eines Tages hatte man ihm und seinen Geschwistern kleine Teller und 35 Tassen als Spielzeug geschenkt. Bald wurde ihm aber das Spiel langweilig und er warf einen der kleinen Teller durchs Fenster auf die Straße. Dort zerbrach er natürlich mit lautem Knall.[13] Kinder und Nachbarn auf der Straße lachten und riefen: „Wirf noch mehr herunter!"[14] Er tat es mit Vergnügen, und bald lagen alle seine Spielzeugteller und -tassen zer- 40 brochen auf dem Pflaster.[15] Aber die Kinder auf der Straße riefen: „Ist das alles? Wir wollen noch mehr!" Da lief er in die Küche und holte dort einen Teller nach dem anderen und warf sie alle auf die Straße. „Später erschien jemand", so berichtet Goethe, aber „das Unglück[16] war ge-schehen, und man hatte für so viel zerbrochene Töpferware[17] wenigstens 45 eine lustige Geschichte." Sie werden nun wahrscheinlich fragen: „Ja, ist ihm denn nichts geschehen? Was haben denn seine Eltern zu den zer-brochenen Tellern und Tassen gesagt?" Das wissen wir leider nicht. Aber an diesem Tag waren sie sicher nicht stolz auf ihren ältesten Sohn!

Der junge Goethe hatte eine glückliche Jugend. Aber er erlebte[18] auch 50 tragische Ereignisse[19] oder hörte wenigstens von solchen. Da war z. B. das furchtbare Erdbeben[20] von Lissabon im Jahre 1755 und dann der Sieben-jährige Krieg[21] von 1756 bis 1763. Auch hatte er natürlich die gewöhn-lichen Kinderkrankheiten. Eines der wichtigsten Ereignisse für seine

---

[3] adolescence.   [4] as you know.   [5] on the stroke of the clock.   [6] *in English translations usually called "Truth and Fiction" (1809-1814).*   [7] **die Eheleute** (married) couple.   [8] **gebildet** educated, cultured.   [9] lawyer and imperial councilor.   [10] **öffentlich** public.   [11] New Year's Day.   [12] **der Musterknabe, -n** model boy.   [13] **der Knall** bang.   [14] down. [15] **das Pflaster, -** pavement.   [16] **das Unglück, -e** disaster, accident.   [17] **die Töpferware** pottery.   [18] **erleben** to experience.   [19] **das Ereignis, -se** event.   [20] earthquake.   [21] Seven Years' War.

Johann Wolfgang von Goethe

Kindheit[22] und sein ganzes Leben kam aber an einem Weihnachtsabend.   55
Seine Großmutter hatte nämlich ihm und seinen Geschwistern ein Puppen-
theater[23] geschenkt. Das war nun für ihn das größte Vergnügen und
weckte[24] in ihm die Liebe zum Theater. Aber er spielte nicht nur oft mit
diesem Puppentheater, sondern las auch viele Bücher während dieser
Jahre. So kannte er z. B. römische[25] und französische Dichter und las   60
„Robinson Crusoe" von Daniel Defoe, denn mit sieben Jahren konnte
er schon Deutsch, Englisch, Französisch, Italienisch, Griechisch und
Lateinisch[26] lesen! Besonders gern las er aber alte deutsche Märchen und
Legenden. Von diesen ist für ihn die Legende vom Dr. Faustus am wichtigsten geworden, denn das Faust-Thema hat ihn sein ganzes Leben lang   65
nicht mehr verlassen. Erst kurz vor seinem Tode — er starb 1832 —
konnte er dieses große Werk vollenden.[27]

Im August 1763 traf Johann Wolfgang Goethe einen anderen Wolfgang,
nämlich Wolfgang Amadeus Mozart. Dieser war damals erst sieben
Jahre alt und gab mit seinem Vater Leopold und seiner Schwester Nannerl   70
in Frankfurt ein Konzert. Und was machte den größten Eindruck[28] auf
den jungen Goethe? Nein, nicht das Klavierspiel[29] des kleinen Mozart,
sondern sein — Degen![30] Mozart durfte einen Degen tragen und war erst
sieben Jahre alt. Goethe dagegen hatte erst mit zwölf Jahren einen Degen
bekommen. Das vergaß er bis ans Ende seines langen Lebens nicht,   75
denn noch 1830 sprach er einmal von „dem kleinen Mann mit seinem
Degen".

Mit sechzehn Jahren ging Goethe nach Leipzig. Dort sollte er Jura[31]
studieren, aber man fand ihn fast immer in literarischen Vorlesungen.[32] In
Leipzig schrieb er auch seine ersten[33] Werke. Dann wurde er aber sehr   80
krank und fuhr 1768 wieder nach Frankfurt zu seinen Eltern. Zwei Jahre
blieb er dort und ging dann nach Straßburg. In dieser schönen alten Stadt
am Rhein beendete[34] er sein Studium. Mit dem Ende des Studiums kam
aber auch das Ende seiner Jugend. In Straßburg ist Goethe durch seine
Freundschaft[35] mit Herder[36] und seine Liebe zu Friederike Brion zum   85
wirklich großen Dichter geworden.

Ans Ende dieses kurzen Berichts über Goethes Jugend setzen wir eines
seiner schönsten Gedichte, das „Heidenröslein". Sie können es sicher
ohne viel Hilfe lesen und verstehen:

---

[22] **die Kindheit** childhood.   [23] **das Puppentheater, -** puppet theater.   [24] **wecken** to awake.
[25] **römisch** Roman.   [26] Italian, Greek, and Latin.   [27] **vollenden** to complete.   [28] **der Eindruck, ⸗e** impression.   [29] **das Klavierspiel** piano playing.   [30] **der Degen, -** sword.
[31] law.   [32] **die Vorlesung, -en** lecture.   [33] first.   [34] **beenden** to finish.   [35] **die Freundschaft, -en** friendship.   [36] *Johann Gottfried Herder (1744-1803), poet, critic, philosopher, theologian.*

90   Sah ein Knab' ein Röslein stehn,
Röslein auf der Heiden.
War so jung und morgenschön,
Lief er schnell es nah' zu sehn,
Sah's mit vielen Freuden.
95   Röslein, Röslein, Röslein rot,
Röslein auf der Heiden.

Knabe sprach: „Ich breche dich,
Röslein auf der Heiden!"
Röslein sprach: „Ich steche dich,
100   Daß du ewig denkst an mich,
Und ich will's nicht leiden."
Röslein, Röslein, Röslein rot,
Röslein auf der Heiden.

Und der wilde Knabe brach
105   's Röslein auf der Heiden;
Röslein wehrte sich und stach,
Half ihm doch kein Weh und Ach,
Mußt' es eben leiden.
Röslein, Röslein, Röslein rot,
110   Röslein auf der Heiden.

90 **Knab'** = **Knabe** boy   100 **ewig** forever, eternal
   das Röslein little rose   101 **will's** = **will es**
   stehn = **stehen**   **leiden** to suffer
91 **die Heide** heath   105 **'s** = **das**
93 **nah'** = **nahe** near, close   106 **wehrte sich** defended itself
   sehn = **sehen**   107 **Weh und Ach** cries of woe
94 **sah's** = **sah es**   108 **mußt'** = **mußte**
99 **stechen, stach, gestochen** to prick   **eben** *here* just the same

WORTSCHATZ

der **Band, ⸗e**	volume (book)	besitzen, besaß,	to possess, own
begegnen, ist be-	to meet, come upon	besessen	
gegnet (*with*	(by chance)	die **Bibliothek, -en**	library
dat.)		drucken	to print
der **Bericht, -e**	report	die **Eltern** (*pl.*)	parents
berichten	to report	englisch	English
beschreiben,	to describe	erscheinen, erschien,	to appear
beschrieb,		ist erschienen	
beschrieben			

	erziehen, erzog, erzogen	to educate	
	folgen	to follow	
	französisch	French	
die	**Freude, -n**	pleasure, joy	
das	**Gegenteil**	opposite	
	geschehen, geschah, ist geschehen	to happen	
die	**Geschwister** (*pl.*)	brothers and sisters	
die	**Großmutter,** ⸗	grandmother	
	jemand	somebody	
die	**Jugend**	youth, early years	
	jung	young	
die	**Krankheit, -en**	illness, disease	
	langweilig	monotonous, boring	
die	**Liebe**	love	
das	**Lied, -er**	song	
	lustig	funny, gay	
der	**Nachbar, -n**	neighbor	
	nahe	close, near	
	rot	red	
	schenken	to give (as present)	
die	**Schule, -n**	school	
die	**Schwester, -n**	sister	
	setzen	to set, place	
das	**Spiel, -e**	play, game	
	spielen	to play	
das	**Spielzeug**	toys	
	sterben, starb, ist gestorben	to die	
der	**Tod**	death	
	treffen, traf, getroffen	to hit, meet (intentionally)	
das	**Vergnügen**	pleasure, fun, enjoyment	
der	**Weihnachtsabend, -e**	Christmas Eve	
	werfen, warf, geworfen	to throw	
das	**Werk, -e**	(artistic) work	
	zerbrechen, zerbrach, ist *or* **hat zerbrochen**	to break to pieces (*transitive and intransitive*)	
das	**Zeug**	stuff, things, material, junk	
	zunächst	at first, for the time being	

IDIOMS

auf der Straße	in the street
im Gegenteil	on the contrary
in Gedanken	in spirit
mit . . . Jahren	at age . . .
mittags	at noon
nicht nur . . . sondern auch	not only . . . but (also)
stolz sein auf (*with acc.*)	to be proud of

PATTERNS AND FORMS

Patterns

PATTERN **11** (REVIEW): VERB PLUS PAST PARTICIPLE (COMPOUND TENSES)

a. Normal Word Order

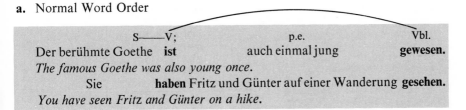

S——V;   p.e.   Vbl.
Der berühmte Goethe **ist** auch einmal jung **gewesen.**
The famous Goethe was also young once.

Sie **haben** Fritz und Günter auf einer Wanderung **gesehen.**
You have seen Fritz and Günter on a hike.

b. Inverted Word Order

p.e.;	V—S;	p.e.	Vbl.

In früheren Aufgaben **haben** wir das Leben in Deutschland **beschrieben.**
In earlier lessons we have described life in Germany.
In anderen Geschichten **sind** Sie mit dem Bus und dem Zug **gefahren.**
In other stories you have traveled by bus and by train.

Forms

1. Simple Past of Strong Verbs

singen

ich **sang**	wir **sangen**
du **sangst**	ihr **sangt**
er, sie, es **sang**	sie, Sie **sangen**

Strong verbs form their simple past by changing the vowel (as in English
sing, sang) and adding the past-tense personal endings: **-, -st, -; -en, -t, -en**
to the past stem. There is no sure way to predict the vowel of the past stem
of a strong verb. Memorize the principal parts of every strong verb you
learn.

2. Past Participle of Strong Verbs

The past participle of a strong verb is formed from the present stem —
usually with a vowel change — plus the prefix **ge-** and the ending **-en:**

singen	**sang**	**gesungen**

Remember: Verbs not stressed on the first syllable omit **ge-:**

bekommen	**bekam**	**bekommen**	*to get*

3. Principal Parts of Strong Verbs

The principal parts of strong verbs are the key to their entire conjugation
and should be memorized. We list below the principal parts of all strong
verbs you have learned so far, including those introduced in this lesson.
Verbs with similar vowel changes are grouped together in classes for ease of
memorization. The third person singular, present tense, is also listed for
verbs that have a vowel change in this form (Lesson 2). Irregularities are in
heavy type:

I. bleiben *(to stay, remain)*	blieb	ist geblieben[1]
scheinen *(to shine, seem)*	schien	geschienen

[1] The verb **bleiben** is conjugated with **sein** even though it does not express motion or change
of condition.

(erscheinen [*to appear*])[1]	erschien	ist erschienen	
schreiben (*to write*)	schrieb	geschrieben	
(beschreiben [*to describe*])[1]	beschrieb	beschrieben	
steigen (*to climb*)	stieg	ist gestiegen	
II. schließen (*to close*)	schloß	geschlossen	

III.

a. finden (*to find*)	fand	gefunden	
singen (*to sing*)	sang	gesungen	
trinken (*to drink*)	trank	getrunken	
b. beginnen (*to begin*)	begann	begonnen	
helfen (*to help*)	half	geholfen	er hilft
sterben (*to die*)	starb	ist gestorben	er stirbt
werfen (*to throw*)	warf	geworfen	er wirft
IV. brechen (*to break*)	brach	gebrochen	er bricht
(unterbrechen [*to interrupt*])[1]	unterbrach	unterbrochen	er unterbricht
(zerbrechen [*to break to pieces*])[1]	zerbrach	[ist] zerbrochen[2]	er zerbricht
empfehlen (*to recommend*)	empfahl	empfohlen	er empfiehlt
kommen (*to come*)	kam	ist gekommen	
(bekommen [*to get*])[1]	bekam	bekommen	
sprechen (*to speak*)	sprach	gesprochen	er spricht
treffen (*to hit, meet*)	traf	getroffen	er trifft
V. geben (*to give*)	gab	gegeben	er gibt
geschehen (*to happen*)	geschah	ist geschehen	es geschieht
lesen (*to read*)	las	gelesen	er liest
liegen (*to lie*)	lag	gelegen	
sehen (*to see*)	sah	gesehen	er sieht
vergessen (*to forget*)	vergaß	vergessen	er vergißt
VI. fahren (*to drive, ride, go*)	fuhr	ist gefahren	er fährt
tragen (*to carry, wear*)	trug	getragen	er trägt
wachsen (*to grow*)	wuchs	ist gewachsen	er wächst
VII. gefallen (*to please, appeal to*)	gefiel	gefallen	es gefällt
heißen (*to be called*)	hieß	geheißen	
lassen (*to leave, let*)	ließ	gelassen	er läßt
(verlassen [*to leave*])[1]	verließ	verlassen	er verläßt
laufen (*to run*)	lief	ist gelaufen	er läuft
rufen (*to call*)	rief	gerufen	
schlafen (*to sleep*)	schlief	geschlafen	er schläft

[1] Verbs formed from simple verbs by the addition of a prefix always have the same vowel changes as the simple verbs from which they are formed.
[2] Used transitively or intransitively.

IRREGULAR STRONG VERBS

essen (*to eat*)	aß	gegessen	er ißt
gehen (*to go, walk*)	ging	ist gegangen	
hängen (*to hang, intrans.*)	hing	gehangen	
nehmen (*to take*)	nahm	genommen	er nimmt
sein (*to be*)	war	ist gewesen[1]	er ist
sitzen (*to sit*)	saß	gesessen	
(besitzen [*to possess*])[2]	besaß	besessen	
stehen (*to stand*)	stand	gestanden	
(verstehen [*to understand*])[2]	verstand	verstanden	
tun (*to do*)	tat	getan	
werden (*to become*)	wurde	ist geworden	er wird
ziehen (*to pull; to move*)	zog	[ist] gezogen	
(erziehen [*to educate*])[2]	erzog	erzogen	

4. Past Participles Used as Adjectives

a. die **geschlossene** Tür   *the closed door*
    ein **vergessener** Dichter   *a forgotten poet*
    das **geteilte** Land   *the divided country*
b. Die Tür ist **geschlossen.**   *The door is closed.*
    Dieser Dichter ist **vergessen.**   *This poet is forgotten.*
    Das Land ist **geteilt.**   *The country is divided.*

Past participles are used as (a) attributive or (b) predicate adjectives. As attributive adjectives they have regular adjective endings.

5. Omission of the Indefinite Article before Nouns of Nationality or Occupation

Goethes Vater war **Jurist.**
Goethe's father was a lawyer.
Er ist **Amerikaner.**
He is an American.
but
Goethes Vater war **ein bekannter Jurist.**
Goethe's father was a well-known lawyer.
Er ist **ein berühmter Amerikaner.**
He is a famous American.

No indefinite article is used before an unmodified predicate noun of nationality or occupation. The article is used, however, if the noun is modified by an adjective.

---

[1] The verb **sein** is conjugated with **sein** even though it does not express motion or change of condition.

[2] Verbs formed from simple verbs by the addition of a prefix always have the same vowel changes as the simple verbs from which they are formed.

ÜBUNGEN

Mündlich

A. *Change to the simple past:*
1. Wir beschreiben das Leben in Deutschland. 2. Heinz und Fritz gehen ins Kino. 3. Er wirft Teller und Tassen auf die Straße. 4. Die Mutter ruft ihre Kinder. 5. 1765 fährt er nach Leipzig. 6. Er bleibt drei Jahre dort. 7. Diese Geschichte gefällt Ihnen sicher. 8. Familie Müller zieht in ein neues Haus. 9. Verstehen Sie die Frage? 10. Ich gebe ihm ein Stück Brot und er ißt es. 11. Was für Lieder singen Sie gern? 12. Siehst du den schönen Vogel da? 13. Was geschieht in dieser Geschichte? 14. Ich sitze auf dem Stuhl und er steht neben mir. 15. Er tut es mit Vergnügen. 16. Meine Großmutter spricht immer von ihrer Jugend. 17. Ich schreibe meiner Schwester einen Brief. 18. Sie bekommt viel Geld von ihren Eltern. 19. Er nimmt zwei Stühle und trägt sie ins andere Zimmer. 20. Es wird dunkel.

B. *Change the sentences in A to the compound past.*

C. *Form sentences according to the following example, using a past participle as predicate adjective:*

EXAMPLE: die Tür, schließen.
Die Tür ist geschlossen.

1. der Brief, schreiben. 2. der Wein, trinken. 3. das Wort, sprechen. 4. die Arbeit, tun. 5. das Haus, verlassen. 6. die Werke, vergessen. 7. die Teller, zerbrechen. 8. das Haus, verkaufen. 9. der kranke Student, entschuldigen. 10. die Stadt, zerstören.

D. *Change each verb to a past participle modifying the accompanying noun:*

EXAMPLE: schließen, die Tür
die geschlossene Tür

1. lesen, das Buch 2. multiplizieren, Zahlen 3. singen, die Lieder 4. geben, ein Wort 5. öffnen, die Fenster 6. kaufen, das Auto 7. empfehlen, das Restaurant 8. unterbrechen, die Deutschstunde 9. verlassen, das Kind 10. finden, Geld

E. *Review: Modal Auxiliaries. Form sentences, first in the present tense, then in the simple past:*

EXAMPLES: er, es, können, nicht, tun
Er kann es nicht tun.
Er konnte es nicht tun.

1. besser, er, erklären, Gedanke, müssen.
2. finden, können, nicht, unser Geld, wir.
3. du, dürfen, Garten, gehen, in?
4. gehen, heute abend, ich, ins Theater, wollen.
5. er, lesen, mögen, nicht, solches Zeug.
6. Bibliothek, er, in, mich, sollen, treffen, um fünf Uhr.

Schriftlich

F. *Write in German:*
1. In the German class, the professor had just spoken about the young Goethe. 2. He asked a student: "Mr. Braun, when and in what city did Goethe come into the world?" 3. "He came into the world in Leipzig in the year 1765." 4. "No, that is not correct. (In) 1765 he was already 16 years old. 5. Miss Müller, can you help us?" "Goethe came into the world in Frankfurt, didn't he?" 6. "Yes. What kind of works did he write, Mr. Weiss?" "He wrote many poems." 7. "What is his most famous work called?" „*Faust.*" 8. "Whom did Goethe meet at the age of fourteen (years), Miss Frings?" "I believe it was Mozart." 9. "Yes, that is correct. Why did he never forget that little man?" 10. "Mozart wore a sword[1] and was only seven years old, but Goethe had gotten a sword only two years before, at the age of twelve (years)." 11. "Thank you, Miss Frings, that was very good. Now another question. 12. Mr. Werner, what kind of books did the young Goethe like to read?" 13. "He liked best to read old German fairy tales and legends, especially the legend of Dr. Faustus." 14. "Good. Miss Schulz, could Goethe's parents always be proud of him?" 15. "No. One day he broke all (the) plates and cups to pieces." 16. "And how did he do that?" "He threw them out of the window onto the street. 17. He had begun with a toy plate. The children in the street laughed and called: 'We want more plates!' 18. He liked doing it and soon all (the) plates and cups lay broken to pieces in the street." 19. "Very good. And here is my last question: Where did Goethe become a really great poet and when did that happen? Yes, Mr. Götz?" 20. "It happened in Straßburg in the years 1770 to 1771." 21. "Thank you, Mr. Götz. For tomorrow, please learn by heart Goethe's most famous poem, 'Heidenröslein'."

G. *Composition*
Retell in German in your own words the major events of Goethe's youth.

---

[1] der **Degen**.

German Information Center

Frankfurt am Main: Küche des Goethehauses

SUPPLEMENTARY VOCABULARY

der Herd, -e	stove, hearth
die Pfanne, -n	pan
der Topf, ⸗e	pot

1. Beschreiben Sie das Bild!
2. Erzählen Sie die Geschichte von dem jungen Goethe und den Tellern!

PATTERN SENTENCE:

Wir werden bald
Weihnachten feiern können!

Sie haben sicher schon oft etwas über die Geschichte von Weihnachten hören oder lesen wollen, denn jedes Jahr am 25. Dezember feiern ja die meisten Christen dieses alte Fest und sie tun das schon seit dem 3. oder 4. Jahrhundert. Wir werden Ihnen hier kaum eine genaue Beschreibung der
5 Geschichte von Weihnachten geben können. Über dieses Thema haben nämlich schon viele Leute ganze Bücher geschrieben.

Weihnachten fällt in die Mitte des Winters, und das hat symbolische Bedeutung,[1] denn bis zu dieser Zeit des Jahres sind die Tage immer kürzer und die Nächte immer länger geworden. Jetzt kommt aber mit der
10 Geburt Christi[2] eine neue Zeit: die Tage werden wieder länger und die Nächte kürzer, das heißt das Licht siegt[3] über die Finsternis.[4] Aber nicht nur die Christen feiern solch ein Fest; die Forschung[5] hat Ähnliches bei fast allen Religionen auf der ganzen Welt finden können. Aber was gibt Weihnachten seinen eigenen Zauber?[6] Vielleicht kommt er von der
15 Vermischung[7] des alten germanischen Julfestes[8] mit dem christlichen Fest der Geburt Christi. Im Norden Europas hat man im Julfest den Tag des Lichtes und Friedens feiern wollen. Man hat auf den Feldern Julfeuer[9] gemacht und in den Häusern den Julblock verbrannt.[10] Natürlich hat man während der Festtage auch gut gegessen und getrunken und Freunde und
20 Bekannte besucht. Das ist ja heute auch noch nicht anders geworden.

---

[1] **die Bedeutung, -en** significance.   [2] birth of Christ.   [3] **siegen** to be victorious.   [4] **die Finsternis, -se** darkness.   [5] **die Forschung, -en** research.   [6] **der Zauber, -** magic, spell.   [7] **die Vermischung, -en** mixture, mixing.   [8] Germanic Yule celebration (festival).   [9] **das Julfeuer, -** Yule fire.   [10] **der Julblock** Yule log; **verbrennen** to burn.

Und trotzdem ist das noch nicht unser Weihnachten. Was fehlt denn noch? Natürlich, einen Christbaum, auch Weihnachtsbaum genannt, und eine Krippe[11] müssen wir noch haben. Krippen gibt es seit dem 15. und 16. Jahrhundert. Man hat schon damals die Geburt Christi bildlich[12] zeigen wollen und hat darum Figuren von Maria und Josef, dem Christ- 25 kind,[13] den heiligen Drei Königen,[14] den Hirten,[15] Schafen[16] und anderen Tieren machen lassen und sie in die Kirche gestellt. Den Christbaum hat man aber damals noch nicht gekannt. Zunächst hatten die Leute nur Tannenzweige[17] und diese schmückten sie mit glitzerndem Papier und kleinen Zuckerstücken. Christbäume findet man erst gegen Anfang des 30 17. Jahrhunderts in der Gegend von Straßburg. Die Leute haben sie mit Äpfeln, Nüssen, Süßigkeiten[18] und kleinen Kerzen geschmückt. Unter den Baum hat man kleine Tische gestellt und auf diese die Geschenke gelegt, meistens Kleider, Süßigkeiten und Spielzeug.

Der Christbaum ist also eine deutsche „Erfindung". Von Deutschland 35 ist er durch die ganze westliche Welt gezogen: So hat z.B. eine deutsche Prinzessin 1837 die Franzosen mit dem Weihnachtsbaum bekannt ge- macht; in England soll Prinz Albert, der Gatte[19] der Königin Victoria, den ersten Christbaum gegen die zweite Hälfte des 19. Jahrhunderts im Schloß Windsor gezeigt haben; und nach Nordamerika haben ihn deutsche 40 Auswanderer[20] gebracht, besonders nach Pennsylvania, New York, Ohio und Wisconsin. Präsident Harrison hat 1891 den ersten Christbaum in Washington vor das Weiße Haus stellen lassen, und seitdem findet man Weihnachtsbäume auf vielen öffentlichen[21] Plätzen und in fast allen Häusern in den Vereinigten Staaten. 45

Und nun werden wir Ihnen noch etwas über Weihnachten in Deutsch- land erzählen müssen, nicht wahr? Da ist zunächst die Adventszeit.[22] Sie beginnt ungefähr vier Wochen vor Weihnachten, am ersten Advents- sonntag. In vielen Familien, in protestantischen und katholischen, werden Sie während dieser Zeit einen Adventskranz[23] aus Tannenzweigen finden 50 können. Auf diesem Kranz sind vier Kerzen, für jeden der vier Advents- sonntage eine. Am 6. Dezember kommt in vielen Gegenden Deutsch- lands, Österreichs und der Schweiz der heilige Nikolaus. Den braven Kindern bringt er Äpfel, Nüsse und Süßigkeiten, den bösen aber eine Rute.[24] Das ist dann eine schmerzliche[25] Warnung! Die bösen Kinder 55

---

[11] **die Krippe, -n**: crèche, manger. [12] **bildlich** pictorial. [13] **das Christkind** Christ Child. [14] three Wise Men. [15] **der Hirt, -en** shepherd. [16] **das Schaf, -e** sheep. [17] **der Tan-nenzweig, -e** fir branch. [18] **die Süßigkeit, -en** sweet. [19] **der Gatte, -n** husband. [20] **der Auswanderer, -** emigrant. [21] **öffentlich** public. [22] **die Adventszeit** Advent season. [23] **der Kranz, ⸗e** wreath. [24] **die Rute, -n** rod, switch. [25] **schmerzlich** painful.

müssen nun bis Weihnachten brav sein, sonst bekommen sie keine Geschenke, d.h. das Christkind wird nicht zu ihnen kommen können. In
Deutschland bringt das Christkind die Geschenke und nicht der heilige
Nikolaus. Das Christkind kommt aber schon am 24. Dezember abends,
60   also am Weihnachtsabend. Da brennen dann die Kerzen auf dem Christbaum, man singt die alten Weihnachtslieder und gibt und bekommt
Geschenke. Dann geht man in die Mitternachtsmesse oder „Christmette".[26] Der Weihnachtstag, der 25. Dezember, gehört ganz der Familie.
      Die Weihnachtszeit dauert bis zum 6. Januar, dem Fest der heiligen
65   Drei Könige. Das ist das Ende der Zwölf Nächte und an diesem Tage
dürfen in manchen Gegenden die Kinder den Christbaum abräumen.[27]
Da essen sie dann die Äpfel, Nüsse und Süßigkeiten vom Baum.
      Weihnachten ist aber auch in Deutschland heute nicht mehr nur ein
Fest der Freude und des Friedens. Auch dort hat das Laute und das
70   Geschäftliche[28] seinen Platz gefunden, besonders in den Wochen vor dem
Fest. Aber selbst der Materialismus hat den Zauber dieses schönsten
aller Tage des Jahres noch nicht brechen können. Etwas von diesem
Zauber lebt z.B. in der Geschichte von der Entstehung[29] des alten Weih-
nachtsliedes „Stille Nacht, heilige Nacht". Am Weihnachtsabend des
75   Jahres 1818 hatte Franz Gruber, der Lehrer und Organist des Dorfes
Oberndorf in Tirol,[30] noch einmal die Lieder und die Musik für den Weihnachtstag proben[31] wollen. Er ging also in die Kirche und wollte die Orgel[32]
spielen. Aber zu seinem großen Schrecken[33] hat die Orgel nicht mehr
funktioniert. Er hat alles versucht, aber er hat sie einfach nicht reparieren
80   können. Was sollte er tun? Morgen war Weihnachten, und was war
Weihnachten ohne Orgel, ohne Musik? Da kam ihm ein guter Gedanke:
„Vielleicht kann uns ein neues Lied helfen!" Sofort ging er zum Pfarrer
des Dorfes, denn dieser schrieb manchmal Gedichte. Er hieß Josef Mohr,
und er und Gruber waren sehr gute Freunde.
85   Die Nacht war kalt und es lag tiefer Schnee. Gruber wollte gerade läuten,
da öffnete der Pfarrer die Tür, denn er hatte zufällig seinen Freund
kommen sehen. Gruber erklärte nun Pfarrer Mohr die Situation und
sagte dann zu ihm: „Bitte schreib schnell ein neues Weihnachtsgedicht!
Das kannst du doch, nicht wahr? Ich werde dann noch heute nacht die
90   Musik dazu[34] komponieren."[35] Der Pfarrer versprach es, schrieb ein

---

[26] die **Christmette** midnight mass.   [27] **abräumen** to take down.   [28] **geschäftlich** commercial.   [29] die **Entstehung** origin.   [30] *region in eastern Alps, mainly Austrian.*   [31] **proben**
to rehearse.   [32] die **Orgel, -n** organ.   [33] der **Schrecken, -** horror.   [34] **dazu** for it.
[35] **komponieren** to compose.

Gedicht und ließ es seinem Freund Gruber noch vor Mitternacht[36] ins Haus bringen. Gruber komponierte die Melodie, und am Weihnachtstag haben der Pfarrer, sein Organist Gruber und ein Junge das Lied in der Kirche mit Gitarrenbegleitung[37] gesungen. Das war die erste Aufführung[38] des bekanntesten unserer vielen Weihnachtslieder. Sie haben es doch alle 95 schon singen hören, nicht wahr?

Stil - le Nacht, hei - li - ge Nacht! Al - les schläft, ein - sam wacht

nur das trau - te hoch - hei - li - ge Paar. Hol - der Kna - be im lok - ki-gen Haar,

schlaf in himm - li - scher Ruh,— schlaf in himm - li - scher Ruh!—

still	silent	**hold**	lovely
einsam	lonely	**lockig**	curly
wachen	to be awake	**himmlisch**	heavenly
traut	beloved	**die Ruhe**	quiet, peace
hochheilige Paar	holy couple		

[36] **die Mitternacht** midnight.   [37] **die Gitarrenbegleitung** guitar accompaniment.   [38] **die Aufführung, -en** performance.

WORTSCHATZ

ähnlich	similar	die **Familie, -n**	family
anders	different	**fehlen** (*with dat.*)	to be missing
der **Anfang, ⸗e**	beginning	das **Fest, -e**	holiday, feast, festival, celebration
die **Beschreibung, -en**	description		
brav	good, well behaved	der **Festtag, -e**	holiday
brechen, brach, gebrochen, bricht	to break	das **Feuer, -**	fire
		der **Franzose, -n**	Frenchman
		der **Friede, -ns** (*gen.*)	peace
brennen, brannte, gebrannt	to burn	die **Gegend, -en**	area
		genau	exact
der **Christ, -en**	Christian	das **Geschenk, -e**	present
der **Christbaum, ⸗e**		die **Hälfte, -n**	half
or der **Weihnachtsbaum**	Christmas tree	das **Jahrhundert, -e**	century
		kalt	cold
christlich	Christian	**kaum**	hardly
eigen	own	die **Kerze, -n**	candle
die **Erfindung, -en**	invention	die **Kleider** (*pl.*)	clothes
fallen, fiel, ist gefallen, fällt	to fall	**läuten**	to ring (the bell)
		das **Licht, -er**	light
		das **Mal, -e**	time

die **Mitte**	middle	die **Vereinigten**	
die **Mus**i**k**	music	**Staaten**	the United States
die **Nacht,** ⸗e	night	**versprechen**	to promise
(das) **N**o**rdam**e**rika**	North America	**versprach,**	
der **Norden**	North	**versprochen,**	
die **Nuß,** ⸗sse	nut	**verspricht**	
(das) **Österreich**	Austria	die **Warnung, -en**	warning
das **Pap**ie**r, -e**	paper	(das) **Weihnachten**	Christmas
der **Pfarrer, -**	minister, parson	das **Weihnachts-**	
der **Präsid**e**nt, -en**	president	**gedicht**	Christmas poem
reparie**ren**	to repair	das **Weihnachts-**	
schmücken	to decorate	**geschenk**	Christmas present
der **Schnee**	snow	das **Weihnachtslied**	Christmas carol
die **Schweiz**	Switzerland	der **Weihnachtstag**	Christmas day
seitdem	since then	die **Weihnachtszeit**	Christmas season
selbst	(*preceding nouns*)	**westlich**	western
	even	der **Winter, -**	winter
sofo**rt**	immediately	der **Zucker**	sugar
stellen	to place, put	**zufällig**	by chance
ungefähr	approximately,		
	about		

IDIOMS

etwas gerade tun wollen	to be about to do something
etwas zufällig tun	to happen to do something
heute nacht	tonight

PATTERNS AND FORMS

Patterns

PATTERN **12a**: FUTURE TENSE PLUS ADDITIONAL VERBAL ELEMENT
(FUTURE TENSE OF MODALS WITH DEPENDENT INFINITIVE)

S——V;   p.e.   vbl.   Vbl.

Wir **werden** bald Weihnachten **feiern können.**
We will soon be able to celebrate Christmas.

Observation 12a: Pattern 12a is merely an expansion of Pattern 10; the additional verbal element (infinitive) immediately precedes the final verbal. Compare:

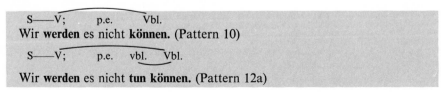

S——V;   p.e.   Vbl.
Wir **werden** es nicht **können.** (Pattern 10)

S——V;   p.e.   vbl.   Vbl.

Wir **werden** es nicht **tun können.** (Pattern 12a)

PATTERN **12b**: COMPOUND TENSE PLUS ADDITIONAL VERBAL ELEMENT
(COMPOUND TENSES OF MODALS WITH DEPENDENT INFINITIVE)

S———V;	p.e.	vbl.	Vbl.

Er **hat** es nicht **reparieren können.**
He was not able to repair it.

Observation 12b: This pattern is identical with Pattern 12a, except that the final verbal is a special form of the past participle that is identical with an infinitive.[1]

Forms

1. Compound Tenses of Modals

Er **hat** es **gekonnt.**	Er **hat** es **tun können.**
Er **hat** es **gedurft.**	Er **hat** es **tun dürfen.**
Er **hat** es **gemocht.**	Er **hat** es **tun mögen.**
Er **hat** es **gemußt.**	Er **hat** es **tun müssen.**
Er **hat** es **gesollt.**	Er **hat** es **tun sollen.**
Er **hat** es **gewollt.**	Er **hat** es **tun wollen.**

Modal auxiliaries have two past participles. One is formed like the past participle of any weak verb (note lack of Umlaut). The other is exactly like the infinitive. This second past participle is used when the modal has a dependent infinitive.

2. Compound Tenses of lassen, hören, sehen

Er **hat** es auf dem Tisch **gelassen.**
He left it on the table.
Er **hat** es **gehört.**
He heard it.
Er **hat** es **gesehen.**
He saw it.

Er **hat** mich **gehen lassen.**
He let me go.
Er **hat** mich **kommen hören.**
He heard me come (coming).
Er **hat** mich **kommen sehen.**
He saw me come (coming).

The verbs **lassen, hören,** and **sehen** also have a second past participle identical with the infinitive and used with a dependent infinitive.

3. Idiomatic Meaning of lassen plus Infinitive

Er **hat** die Stadt **zerstören lassen.**
He had the city destroyed.

---

[1] This pattern is frequently referred to as the "double-infinitive construction."

Er **muß** die Orgel **reparieren lassen.**
He must have the organ repaired.

Lassen plus infinitive often means *to have something done, to cause something to be done.*

4. Idiomatic Meaning of <u>wollen</u>

Er **wollte gerade läuten.**   *He was (just) about to ring.*

A past tense of **wollen** plus **gerade** means *to be (just) about to.*

5. Ordinal Numbers

der (die, das) **erste**	*the first*
zweite	*the second*
dritte	*the third*
vierte	*the fourth*
fünfte	*the fifth*
sechste	*the sixth*
sieb(en)te	*the seventh*
achte	*the eighth*
neunte	*the ninth*
zehnte	*the tenth*
elfte	*the eleventh*
zwölfte	*the twelfth*
dreizehnte	*the thirteenth*
vierzehnte	*the fourteenth*
fünfzehnte	*the fifteenth*
sechzehnte	*the sixteenth*
siebzehnte	*the seventeenth*
achtzehnte	*the eighteenth*
neunzehnte	*the nineteenth*
zwanzigste	*the twentieth*
einundzwanzigste	*the twenty-first*
dreißigste	*the thirtieth*
vierzigste	*the fortieth*
fünfzigste	*the fiftieth*
hundertste	*the hundredth*

The ordinal numbers from **zweite** to **neunzehnte** are formed by adding **-t** to the cardinal numbers (note the irregular forms **erst-, dritt-, acht-**); from **zwanzigste** on, by adding **-st.** Like all attributive adjectives, they have regular adjective endings. When written as figures, ordinal numbers are normally indicated by a period following the numeral: **der 3. Mann (der dritte Mann** *the third man*); **Ludwig XIV. (Ludwig der Vierzehnte** *Louis the Fourteenth*).

6. Dates

Der wievielte ist heute?
or } *What is today's date?*
Den wievielten haben wir heute?

Heute ist der 10. (der zehnte) November.
or } *Today is November 10th.*
Heute haben wir den 10. (den zehnten) November.

Der Unterricht beginnt **am 9. (neunten) September.**
Classes begin on the ninth of September.

Note the form used in heading a letter:

München, den 5. März 1967 (neunzehnhundertsiebenundsechzig[1])

7. Days of the Week

(der) **Montag**	(der) **Freitag**
(der) **Dienstag**	(der) **Samstag (Sonnabend)**
(der) **Mittwoch**	(der) **Sonntag**
(der) **Donnerstag**	

Note: **am Montag**   *on Monday.*

8. Months

(der) **Januar**	**Mai**	**September**
Februar	**Juni**	**Oktober**
März	**Juli**	**November**
April	**August**	**Dezember**

Note: **im Januar**   *in January.*

9. Seasons

der Frühling   **der Sommer**   **der Herbst**   **der Winter**

Note: **im Frühling**   *in spring.*

---

[1] When reading dates, do not omit **hundert.**

10. Fractions

$1/2 =$ **halb** or **die Hälfte**[1]
$1/3 =$ **ein Drittel**
$3/4 =$ **drei Viertel**
$1/20 =$ **ein Zwanzigstel**
$4/100 =$ **vier Hundertstel**

Fractions are neuter nouns (with no ending in the plural), formed by adding the ending **-el** to the ordinal numbers. (Note the exception, $1/2$.)

11. Arithmetic

Zwei plus (or **und**) **zwei ist vier.**	$2 + 2 = 4$
Vier minus (or **weniger**) **zwei ist zwei.**	$4 - 2 = 2$
Drei mal vier ist zwölf.	$3 \times 4 = 12$
Zwölf (geteilt) durch drei ist vier.	$12 : 3 = 4$

12. Das Mal; die Zeit

Ich habe **keine Zeit.**
I have no time.
Das letzte Mal haben wir von Goethe gesprochen.
Last time we spoke of Goethe.

Die Zeit is the general word for time; **das Mal** refers to a particular time (this time, last time, etc.). Note also the adverbs **einmal** (*once*), **zweimal** (*twice*), **dreimal** (*three times*), etc.

ÜBUNGEN

Mündlich

A. *Change to future:*
1. Ich darf ihn leider nicht besuchen.   2. Vater muß den Weihnachtsbaum kaufen.   3. Wir können diesen Winter nicht nach Europa fahren.   4. Ihr wollt es ihm sicher nicht noch einmal sagen.   5. Er läßt ihn sofort kommen. 6. Wir müssen die ganze Aufgabe wiederholen.   7. Kann sie nach drei Monaten schon Deutsch sprechen?

---

[1] The adjective **halb** is equivalent to English *half:* **ein halber Apfel** = *half an apple;* the noun **die Hälfte** (with genitive or **von**) is equivalent to English *half of:* **die Hälfte des Apfels** = *half of the apple.*

B. *Change to compound past:*
1. Fritz konnte sein Auto nicht reparieren. 2. Wir mußten den ganzen Abend auf ihn warten. 3. Das Christkind durfte den bösen Kindern keine Geschenke bringen. 4. Die Studenten wollten das Gedicht auswendig lernen, aber sie konnten es nicht. 5. Der Bürgermeister ließ einen großen Weihnachtsbaum auf den Marktplatz stellen. 6. Hörte dich dein Vater gestern abend nach Hause kommen? 7. Ich sollte um acht Uhr nach Hause gehen, aber ich wollte nicht. 8. Ich ließ ihn dieses Buch nicht lesen. 9. Franz Gruber konnte die Orgel nicht spielen. 10. Warum mußten Sie Ihren Fernsehapparat verkaufen?

C. *Say in German:*
Today is: 1. June 1, 1965. 2. August 10, 1930. 3. May 17, 1929. 4. November 21, 1984. 5. February 29, 1964. 6. April 3, 1898. 7. March 15, 1832. 8. July 4, 1776. 9. October 12, 1492. 10. January 20, 1813. 11. September 7, 1952. 12. December 31, 1999.

13. 2/3. 14. 5/8. 15. 7/20. 16. 1/50. 17. 1/100. 18. 1/250. 19. 4/36. 20. 3/16.

D. *Calculate in German:*

$3 + 4$	7×8	$18 : 2$
$535 - 215$	$143 + 32$	12×5
$66 : 11$	$2594 - 1250$	9×6

E. *Answer in German:*
1. Der wievielte ist heute? 2. Wann begann die französische Revolution? 3. Seit wann kennt man den Christbaum? 4. Wann haben Gruber und Mohr das Lied „Stille Nacht, heilige Nacht" geschrieben? 5. Welches ist der letzte Tag des Jahres? 6. An welchen Tagen der Woche haben Sie Deutsch? 7. Welche Monate haben 31 Tage? 8. Welche Monate haben 30 Tage? 9. An welchen Tagen haben Sie keinen Unterricht? 10. Wann beginnen Ihre Weihnachtsferien?

F. *Form sentences using the compound past:*

EXAMPLE: berühmt, einmal, Goethe, jung, sein
    Der berühmte Goethe ist einmal jung gewesen.

1. auf, brennen, Kerzen, Weihnachtsbaum.
2. bekommen, brav, Geschenke, Kinder, viele.
3. gehen, Herr Gruber, müssen, zum Pfarrer.

4. fallen, letzten Winter, Schnee, viel.
5. gehen, Junge, klein, nach Hause.
6. Brief, meine Schwester, nicht, schreiben, wollen.
7. es, geben, immer, in dieser Gegend, Tiere, viel, wild.
8. fahren, in die Schweiz, vor zwei Jahren, wir.
9. kaufen, keine Nüsse, können, Sie, warum?
10. auf der Straße, begegnen, ich, mein alter Freund.

Schriftlich

G. *Write in German* (*use the compound past wherever possible*):
1. "You know, Ursula, in two weeks (it) will be Christmas. 2. We'll have to buy our presents soon." 3. "Oh, you men! I have never (yet) been able to understand you. 4. Today is already the eleventh of December and you haven't thought of your Christmas presents yet? 5. I (already) bought almost everything in October. I only (still) need something for my parents. 6. (Already) last year I wanted to buy them a new television set, but I didn't have enough money." 7. "I shall never be able to buy my parents such an expensive present! 8. I have always had to buy them books, records, or similar (things).[1] 9. I'm just a poor student and need my money for my studies." 10. "You can work, can't you? 11. I'm a student, but I work every Tuesday, Thursday, and Saturday, during the Christmas season, and naturally also in summer." 12. "Unfortunately I need not only my money but also my time for my studies; that's why I can't work. 13. Just the same, I shall have to buy some presents." 14. "Let's go into town together. I'll buy my TV set and you can buy your things. 15. I need only about half an hour, but I'll wait for you." . . . . 16. (An hour later the young man is still waiting. He has bought only three or four things. 17. Ursula finally comes; one can hardly see her under a big mountain of presents.) 18. "Ursula, what on earth do you have there?" 19. "Oh, I thought of a second present for my brother, a third present for my sister, a fourth present . . ." 20. "Enough! But I don't see any TV set." 21. "I had no more time. I'll let my sister buy the TV set."

H. *Composition*
Relate briefly in German the history of Christmas and the Christmas tree.

---

[1] See Lesson 8, adjectives used as nouns.

Berlin:
Weihnachten am
Ernst-Reuter-Platz

German Information Center

SUPPLEMENTARY VOCABULARY

das **Hochhaus, = er**	tall building, skyscraper
das **Nummernschild, -er**	license plate
bedeuten	to mean
oder	or

Antworten Sie auf deutsch!

1. Warum kann man dieses Bild „Altes und Neues" nennen?
2. Was ist auf dem Weihnachtsbaum?
3. Was haben die drei Leute auf dem Bild wahrscheinlich gerade getan?
4. Was für Autos sehen Sie auf dem Bild?
5. In welcher Stadt wohnen diese Leute?
6. Was bedeutet das „B" auf den Nummernschildern der beiden Autos? Was bedeutet das „D" am rechten Auto?
7. Ist es Frühling?
8. Ist das Wetter warm? Wie können Sie das wissen?
9. Ist es Tag oder Nacht? Wie können Sie das wissen?
10. Welche von den folgenden Sachen sehen Sie nicht auf diesem Bild: Schnee, Weihnachtsgeschenke, Weihnachtsgedichte, Nummern, Lichter, einen geschmückten Baum, Kerzen, einen Gepäckwagen, drei Kühe?

Aufgabe 13

Ich stehe jeden Morgen um halb acht auf.

Ich wache auf[1] und sehe auf meine Uhr: fünf Minuten vor halb acht!
Gleich wird mich der Wecker[2] mit seinem unfreundlichen Läuten aus dem
warmen Bett jagen. Ich drehe mich noch einmal um und mache die Augen
zu. Was wird dieser Tag bringen? Das frage ich mich jeden Morgen.
5 Eigentlich ist das sinnlos,[3] denn warum soll man sich über die Zukunft
Sorgen machen? Aber das ist leichter gesagt als getan. Ich fürchte mich[4]
zum Beispiel jetzt schon vor unserer deutschen Klassenarbeit heute um
zehn Uhr. Es wird hoffentlich nicht zu schlimm. Ja, und um Viertel vor
zwölf muß ich am Bahnhof sein, Ilses Zug kommt 11.50 Uhr an. Meine
10 Schwester Ilse will mich heute auf ein paar Stunden besuchen. Ach, jetzt
fällt es mir wieder ein, ich wollte mir gestern die Haare schneiden lassen,
habe es aber wegen der Klassenarbeit ganz vergessen. Ich kann mir Ilses
Gesicht schon genau vorstellen; sie wird mich von Kopf bis Fuß ansehen
und dann sagen: ‚Du siehst aber ziemlich unzivilisiert aus mit deinen
15 langen Haaren. So gehe ich in kein Restaurant mit dir!‘ Da muß ich also
um elf noch zum Friseur, sofort nach der Klassenarbeit. Ich muß mich
eben[5] beeilen, gern tue ich es nicht, aber . . . „rrrrrrr!" Dieser furchtbare
Wecker! Nur noch ein paar Minuten, dann stehe ich auf, und das Aufstehen ist die schwerste Arbeit des ganzen Tages! Nur noch einmal
20 umdrehen. So, und jetzt zähle ich bis drei: eins, zwei, zweieinhalb, zwei-
dreiviertel, drei! Raus![6]

---

[1] **auf/wachen, ist aufgewacht** to wake up.   [2] **der Wecker, -** alarm clock.   [3] **sinnlos**
senseless.   [4] I am afraid.   [5] I'll just have to . . . .   [6] (get) out.

Ich gehe ins Badezimmer, wasche mir die Hände und das Gesicht und rasiere mich. Dann ziehe ich mich schnell an und mache mir mein Frühstück; ich trinke gewöhnlich ein Glas Apfelsinensaft[7] und esse ein oder zwei Stücke Brot mit Butter und Marmelade. Manchmal koche ich mir 25 auch ein Ei. Meistens trinke ich eine Tasse Kaffee oder Tee, manchmal auch ein Glas Milch, wie heute zum Beispiel, denn ich habe nicht viel Zeit. Vor dem Frühstück schalte ich das Radio an[8] und höre etwas Musik und um acht Uhr die Nachrichten. Nach dem Frühstück mache ich mein Bett, wasche das Geschirr ab[9] und putze mir die Zähne. Dann sehe ich mir noch 30 einmal schnell meine Hausaufgaben[10] an — heute interessiere ich mich natürlich besonders für das Deutsche wegen der Klassenarbeit — und gehe ungefähr um Viertel vor neun aus dem Haus, denn um 9 Uhr fängt der Unterricht an. Heute habe ich zuerst Mathematik[11] und dann Deutsch, aber das habe ich ja schon erzählt. Auf dem Wege zur Universität muß ich mir 35 heute einen neuen Kugelschreiber kaufen, mein alter ist leer. Ich gehe übrigens meistens zu Fuß zur Universität, denn erstens ist ein Spaziergang[12] gesund und zweitens kostet die Fahrt mit dem Bus fünfzig Pfennig. Das kann ich mir nicht jeden Tag leisten.

Über unsere Klassenzimmer kann ich nicht viel erzählen und brauche 40 es auch nicht. Sie sehen aus wie die meisten Klassenzimmer. An zwei Wänden hängen Tafeln, in der Nähe der Tür, vorn, stehen ein Tisch und ein Stuhl für den Professor, und in der Mitte des Zimmers stehen 25 bis 30 Stühle für die Studenten. Ich setze mich auf meinen Platz, die meisten anderen Studenten sitzen schon auf ihren Stühlen, und dann kommt unser 45 Mathematikprofessor herein. Für Mathematik interessieren wir uns in diesem Buch nicht; darum erzähle ich auch nichts über diese Stunde. Kurz vor zehn läutet es, wir nehmen unsere Bücher und Hefte, verlassen das Klassenzimmer und gehen in ein anderes. Unser Deutschprofessor wartet schon auf uns. Er sagt: 50

„Meine Damen und Herren, beeilen Sie sich bitte etwas, Sie wollen sicher keine Zeit verlieren! Heute schreiben wir also eine Klassenarbeit. Sind alle da? Herr Schneider, machen Sie doch bitte die Tür zu! Danke schön. Fräulein Müller und Herr Schumacher, hier sind die Prüfungshefte,[13] teilen Sie sie bitte aus![14] So. Hat jeder ein Heft? Gut. Schreiben Sie jetzt 55 bitte einen Aufsatz über folgendes Thema: ‚Ein gewöhnlicher Wochentag'.

---

[7] der Apfelsinensaft orange juice.   [8] an /schalten to turn on.   [9] do the dishes.   [10] die Hausaufgaben homework.   [11] (die) Mathematik mathematics.   [12] der Spaziergang, ⸗e walk.   [13] das Prüfungsheft, -e exam booklet.   [14] aus /teilen to distribute.

Warten Sie, ich schreibe es an die Tafel. Beschreiben Sie einfach einen Tag
vom Morgen bis zum Abend! Ich stehe um halb acht auf, wasche mich
und ziehe mich an usw. Sie verstehen mich, nicht wahr? Sie haben eine
60 halbe Stunde Zeit. Herr Meier, warum sehen Sie so erstaunt aus? Haben
Sie noch nie einen gewöhnlichen Wochentag erlebt?[15] Sie stehen doch
auch jeden Morgen auf und rasieren sich, nicht wahr? Manchmal haben Sie
vielleicht sogar Zeit zum Frühstück. Nun, was essen Sie denn meistens zum
Frühstück? Gibt Ihnen das nicht einige Gedanken? Also gut, fangen
65 Sie bitte an!"

Da sitzen die armen Studenten, und es fällt ihnen nichts ein. Ich aber
schreibe: Ich wache auf und sehe auf meine Uhr: fünf Minuten vor halb
acht! Gleich wird mich der Wecker . . . , aber das wissen Sie ja schon. Um
halb elf müssen wir unserem Deutschprofessor die Hefte zurückgeben.
70 Wir machen noch einige mündliche Übungen, dann bekommen wir die
Hausaufgabe für die nächste Stunde und verlassen das Zimmer.

Ich gehe sofort zum Friseur und lasse mir die Haare schneiden. Um
Viertel vor zwölf bin ich am Bahnhof und hole meine Schwester ab.[16] Ihr
Zug kommt an, Ilse steigt aus und sagt: ,,Guten Tag, Fritz, wie geht es dir
75 denn?" ,,Danke, ganz gut", antworte ich. Dann sieht sie mich von Kopf
bis Fuß an und sagt: ,,Du siehst aber ziemlich unzivilisiert aus mit deinem
alten Pullover und dieser Hose. So gehe ich in kein Restaurant mit dir!"
Jetzt bin ich aber wirklich sprachlos.[17] Habe ich mir nicht vor einigen
Minuten wegen meiner Schwester die Haare schneiden lassen? Und jetzt
80 kritisiert sie meine Kleider! Was tue ich jetzt? Richtig, Sie wissen es schon.
Ich gehe nach Hause und ziehe mich um. Ja, so sind wir Männer, und so
sind die Frauen!

Ich ziehe mich also um, und dann gehen wir in ein gutes Restaurant.
Nach dem Essen machen wir einen kurzen Spaziergang und unterhalten
85 uns über dies und das. ,,Den Eltern geht es gut", sagt Ilse, ,,Aber du
schreibst ihnen nicht oft genug. Sie freuen sich über jeden Brief von dir."
Ich verspreche Ilse, öfter zu schreiben, und dann bringe ich sie zum Bahnhof zurück. Der Zug kommt, Ilse steigt ein, und ich gehe schnell nach
Hause, denn ich muß meine Hausaufgaben machen. Um sieben Uhr esse
90 ich zu Abend, lese dann noch ein paar Seiten in einem Roman und höre
etwas Musik im Radio oder auf Schallplatten — manchmal sehe ich mir
auch ein gutes Fernsehprogramm an — und um elf gehe ich zu Bett.

---

[15] **erleben** to experience.   [16] **ab /holen** to meet.   [17] **sprachlos** speechless.

WORTSCHATZ

an /fangen, fing an, angefangen, fängt an	to start, begin
an /kommen, kam an, ist ange- kommen	to arrive
an /sehen, sah an, angesehen, sieht an	to look at
aus /sehen	to appear, look
sich an /ziehen, zog an, angezogen	to dress, get dressed
sich um /ziehen	to change (clothes)
arm	poor
auf /machen	to open
zu /machen	to close
der **Aufsatz, ⁼e**	composition, essay
auf /stehen, stand auf, ist aufge- standen	to rise, get up
aus /steigen, stieg aus, ist ausge- stiegen	to get off, get out
ein /steigen	to board
sich beeilen	to hurry
das **Bett, -en**	bed
das **Ei, -er**	egg
eigentlich	actually
ein /fallen, fiel ein, ist eingefallen, fällt ein (*with dat.*)	to occur (to)
die **Fahrt, -en**	ride, trip
sich freuen (über, *with acc.*)	to be happy (about)
der **Friseur, -e**	barber
das **Frühstück**	breakfast
genug	enough
das **Gesicht, -er**	face
das **Haar, -e**	hair
die **Hand, ⁼e**	hand
das **Heft, -e**	notebook
herein /kommen, kam herein, ist herein- gekommen	to enter, come in

die **Hose, -n**	trousers, pairs of trousers
sich interessieren für	to be interested in
jagen	to chase
der **Kaffee**	coffee
die **Klassenarbeit, -en**	test
das **Klassenzimmer, -**	classroom
der **Kopf, ⁼e**	head
kosten	to cost
der **Kugelschreiber, -**	ball-point pen
leicht	easy
die **Marmelade**	jam
die **Nachricht, -en**	news, newscast
der **Pullover, -**	sweater
putzen	to clean, brush, scrub
das **Radio**	radio
sich rasieren	to shave
schneiden, schnitt, geschnitten	to cut
sich setzen	to sit down
die **Tafel, -n**	blackboard
der **Tee**	tea
sich um /drehen	to turn around, over
sich unterhalten, unter- hielt, unter- halten, unterhält	to converse, talk
verlieren, verlor, verloren	to lose
vorn	in front
(sich) waschen, wusch, gewaschen, wäscht	to wash
der **Weg, -e**	way
zählen	to count
der **Zahn, ⁼e**	tooth
die **Zukunft**	future
zurück /bringen, brachte zurück, zurückgebracht	to bring, take back
zurück /geben, gab zurück, zurück- gegeben, gibt zurück	to give back

IDIOMS

auch nicht	not either
einen Spaziergang machen	to take a walk
meine Damen und Herren	ladies and gentlemen
sich (*dat.*) **etwas an /sehen**	to take a look at, see (*movie, etc.*)
sich (*dat.*) **etwas leisten**	to afford something
sich (*dat.*) **etwas vor /stellen**	to imagine
sich (*dat.*) **Sorgen machen über** (*with acc.*)	to worry about
sich (*dat.*) **die Zähne putzen**	to brush one's teeth
von Kopf bis Fuß	from head to toe
zu Abend (Mittag) essen	to eat dinner (lunch)
zu Fuß gehen	to walk, go on foot

PATTERNS AND FORMS

Patterns

PATTERN 13: VERB WITH SEPARABLE PREFIX (MAIN CLAUSE); SIMPLE TENSES
AND IMPERATIVE

a. Present and Past

> S—V;   p.e.   Prefix
> Ich **stehe** jeden Morgen um halb acht **auf.**
> *I get up every morning at seven thirty.*
> Ich **stand** jeden Morgen um halb acht **auf.**
> *I got up every morning at seven thirty.*

b. Imperative

> V—S;   p.e.   Prefix
> **Stehen Sie** jeden Morgen um halb acht **auf!**
> *Get up every morning at seven thirty.*
> **Stehen wir** jeden Morgen um halb acht **auf!**
> *Let's get up every morning at seven thirty.*
> **Stehe (steht)** jeden Morgen um halb acht **auf!**
> *Get up every morning at seven thirty.*

PATTERN 14: VERB WITH SEPARABLE PREFIX (MAIN CLAUSE); FUTURE AND
COMPOUND TENSES

a. Future

> S—V;   p.e.   Prefix /Vbl.
>
> Ich **werde** jeden Morgen um halb acht **aufstehen.**
> *I will get up every morning at seven thirty.*

b. Compound Tenses

S—V;	p.e.	Prefix/Vbl.

Ich **bin** jeden Morgen um halb acht **aufgestanden.**
I got up every morning at seven thirty.

Observation 13: In the simple tenses and the imperative, the prefix is separated from the verb and stands in final position in a main clause. (This pattern is identical with Patterns 10 and 11, except that the prefix takes the place of the verbal.)

Observation 14: In the future and compound tenses, the prefix is attached to the verbal (infinitive or past participle), giving a pattern similar to Pattern 12 (the prefix takes the place of the additional verbal element).

Forms

1. Inseparable Prefixes

You have already observed that, for example, from the verb **kommen** (*to come*) another verb, **bekommen** (*to get*), can be formed with the prefix **be-**. By means of prefixes, German can express a large number of verbal concepts with a relatively small stock of simple verbs.

The prefix **be-** in **bekommen** remains attached to the verb in all forms and is therefore called an inseparable prefix. The most common inseparable prefixes are: **be-, emp-, ent-, er-, ge-, ver-, zer-**.[1]

Inseparable prefixes are never stressed; hence the past participle of a verb with a separable prefix never adds **ge-** (see Lesson 10):

bekommen	bekam	bekommen		*to get*
gefallen	gefiel	gefallen	(gefällt)	*to appeal to*
verstehen	verstand	verstanden		*to understand*

2. Separable Prefixes

Separable prefixes, unlike inseparable ones, were originally independent words (usually prepositions or adverbs, but also infinitives and adjectives). Separable prefixes always receive the main stress when attached to the verb (**ạnkommen**). In a main clause, they separate from the verb in the present,

---

[1] Inseparable prefixes have no specific meanings of their own, although they often affect the meanings of basic verbs. Note that **be-** frequently makes an intransitive verb transitive (**antworten — beantworten**) and that **zer-** implies *to pieces* (**brechen** *to break* — **zerbrechen** *to break to pieces, shatter*).

simple past, and the imperative. Note that **ge-** of the past participle is inserted *between the prefix and the verb stem:*

ankommen	**kam an**	ist **ange͟kommen**	*to arrive*
aufstehen	**stand auf**	ist **aufge͟standen**	*to get up*
zurückbringen	**brachte zurück**	**zurückge͟bracht**	*to bring back*

3. Use of Verbs with Separable Prefixes

TRANSITIVE: Sie **sieht** ihn **an.**   *She looks at him.*
                     Er **bringt** das Buch **zurück.**   *He brings back the book.*

INTRANSITIVE: Sie **kommt** in der Stadt **an.**   *She arrives in the city.*
                     Er **steigt** in den Bus **ein.**   *He boards the bus.*

Verbs with separable prefixes may be transitive or intransitive. If intransitive, they are frequently used with prepositional phrases. (Note that the prefix does not replace the preposition.)

4. Variable Prefixes

A small number of prefixes may be separable or inseparable. If separable, they are stressed; if inseparable, they are not stressed.

Compare:

unterbre͟chen	**unterbrach**	**unterbrochen**	*to interrupt*
u͟ntergehen	**ging unter**	ist **untergegangen**	*to set,* (as the sun, moon, etc.)
wiederho͟len	**wiederholte**	**wiederholt**	*to repeat*
wie͟derkommen	**kam wieder**	ist **wiedergekommen**	*to come again*

5. Reflexive Pronouns

ich wasche **mich**	*I wash (myself)*
du wäschst **dich**	*you wash (yourself)*
er (sie, es) wäscht **sich**	*he washes (himself), etc.*
wir waschen **uns**	*we wash (ourselves)*
ihr wascht **euch**	*you wash (yourselves)*
sie (Sie) waschen **sich**	*they wash (themselves), etc.*

ich helfe **mir**	*I help myself*
du hilfst **dir**	*you help yourself*
er (sie, es) hilft **sich**	*he helps himself, etc.*
wir helfen **uns**	*we help ourselves*
ihr helft **euch**	*you help yourselves*
sie (Sie) helfen **sich**	*they help themselves, etc.*

A reflexive pronoun object indicates that the action of the verb refers back to the subject. Reflexive pronouns may be either accusative or dative. They are identical in form with accusative and dative personal pronouns, except in the third person singular and plural, where the reflexive pronoun **sich** is used for both cases.

Compare:

Er wäscht **ihn.**	*He washes him (someone else).*
Er wäscht **sich.**	*He washes himself.*
Er hilft **ihm.**	*He helps him (someone else).*
Er hilft **sich.**	*He helps himself.*

Reflexive pronouns are usually used as objects of verbs, but may also be objects of prepositions:

Er hat viel Geld **bei sich.**	*He has much money with him.*

6. Position of Reflexive Pronoun Objects

Er **unterhält sich** mit ihr.	*He converses with her.*
Er **hat sich** mit ihr **unterhalten.**	*He conversed with her.*

In a main clause, reflexive pronoun objects, like personal pronoun objects, follow the conjugated verb as closely as possible. (See Lesson 4, Observation 4b.)

7. Reflexive Verbs

A reflexive pronoun may be used with almost any transitive verb (**helfen** *to help;* **sich helfen** *to help oneself*). Other verbs in German, however, regularly occur with a reflexive object, often with special idiomatic meanings:

sich freuen (über)	*to be happy (about)*
sich setzen	*to sit down*

Note also that a German reflexive verb often has a nonreflexive English equivalent:

sich umdrehen	*to turn around*

8. Reciprocal Reflexives

Wir lieben uns sehr.
 Wir lieben einander sehr. } *We love each other very much.*

Sie schreiben sich oft Briefe.
 Sie schreiben einander oft Briefe. } *They often write each other letters.*

Plural reflexive pronouns are often equivalent to English *each other* or *one another*. In case of ambiguity, **einander** (invariable) may be used instead of a reflexive pronoun.

9. Dative of Interest

Ich kaufe mir ein Auto.   *I am buying myself a car.*
Wir bauen unserem Sohn ein Haus.   *We are building our son a house.*

Note that the dative here indicates *for whom something is done.* The reflexive use of this dative of interest is especially common in German and is often used when it would be unnecessary in English:

> **Ich will mir** sein neues Auto **ansehen.**
> *I want to take a look at his new car (for myself).*

10. Dative of Possession

Er wäscht mir die Hände.   *He washes my hands.*
Sie wäscht sich die Hände.   *She washes her hands.*

If the thing possessed is a part of the body or an article of clothing, possession is expressed by a dative object of the verb. A definite article replaces a possessive adjective before the thing possessed:

> **Er wäscht sich die Hände.** (not **Er wäscht seine Hände.**)

11. Infinitives Used as Nouns

Er hört **das Läuten** des Weckers.   *He hears the ringing of the alarm clock.*

Das Reisen ist interessant.   *Traveling is interesting.*

Infinitives may be used as neuter nouns, corresponding to English gerunds (*ringing, traveling*).

ÜBUNGEN

Mündlich

A. *Change to the simple past:*

EXAMPLE: Er ist jeden Tag um sieben Uhr aufgestanden.
            Er stand jeden Tag um sieben Uhr auf.

1. Der Zug ist um halb elf angekommen. 2. Wann haben die Ferien angefangen? 3. Viele Leute sind in den Zug eingestiegen. 4. Ist Ihnen denn nichts Neues eingefallen? 5. Er hat mir das Heft zurückgegeben.

6. Sie hat ihn von Kopf bis Fuß angesehen. 7. Er hat das Fenster nicht zugemacht. 8. Sie hat das Buch schon gestern in die Bibliothek zurückgebracht. 9. Er hat ziemlich unzivilisiert ausgesehen. 10. Wir sind erst in München ausgestiegen.

B. *Form imperatives (all forms) from the following phrases:*

EXAMPLE: um sieben Uhr aufstehen
      Stehen Sie um sieben Uhr auf! Stehen wir um sieben Uhr auf!
      Stehe um sieben Uhr auf! Steht um sieben Uhr auf!

1. die Tür zumachen 2. sich die Zähne putzen 3. sich keine Sorgen machen 4. sich vor dem Essen umziehen 5. sich beeilen 6. noch nicht aussteigen

C. *Form sentences in the present and future with the subject indicated:*

EXAMPLE: um sieben Uhr aufstehen (er)
      Er steht um sieben Uhr auf.
      Er wird um sieben Uhr aufstehen.

1. immer jung aussehen (er) 2. am Montag ankommen (meine Schwester)
3. bald mit der Arbeit anfangen (der Student) 4. Ihnen morgen das Geld zurückgeben (ich) 5. ihm nie einfallen (so eine Idee) 6. im Winter alle Fenster zumachen (wir). 7. vor den anderen Leuten aussteigen (der Schaffner) 8. mich ganz erstaunt ansehen (Herr Müller)

D. *Change each verb to the first person singular and plural and to the conventional form (Sie):*

EXAMPLE: Er wäscht sich die Hände.
      Ich wasche mir die Hände. Wir waschen uns die Hände.
      Sie waschen sich die Hände.

1. Er macht sich über die Zukunft keine Sorgen. 2. Sie drehte sich erstaunt um. 3. Er stellte sich ihr Gesicht vor. 4. Sie setzt sich an den Tisch. 5. Er hat sich nicht über seine Arbeit gefreut. 6. Sie macht sich ihr Frühstück. 7. Er unterhält sich mit seinen Freunden. 8. Er ließ sich ein neues Haus bauen. 9. Warum mußte er sich einen neuen Kugelschreiber kaufen? 10. Er stand spät auf und zog sich schnell an.

E. *Answer in German:*
1. Warum wollen Sie zum Friseur gehen? 2. Was tun Sie morgens nach dem Aufstehen? 3. Was essen Sie gewöhnlich zum Frühstück? 4. Putzen Sie sich jeden Morgen die Zähne? 5. Wie viele neue Bücher haben Sie sich dieses Jahr kaufen müssen? 6. Wie sieht Ihr Klassenzimmer aus?

7. Interessieren Sie sich mehr für Deutsch oder Mathematik? 8. Wann fängt Ihre Deutschstunde an? 9. Haben Sie sich letztes Jahr ein neues Auto leisten können? 10. Mit was für Leuten unterhalten Sie sich am liebsten?

Schriftlich

F. *Write in German:*

An Ordinary Day

1. I lay in bed and slowly opened one eye. 2. The sun was shining brightly through the window onto my clock. 3. But then I suddenly opened both eyes; it was already 10:30. 4. How was that possible? Had I not heard the ringing of the alarm clock or hadn't it rung at all? 5. I got up at once and wanted to run into the bathroom, but fell over my books. 6. I had left them lying in front of my bed. 7. Now I knew: today will not be my best day. 8. I had to hurry, for my German class begins every day at 11 o'clock. 9. I got dressed, but could not find my sweater. 10. Finally I found it under the bed. 11. Then I wanted to brush my teeth, but had no more tooth paste. 12. I washed and shaved quickly and left the room. 13. I closed the door and was about to run out of the house. 14. Suddenly something occurred to me. 15. I had forgotten my ball-point pen, and today we were supposed to have a test. 16. I went into my room once more and took the pen from the table. 17. Now it was ten minutes of eleven and I had to go by bus. 18. I ran to the stop and saw the bus go around the corner. 19. The next bus was supposed to come at 11:10. 20. I turned around, went into the house, and threw myself on the bed. 21. Soon I was asleep again. 22. That was the end of a "completely ordinary" but rather short day.

G. *Composition*

Describe in German an ordinary (or not so ordinary) day in your life.

German Information Center

Beschreiben Sie das Bild!

Altes und Neues, 2. Teil

Bei Fritz Meier läutete das Telephon. Er nahm den Hörer ab[1] und sagte:
„Hier ist Meier."

„Guten Abend, Fritz, hier ist Hans", antwortete eine Stimme am anderen Ende der Leitung.[2] „Ich versuche schon seit einer halben Stunde,
5 dich zu erreichen, aber die Leitung war dauernd[3] besetzt."

„Das kann ich aber nicht verstehen", sagte Fritz, „da muß etwas nicht
in Ordnung sein, denn ich habe heute noch niemand angerufen. Warum
rufst du mich denn so spät noch an? Ist etwas los?"

„Nein, nein! Ich werde dich doch hoffentlich nicht aus dem Bett geholt
10 haben? Ich wollte dich nicht stören."

„Nein, es ist schon gut, ich wollte gerade ins Bett gehen. Also was ist
los?"

„Ich habe gerade den Wetterbericht gehört. Am kommenden Wochenende sollen wir herrliches Wetter haben. Warum fahren wir da nicht mit
15 dem Auto irgendwohin?[4] Hast du etwas dagegen?"

„Dagegen? Im Gegenteil, ich bin sehr dafür! Manchmal hast du doch
gar keine schlechten Ideen. Wohin soll denn die Reise gehen?"

„Kennst du die sogenannte[5] ‚Romantische Straße'?"

---

[1] **ab/nehmen** to take off.　　[2] **die Leitung, -en** line.　　[3] constant(ly).　　[4] somewhere.
[5] **sogenannt** so-called.

„Ich habe schon einmal etwas davon gehört, aber ich kenne sie nicht.
Sie soll sehr schön sein."   20

„Sie fängt in Würzburg an, führt über Rothenburg ob der Tauber,
Dinkelsbühl, Nördlingen hinunter[6] an die Donau, von dort nach Augsburg
und hört in Füssen auf."

„Sehr gut, ich freue mich jetzt schon darauf. Wen sollen wir noch
mitnehmen? Oder wolltest du nur mich einladen?"   25

„Ich hatte an Karl Müller gedacht. Glaubst du, er interessiert sich
dafür?"

„Wofür?"

„Ach, du weißt doch, für alte Städte und Städtchen,[7] Kirchen, Schlösser
usw."   30

„Ich glaube schon. Erinnerst du dich noch an seinen Aufsatz über seine
Reise von Passau nach Wien?"

„Ja, du hast recht, ich erinnere mich noch sehr gut daran. Er und sein
älterer Bruder sind mit dem Schiff die Donau hinunter gefahren und
haben alle die alten Städte und Schlösser besucht."   35

„Ja, aber jetzt muß ich ins Bett, sonst kann ich morgen früh nicht aufstehen. Vielen Dank für deinen Anruf,[8] Hans. Ich freue mich sehr aufs
Wochenende. Gute Nacht!"

„Morgen unterhalten wir uns noch etwas länger darüber. Gute Nacht,
Fritz!"   40

Am nächsten Tag, es war Donnerstag, trafen sich die drei jungen
Männer — Hans hatte inzwischen Karl Müller angerufen — und machten
ihre Pläne. Die Fahrt sollte nicht viel Geld kosten, darum wollten sie auch
nicht in Hotels, sondern auf Camping-Plätzen[9] übernachten. Das kostet
pro Person höchstens zwei Mark. Das Essen wollten sie schon vorher   45
einkaufen und mitnehmen, Brot, Butter, Wurst, Käse, Eier und Ähnliches.
Jeder sollte ein Drittel des Benzins bezahlen, denn das ist ziemlich teuer.
Super-Benzin kostet 64 Pfennig pro Liter! Jetzt gab es nur noch eine
Frage: „Wann fahren wir ab?" Hans wollte schon um fünf Uhr fahren,
aber Fritz und Karl stehen beide nicht gern früh auf. Sie wollten frü-   50
hestens[10] um sieben abfahren. So diskutierten sie hin und her, und wer
wird wohl gewonnen haben? Natürlich, die Mehrheit,[11] aber doch nicht
ganz, denn man einigte sich endlich auf[12] halb sieben. Dann sagte Fritz:

---

[6] down.   [7] **das Städtchen, -** (little) town.   [8] **der Anruf, -e** call.   [9] **der Platz, ⸗e** area.
[10] **frühestens** at the earliest.   [11] **die Mehrheit, -en** majority.   [12] **sich einigen auf** (*with acc.*)
to agree upon.

„Wann gehen wir einkaufen? Ich schlage vor, wir tun das nicht unter-
55   wegs, sondern schon heute. Habt ihr Geld bei euch?"
„Ja", antworteten die beiden anderen, „aber nicht viel. Wir haben
zusammen etwas über zwanzig Mark."
„Damit kann man ziemlich viel kaufen", sagte Fritz. „Jeder von uns
geht in ein anderes Geschäft, dann geht es am schnellsten. Hans, geh
60   bitte zum Bäcker und kaufe das Brot! Karl, gehst du lieber zum Metzger
oder ins Milchgeschäft?"
„Das ist mir gleichgültig."
„Gut, dann geh bitte zum Metzger! Was brauchen wir denn alles?"
„Hat jemand ein Stück Papier und einen Bleistift?" fragte Hans.
65   „Ich habe beides",[13] antwortete Karl.
„Gut, dann schreiben wir auf, was wir brauchen", erklärte Fritz. Nach
ungefähr zehn Minuten war die Liste[14] fertig und sah so aus:

im Milchgeschäft:	zehn Eier	DM	2,40[15]
	ein halbes Pfund Butter		1,90
	300 gr[16] Schweizerkäse (geschnitten)		2,25
		DM	6,55
beim Bäcker:	ein großes Schwarzbrot[17]		1,—
	ein Paket Pumpernickel		–,65
		DM	1,65
beim Metzger:	3 Paar Frankfurter		3,30
	250 gr gekochter Schinken (geschnitten)		3,—
	150 gr Kalbsleberwurst[18]		2,50
	300 gr Fleischwurst[19] (geschnitten)		2,70
		DM	11,50

Das sind zusammen DM 19,70. Etwas zu trinken werden die drei sich
unterwegs kaufen, und ein- oder zweimal werden sie wohl auch in einem
70   Restaurant essen. Eine Landkarte hat Hans, denn ein Autofahrer[20] muß
ja eine Landkarte haben, den Reiseführer bringt Karl, und Fritz seinen

---

[13] both (things).   [14] list.   [15] **zwei Mark vierzig**   [16] **Gramm.**   [17] **das Schwarzbrot, -e**
dark bread.   [18] **die Kalbsleberwurst, ⸗e** calf's-liver sausage.   [19] **die Fleischwurst, ⸗e** bologna
[20] **der Autofahrer, -** driver.

Photoapparat. Damit sind die Vorbereitungen für die Fahrt fertig. Hans wird seine Freunde am nächsten Morgen um halb sieben abholen.

Jetzt ist unsere Aufgabe aber schon lang genug geworden. Was während der Fahrt auf der „Romantischen Straße" geschieht, werden wir also in   75 der nächsten Aufgabe erzählen müssen.

(Fortsetzung folgt.)

WORTSCHATZ

ab /fahren, fuhr ab, ist abgefahren, fährt ab	to leave, depart	der **Hörer, -**	receiver, listener
ab /holen	to meet, pick up	das **Hotel, -s**	hotel
an /rufen, rief an, angerufen	to call (by phone)	der **Metzger, -**	butcher
auf /hören	to stop, end, cease	das **Milchgeschäft, -e**	dairy (store)
auf /schreiben, schrieb auf, aufgeschrieben	to write down	mit /nehmen, nahm mit, mitgenommen, nimmt mit	to take along
der **Bäcker**	baker	die **Ordnung**	order
das **Benzin**	gasoline	das **Paar, -e**	pair, couple
bezahlen	to pay	das **Paket, -e**	package
der **Bleistift, -e**	pencil	die **Person, -en**	person
die **Donau**	Danube	das **Pfund**	pound
ein /kaufen	to buy, shop	der **Photoapparat, -e**	camera
einkaufen gehen	to go shopping	der **Plan, ≈e**	plan
ein /laden, lud ein, eingeladen, lädt ein	to invite	**pro**	per
		der **Reiseführer, -**	travel guide
sich erinnern (an, with acc.)	to remember	der **Schinken, -**	ham
		schlecht	bad
erreichen	to reach	der **Schweizerkäse**	Swiss cheese
fertig	ready	**spät**	late
sich freuen (auf, with acc.)	to look forward to	**stören**	to disturb, bother
führen	to lead; to carry (*merchandise*)	das **Telephon**	telephone
		übernachten	to stay overnight
		unterwegs	on the way
gewinnen, gewann, gewonnen	to win	die **Vorbereitung, -en**	preparation
		vor /schlagen, schlug vor, vorgeschlagen, schlägt vor	to suggest, propose
höchstens	at (the) most	der **Wetterbericht, -e**	weather report

IDIOMS

es ist (schon) gut	it's all right
gute Nacht	good night
guten Abend	good evening
hin und her	back and forth
recht haben	to be right
schon einmal	(once) before
vielen Dank	thank you very much
was ist los?	what is the matter?

PATTERNS AND FORMS

Patterns: Review

10a. Verb plus Infinitive (Future Tense)

Normal Word Order:

Sie **werden** so eine schöne Reise nie **vergessen.**

Inverted Word Order:

So eine schöne Reise **werden** Sie nie **vergessen.**

10b. Verb plus Infinitive (Modal Auxiliaries)

Normal Word Order:

Wir **wollen** Ihnen jetzt zwei Geschichten **erzählen.**

Inverted Word Order:

Diese Geschichte **müssen** wir zuerst **erzählen.**

11. Verb plus Past Participle (Compound Tenses)

Normal Word Order:

Ich **habe** mit Herrn Frei **telephoniert.**
Ich **bin** viel **gereist.**

Inverted Word Order:

Vor einer Woche **habe** ich mit Herrn Frei **telephoniert.**
In letzter Zeit **bin** ich viel **gereist.**

12a. Future Tense Plus Additional Verbal Element (Future Tense of Modals)

Wir **werden** bald Weihnachten **feiern können.**

12b. Compound Tense plus Additional Verbal Element (Compound Tenses of Modals)

Er **hat** es nicht **reparieren können.**

13.   VERB WITH SEPARABLE PREFIX; SIMPLE TENSES AND IMPERATIVE

Ich **stehe** jeden Morgen um halb acht **auf.**
Ich **stand** jeden Morgen um halb acht **auf.**
Stehen Sie (wir) jeden Morgen um halb acht **auf!**
Stehe (steht) jeden Morgen um halb acht **auf!**

14.   VERB WITH SEPARABLE PREFIX; FUTURE AND COMPOUND TENSES

Ich **werde** jeden Morgen um halb acht **aufstehen.**
Ich **bin** jeden Morgen um halb acht **aufgestanden.**
Ich **war** jeden Morgen um halb acht **aufgestanden.**

Forms

1. Review of Tenses (Model Conjugations)

INFINITIVE

sagen   **fahren**

PRESENT

ich sage	ich fahre
du sagst	du **fährst**
er, sie, es sagt	er, sie, es **fährt**
wir sagen	wir fahren
ihr sagt	ihr fahrt
sie, Sie sagen	sie, Sie fahren

SIMPLE PAST

ich sagte	ich **fuhr**
du sagtest	du **fuhrst**
er, sie, es sagte	er, sie, es **fuhr**
wir sagten	wir **fuhren**
ihr sagtet	ihr **fuhrt**
sie, Sie sagten	sie, Sie **fuhren**

FUTURE

ich werde sagen	ich werde fahren
du wirst sagen	du wirst fahren
er, sie, es wird sagen	er, sie, es wird fahren
wir werden sagen	wir werden fahren
ihr werdet sagen	ihr werdet fahren
sie, Sie werden sagen	sie, Sie werden fahren

COMPOUND PAST

ich habe gesagt	ich bin gefahren
du hast gesagt	du bist gefahren
er, sie, es hat gesagt	er, sie, es ist gefahren
wir haben gesagt	wir sind gefahren
ihr habt gesagt	ihr seid gefahren
sie, Sie haben gesagt	sie, Sie sind gefahren

PAST PERFECT

ich hatte gesagt	ich war gefahren
du hattest gesagt	du warst gefahren
er, sie, es hatte gesagt	er, sie, es war gefahren
wir hatten gesagt	wir waren gefahren
ihr hattet gesagt	ihr wart gefahren
sie, Sie hatten gesagt	sie, Sie waren gefahren

IMPERATIVE

sagen Sie!	fahren Sie!
sagen wir!	fahren wir!
sag(e)!	fahr(e)!
sagt!	fahrt!

2. Perfect Infinitive

Er soll das **gesagt haben.**	*He is supposed to have said that.*
Er muß nach Europa **gefahren sein.**	*He must have gone to Europe.*

The perfect infinitive (English: [*to*] *have said*, [*to*] *have gone*) consists of a past participle plus the infinitive of **haben** or **sein.**

3. Future Perfect

ich werde gesagt haben	*I shall have said*
du wirst gesagt haben	
er, sie, es wird gesagt haben	
wir werden gesagt haben	
ihr werdet gesagt haben	
sie, Sie werden gesagt haben	

ich werde gefahren sein	*I shall have driven*
du wirst gefahren sein	
er, sie, es wird gefahren sein	
wir werden gefahren sein	
ihr werdet gefahren sein	
sie, Sie werden gefahren sein	

The future perfect consists of the present tense of **werden** plus perfect infinitive. This tense is rarely used, except in an idiomatic construction expressing probability in the past (usually with the adverb **wohl** or **schon**):

Er wird es wohl gesagt haben.
He probably said it.
Er wird wohl nach Europa gefahren sein.
He probably went to Europe.
Es wird schon so gewesen sein.
That's probably how it was.

4. Declension of <u>wer</u> (*who*)

Wer ist hier?	*Who is here?*
Wessen Bruder ist das?	*Whose brother is that?*
Wem haben Sie das Geld gegeben?	*To whom did you give the money?*
Wen kennst du hier?	*Whom do you know here?*

5. Wo-Compounds

Mit wem sprichst du?	*With whom are you speaking?*
Womit schreibst du?	*With what are you writing?*
Auf wen wartet er?	*For whom is he waiting?*
Worauf wartet er?	*For what is he waiting?*

German **wo** plus preposition (**wor-** if the preposition begins with a vowel) is the equivalent of English preposition plus *what*. Compare older English *wherewith*.

6. Da-Compounds

Ich spreche **mit ihm (ihnen).**	*I am speaking with him (them).*
Ich schreibe **damit.**	*I am writing with it (or them).*
Ich warte **auf sie.**	*I am waiting for her (or them).*
Ich warte **darauf.**	*I am waiting for it (or them).*

German **da** plus preposition (**dar-** if the preposition begins with a vowel) is the equivalent of English preposition plus *it* (*that*), *them* (referring to things). Compare older English *therewith*.

Note: Some prepositions cannot be used in **da-** or **wo-**compounds; for example, **seit, ohne,** and all prepositions used with the genitive.

7. Aber and <u>sondern</u>

Mein Auto ist alt, **aber** gut.
My car is old, but good.
Diese Klassenarbeit ist nicht schwer, **aber** sie ist sehr lang.
This test isn't hard, but it is very long.
Diese Klassenarbeit ist nicht schwer, **sondern** sehr leicht.
This test isn't hard, but (on the contrary) very easy.
Diese Klassenarbeit ist **nicht nur** schwer, **sondern auch** lang.
This text is not only long but also hard.

Aber and **sondern** both mean *but*. **Sondern** is used only following a negative statement when *but* implies *but rather, on the contrary*, and in the expression **nicht nur . . . sondern auch** (*not only . . . but also*).

8. <u>Hin</u> and <u>her</u>

Ich stand im Zimmer und wollte gerade **hinaus**gehen, aber in diesem Augenblick kam mein Freund **herein.**
I was standing in the room and was just about to go out, but at that moment my friend came in.
Ich stand vor dem Haus und wollte gerade **hinein**gehen, aber in diesem Augenblick kam mein Freund **heraus.**
I was standing in front of the house and was just about to go in, but at that moment my friend came out.

Wohin gehen Sie? (or) **Wo** gehen Sie **hin?**
Where are you going?
Woher kommen Sie? (or) **Wo** kommen Sie **her?**
Where are you coming from? Where do you come from?

Hin indicates motion away from the position of the speaker; **her,** motion toward the position of the speaker. **Hin** and **her** may be used alone or attached to adverbs, separable prefixes, or **wo.**

ÜBUNGEN

Mündlich

A. *Restate the following sentences in the simple past, future, compound past, past perfect, future perfect:*
1. Fritz schreibt einen Brief. 2. Ich bezahle DM 3,50 dafür. 3. Der Zug fährt um zehn Uhr ab. 4. Wir kommen um 11.30 an. 5. Was schlägst du vor? 6. Sie bleiben nicht lange hier. 7. Er bringt es mir. 8. Ihr freut

euch auf die Ferien.   9. Sie denkt an die Reise nach Wien.   10. Er repariert seine Uhr.   11. Weißt du das noch?   12. Wir sehen uns diesen Film an. 13. Er unterhält sich mit ihr.   14. Sie nehmen ihr Essen mit.   15. Sie ist nicht im Hotel.   16. Sie ißt nicht im Hotel.

B. *Form questions according to the following examples:*

EXAMPLES: Ich spreche mit Herrn Schmitt.
            Mit wem sprechen Sie?

            Er schreibt mit einem Bleistift.
            Womit schreibt er?

1. Die Studenten sitzen auf Stühlen.   2. Fritz ruft seine Freundin an. 3. Hans fährt mit Fritz und Karl nach Füssen.   4. Wir sprachen von moderner Musik.   5. Ich erinnere mich noch sehr gut an diesen Film. 6. Fritz ist ein guter Bekannter meiner Schwester.   7. Thomas Mann wurde durch den Roman „Buddenbrooks" berühmt.   8. In Heidelberg habe ich bei Frau Meyer gewohnt.   9. Er macht sich keine Sorgen über die Zukunft. 10. Nächsten Samstag spielt Yale gegen Princeton.

C. *Replace the object of the preposition with the proper pronoun or* **da-:**

EXAMPLES: Ich spreche mit Herrn Schmitt.
            Ich spreche mit ihm.

            Ich schreibe mit einem Bleistift.
            Ich schreibe damit.

1. Er weiß nichts von unseren Plänen.   2. Wann schreibst du an Herrn Braun?   3. Freuen Sie sich auf die Reise?   4. Er interessiert sich nicht für alte Schlösser.   5. Ich werde morgen bei meiner Schwester zu Mittag essen. 6. Er hat DM 2,35 für Brot und Butter bezahlt.   7. Was hast du denn gegen die deutsche Sprache?   8. Im Deutschunterricht sitzt Fritz hinter meinem Bruder.   9. Was hat er in dem Paket?   10. Was ist los mit deinem Kugelschreiber?

D. *Connect the following sentences with* **aber** *or* **sondern**:

EXAMPLES:
Diese Klassenarbeit ist nicht schwer. Sie ist sehr leicht.
Diese Klassenarbeit ist nicht schwer, sondern sehr leicht.

Diese Klassenarbeit ist nicht schwer. Sie ist sehr lang.
Diese Klassenarbeit ist nicht schwer, aber sie ist sehr lang.

1. Das ist kein Roman. Das ist ein Drama.   2. Er hat keinen Kugelschreiber.

Ich habe einen. 3. Er kann mich nicht sehen. Er kann mich hören. 4. Ich trinke keinen Kaffee. Ich trinke nur Tee. 5. Sein Pullover ist nicht neu. Er ist sehr alt. 6. Er geht nicht früh ins Bett. Er schläft gern lange. 7. Das Buch kostet nicht DM 5,95. Es kostet nur DM 3,75. 8. Unser Haus ist nicht groß. Es ist gemütlich. 9. Diese Symphonie ist nicht von Beethoven. Sie ist von Mozart. 10. Tiefer Schnee liegt auf den Feldern. Er liegt nicht auf der Straße.

E. *Adjective endings (see Lesson 8). Use the correct form of the adjective indicated:*

EXAMPLE: der Mann (gut)
                 der gute Mann

1. Kaffee (kalt) 2. Milch (warm) 3. ein Bleistift (rot) 4. das Benzin (teuer) 5. Würste (besser) 6. einem Bäcker (arm) 7. den Schweizerkäse (geschnitten) 8. ein Lied (schön) 9. einige Eier (gekocht) 10. alle Nachbarn (freundlich) 11. seiner Schwester (jünger) 12. unser Land (groß) 13. viele Menschen (lachend) 14. drei Freunde (alt) 15. mein Lehrer (früher)

F. *Comparison of adjectives and adverbs (see Lesson 9). Restate each adjective or adverb in the comparative and superlative:*

EXAMPLES: ein schönes Mädchen   Das Mädchen singt schön.
                    ein schöneres Mädchen   Das Mädchen singt schöner.
                    das schönste Mädchen   Das Mädchen singt am schönsten.

1. gutes Essen 2. die hohen Berge 3. das tiefe Tal 4. ein langer Tag 5. Er rasiert sich schnell. 6. ein sicherer Plan 7. viele Platten 8. Was tun Sie gern? 9. ein interessanter Aufsatz 10. Im Sommer sind die Nächte kurz.

G. *Modal auxiliaries (see Lessons 9 and 12). Restate the following sentences in the simple past, future, compound past, and past perfect:*

1. Wer kann das wissen? 2. Du darfst ihn nicht stören. 3. Er läßt ein Bild machen. 4. Sie müssen sich einen guten Reiseführer kaufen. 5. Können wir uns das leisten? 6. Er will nicht in Hotels übernachten. 7. Du sollst mich mitnehmen. 8. Siehst du ihn kommen? 9. Ihr müßt euch daran erinnern. 10. Er läßt dieses wichtige Werk drucken.

H. *Reflexives and verbs with separable prefixes (see Lesson 13). Form sentences in the present tense according to the example:*

EXAMPLE: anziehen, er, schnell, sich
                 Er zieht sich schnell an.

1. einfallen, etwas Interessantes, gerade, mir.
2. er, für, interessieren, sich, solches Zeug.
3. aussehen, gar nicht, gut, heute, Sie.
4. einladen, ihn, sie, zum Abendessen.
5. ich, jeden Morgen, mir, putzen, die Zähne.
6. aufmachen, jetzt, unsere Bücher, wir.
7. anrufen, Hans, sehr spät, seinen Freund.
8. eine junge Dame, im Bus, neben mich, setzen, sich.

Schriftlich

I. *Write in German:*

1. Marie and her mother have to go shopping. 2. "Where do you want to go first," asks her mother. 3. "What do we need? You know that better than I," says Marie. 4. "We need fruit, vegetables, meat, eggs, bread, and a pound of butter." 5. "Don't forget, mother, we have invited (the) Meyers and they like to eat well." 6. "Oh, you're right! We shall have to buy some wine, too. 7. What kind of bread and sausage does Mr. Meyer like (to eat) best?" 8. "I don't remember that, but I suggest dark bread and also some frankfurters and boiled ham." . . . 9. (A half hour later we find the two women at the butcher's.) 10. "Good morning, (my) ladies, nice weather today, isn't it?" says the butcher. 11. "Good morning, Mr. Schulz, please give me two pounds of frankfurters and 500 grams of boiled ham, sliced please." 12. Mr. Schulz gives the ladies the desired (things) and asks: "Is that all for today? 13. I have several very good roasts. May I show them to you?" 14. "Please show me a beef roast . . . Oh, this one looks good. 15. Give me three pounds of that. 16. How much does this cost all together?" 17. "I'll write it down for you: two pounds of frankfurters, 7.20 marks; 500 grams of boiled ham, 6.00 marks; and three pounds of roast, 14.40 marks. 18. That makes all together 27.60 marks." 19. "Oh, Marie, I have only twenty-five marks with me. Can you give me another five marks?" 20. Marie gives her mother five marks, and she pays the butcher. 21. He takes the money and says: "You get 2.40 marks back. 22. Thank you very much, ladies, and good-by."

German Information Center

Metzgerei

SUPPLEMENTARY VOCABULARY

die Metzgerei	butchershop
die Wurstwaren (*pl.*)	sausages
das Schaufenster	display window
das Gespräch	conversation

I. *Antworten Sie auf deutsch!*

1. Was für ein Geschäft ist das?
2. Was kauft man in so einem Geschäft?
3. Was macht die Dame vor dem Schaufenster?
4. Wer ist im Geschäft?

II. *Gespräch*[1]

Zwei Studenten (oder Studentinnen) kaufen beim Metzger ein.

[1] Several students can participate in this conversation by assuming the roles of customers and clerks.

Aufgabe 15

Wenn einer eine Reise macht, kann er was erzählen.[1]

Wie Sie sich noch erinnern, haben wir Ihnen in der letzten Aufgabe davon erzählt, daß Hans, Karl und Fritz Vorbereitungen zu einer Autofahrt auf der Romantischen Straße getroffen haben. Heute werden wir die drei Freunde auf dieser Fahrt begleiten.

Es war Freitag, der 13. August, morgens um halb sieben. Hans fuhr   5
sein Auto aus der Garage. Die Sonne schien schon ziemlich warm, und Hans ärgerte sich etwas darüber, daß seine beiden Freunde nicht schon früher hatten fahren wollen, denn ganz früh morgens ist es im Sommer immer am angenehmsten. Jetzt wollte er aber die Wochenendfahrt so schnell wie möglich beginnen. Das waren seine Gedanken, als er auf dem   10
Weg zu Karl über eine große Straßenkreuzung fuhr und das rote Verkehrslicht nicht bemerkte. Weil es aber noch so früh war, stand glücklicherweise noch kein Polizist an der Ecke! „Das fängt ja gut an", dachte Hans bei sich, „du mußt besser aufpassen, sonst passiert noch was!"[2]
Kurz darauf war er bei Karl, und dann holten sie noch Fritz ab. Nachdem   15
sie alles eingeladen hatten, fuhren sie ab. Sie verließen Würzburg und waren bald auf der Straße nach Bad Mergentheim. Heute wollten sie sich das alte Schloß in Weikersheim ansehen und die Städte Rothenburg ob der Tauber, Dinkelsbühl und Nördlingen besuchen. Hans schaltete das Radio an, und, begleitet von fröhlicher Musik, fuhren die drei durch die   20
schöne Gegend.

---

[1] *slightly modified version of an old German proverb.*   [2] **was** *(colloquial)* = **etwas.**

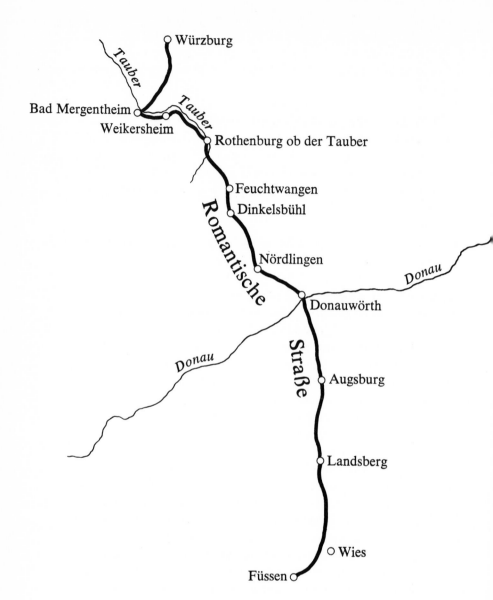

Da fragte Fritz: „Wann kommen wir nach Weikersheim, Hans?"

„Wenn die Straße so gut bleibt, sind wir in fünf Minuten da. Es sind nur noch fünf Kilometer."

Kaum hatte Hans das gesagt, als der Motor zu stottern[3] anfing und bald darauf stehenblieb.

„Was ist denn jetzt los?" fragte Karl.

„Ich habe keine Ahnung",[4] antwortete Hans. Er stieg aus und öffnete die Motorhaube.[5] Fritz und Karl waren inzwischen auch ausgestiegen und alle drei sahen sich den Motor an. Sie fragten sich, was sie tun sollten. Hans schraubte die Zündkerzen[6] aus,[7] aber sie waren gut. Fritz fand, daß auch der Verteiler[8] in Ordnung war. Hans setzte sich wieder ins Auto und drehte den Zündschlüssel,[9] aber der Motor wollte einfach nicht anspringen.[10]

„Hör auf", sagte Karl, „es hat keinen Sinn, du machst nur die Batterie kaputt! Ich werde mir den Vergaser[11] ansehen, ob da vielleicht etwas nicht stimmt." Nach einigen Augenblicken rief Karl: „Hans, wie lange fährst du eigentlich schon Auto?"

„Zwei Jahre", antwortete er. „Aber warum interessiert dich das gerade jetzt?"

„Weil du anscheinend noch nicht weißt, daß ein Auto ab und zu Benzin braucht. Der Vergaser ist ganz trocken, weil du wahrscheinlich keinen Tropfen Benzin mehr im Tank hast."

„Du kannst recht haben", sagte Hans. „Ich wollte gestern abend noch tanken, habe es aber ganz vergessen. Was machen wir jetzt?"

„Einer von uns muß eine Tankstelle suchen und ein paar Liter Benzin holen, damit wir weiterfahren können", sagte Karl.

„Entweder das, oder wir müssen jemand anhalten und fragen, ob er einen von uns bis zur nächsten Tankstelle mitnimmt", erklärte Fritz.

„Halt, ich hab's",[12] rief Hans mit lauter Stimme. „Ich glaube, dort vorn fällt die Straße etwas ab.[13] Wenn wir das Auto bis dorthin schieben, rollt es von selbst ins Tal hinunter, wo wir sicher eine Tankstelle finden."

Gesagt, getan.[14] Hans setzte sich wieder ans Steuer,[15] und seine beiden Freunde schoben das Auto. Glücklicherweise mußten sie nicht lange schieben, aber da es inzwischen schon ziemlich heiß geworden war, sah

---

[3] **stottern** to stammer, stutter.   [4] **die Ahnung, -en** idea.   [5] **die Motorhaube, -n** hood.
[6] **die Zündkerze, -n** spark plug.   [7] **aus/schrauben** to unscrew.   [8] **der Verteiler, -** distributor.
[9] **der Zündschlüssel, -** ignition key.   [10] **an/springen** to start, catch.   [11] **der Vergaser, -** carburetor.   [12] wait, I've got it.   [13] the road goes downhill somewhat.   [14] no sooner said than done.   [15] **das Steuer** steering wheel.

die Romantische Straße für die beiden Schiebenden gar nicht mehr sehr romantisch aus. Endlich fing das Auto von selbst an zu rollen, sie stiegen ein, und nach einigen Minuten sahen sie auch tatsächlich eine Tankstelle in der Ferne.

60   Nachdem sie getankt hatten, und Öl, Wasser und Reifen geprüft waren, fuhren sie endlich weiter. Da die Freunde ziemlich viel Zeit verloren hatten, entschlossen sie sich, das Weikersheimer Schloß diesmal nicht zu besuchen, sondern gleich nach Rothenburg weiterzufahren. Sie fuhren durch das schöne Taubertal und kamen bald nach Rothenburg. Diese alte

65   Stadt sieht noch fast so aus wie im Mittelalter,[16] mit alten Häusern und Kirchen, Stadttoren[17] und der fast ganz erhaltenen[18] Stadtmauer.[19] Eine sehr alte und reiche Geschichte hat diese Stadt, und Sie erinnern sich doch noch daran, daß wir Ihnen in einer früheren Aufgabe eine Legende aus dem Dreißigjährigen Krieg über Rothenburg erzählt haben.

70   Unsere drei Freunde wollten heute noch weiterkommen. Nachdem sie die Stadt besichtigt[20] hatten, aßen sie schnell etwas und fuhren durch eines der alten Stadttore weiter über Feuchtwangen nach Dinkelsbühl. Auch diese schöne, mittelalterliche[21] Stadt hat noch eine Stadtmauer. Vielen Leuten gefällt Dinkelsbühl sogar noch besser als Rothenburg.

75   Besonders sehenswert[22] ist die spätgotische St. Georgs-Kirche, eine der schönsten Kirchen Süddeutschlands.

Nur dreißig Kilometer sind es von Dinkelsbühl nach Nördlingen, dem dritten Juwel[23] der Romantischen Straße. Auch hier besichtigten die drei jungen Reisenden die alte Innenstadt[24] mit ihren herrlichen alten Häusern

80   aus dem 16. und 17. Jahrhundert, umgeben von[25] der Stadtmauer. Aber es war inzwischen schon ziemlich spät geworden, und die Freunde wollten einen Camping-Platz finden, wo sie übernachten konnten.

Deshalb sagte Fritz: „Am besten fahren wir jetzt nach Donauwörth. Dort können wir auf den Camping-Platz an der Donau fahren, vielleicht

85   sogar im Fluß schwimmen, wenn wir Lust dazu haben, und dann in einem der alten Restaurants in der Stadt gut zu Abend essen." Dieser Vorschlag gefiel den beiden andern sehr gut, und bald darauf sah man sie in der Donau schwimmen. Nachdem sie in der Stadt gegessen hatten, gingen sie zum Camping-Platz zurück, krochen in ihre Schlafsäcke[26] und waren bald

90   eingeschlafen.

---

[16] **das Mittelalter** middle ages.   [17] **das Stadttor, -e** city gate.   [18] **erhalten** to preserve.
[19] **die Stadtmauer, -n** city wall.   [20] **besichtigen** to see the sights (of).   [21] **mittelalterlich** medieval.   [22] **sehenswert** worth seeing.   [23] **das Juwel, -en** jewel, gem.   [24] **die Innenstadt** city center.   [25] surrounded by.   [26] **der Schlafsack, ⸚e** sleeping bag.

Als sie am nächsten Morgen aufwachten, war es schon sieben Uhr. Sie standen schnell auf, schwammen ein paar Minuten in der Donau und machten sich dann ein kleines Frühstück. Nachdem sie gegessen und ihre Sachen gepackt hatten, war es fast halb neun. Aber die Straße zwischen Donauwörth und Augsburg ist sehr gut, und deshalb brauchten sie für   95 die 42 km nur etwas mehr als eine halbe Stunde. Augsburg, von den Römern gegründet,[27] ist durch seinen Handel[28] groß geworden. Das Renaissance-Rathaus,[29] das Ulrichmünster[30] und der Dom[31] sind nur einige der vielen Sehenswürdigkeiten[32] der Stadt, und wer durch die Maximilianstraße mit den schönen Renaissance-Brunnen geht, denkt   100 vielleicht daran, daß unter ihm das Pflaster der römischen Via Claudia liegt. Südlich von Augsburg ist das Lechfeld.[33] Dort hat König Otto der Große im Jahre 955 die Hunnen besiegt.[34]

Von Augsburg fuhren die drei weiter nach Süden, bis sie gegen Mittag nach Landsberg kamen. Dort aßen sie zu Mittag, fuhren um ein Uhr weiter   105 und kamen ungefähr eine Stunde später nach Wies, einem kleinen Alpendorf, abseits der Hauptstraße.[35] Dieses Dorf besitzt eine der schönsten, manche Leute sagen sogar d i e schönste deutsche Rokoko-Kirche. Deshalb fahren jedes Jahr tausende von Touristen nach Wies.

Nicht weit von Wies liegt Füssen, das Ende der Romantischen Straße.   110 Hier besuchten Hans, Fritz und Karl noch die zwei berühmten bayrischen Königsschlösser Hohenschwangau und Neuschwanstein. Als sie von Neuschwanstein auf die majestätischen[36] Alpen sahen, wußten sie, daß sie auf der Romantischen Straße zwischen Würzburg und Füssen eine der schönsten Reisen durch deutsches Land und deutsche Vergangenheit[37]   115 gemacht hatten.

[27] founded by the Romans.   [28] **der Handel** trade.   [29] **das Rathaus** city hall.   [30] cathedral of St. Ulrich.   [31] main cathedral.   [32] **die Sehenswürdigkeit, -en** object of interest. [33] *plateau crossed by the river Lech.*   [34] defeated the Huns.   [35] off the main road.   [36] **majestätisch** majestic.   [37] **die Vergangenheit** past.

WORTSCHATZ

die **Alpen**	the Alps	**sich ärgern (über,**	to be angry, annoyed (about)
das **Alpendorf, ∸er**	Alpine village	*with acc.)*	
an /halten, hielt an, angehalten, hält an	to stop (*trans. & intrans.*)	**auf /passen**	to pay attention
		auf /wachen, ist aufgewacht	to wake up
an /schalten	to turn on, switch on	die **Autofahrt, -en**	drive
		die **Batterie, -n**	battery
anscheinend	apparently	**begleiten**	to accompany

bemerken	to notice
der Brunnen, -	fountain
diesmal	this time
drehen	to turn
ein /schlafen, schlief ein, ist eingeschlafen, schläft ein	to fall asleep
sich entschließen, entschloß, entschlossen	to decide
die Ferne, -n	distance
fröhlich	merry, gay
glücklicherweise	fortunately
heiß	hot
kaputt (coll.)	broken
kaputt machen	to ruin, break
kriechen, kroch, ist gekrochen	to crawl, creep
der Motor, -en	engine, motor
das Öl, -e	oil
packen	to pack
passieren, ist passiert	to happen
der Polizist, -en	policeman
prüfen	to test, check
der Reifen, -	tire
der Reisende, -n	traveler
rollen, ist gerollt	to roll

schieben, schob, geschoben	to push
schwimmen, schwamm, ist geschwommen	to swim
stehen /bleiben, blieb stehen, ist stehengeblieben	to stop
die Straßenkreuzung, -en	intersection
der Süden	the south
südlich	south
der Tank, -s	tank
tanken	to get gasoline, fill up
die Tankstelle, -n	gasoline station
tatsächlich	indeed
der Tropfen, -	drop
der Verkehr	traffic
das Verkehrslicht, -er	traffic light
der Vorschlag, ⁼e	suggestion
weiter /fahren, fuhr weiter, ist weitergefahren, fährt weiter	to drive on
die Wochenendfahrt, -en	weekend trip

IDIOMS

ab und zu	now and then
da stimmt etwas nicht	something is wrong
entweder . . . oder	either . . . or
(keine) Lust haben (zu)	(not) to feel like; (not) to be in the mood
Sinn haben	to make sense
von selbst	by itself
Vorbereitungen treffen	to make preparations

PATTERNS AND FORMS

Patterns

Pattern 15: Dependent Word Order

a. Simple Verb

Cj.——S;   p.e.   V

Wenn einer eine Reise **macht,** (kann er was erzählen.)
When (if) someone takes a trip, he has something to tell about.

b. Verb plus Verbal

Cj.——S;   p.e.   Vbl.   V

Wenn einer eine Reise **machen kann,** (kann er was erzählen.)
When (if) someone is able to take a trip, ...
Wenn einer eine Reise **gemacht hat,** (kann er was erzählen.)
When (if) someone has taken a trip, ...

c. Separable Prefix

Cj.——S;   p.e.   Prefix /V

Wenn einer von einer Reise **zurückkommt,** (kann er was erzählen.)
When (if) someone comes back from a trip, ...

d. Double Infinitive (Compound Tense of Modal with Dependent Infinitive)

Cj.——S;   p.e.   V;   vbl.   Vbl.

Wenn einer eine Reise **hat machen können,** (kann er was erzählen.)
When (if) someone has been able to take a trip, ...

Observation 15a: A dependent clause is frequently introduced by a subordinating conjunction (Cj.). In dependent clauses, the conjunction is normally followed immediately by the subject, while the conjugated verb is at the end of the clause.

Observation 15b: Verbals (Infinitives or participles) immediately precede the conjugated verb.

Observation 15c: Separable prefixes immediately precede the conjugated verb and are attached to it.

Observation 15d: The double-infinitive construction (past participle of a modal plus dependent infinitive; see Lesson 12) is always last in any clause, regardless of word order; it therefore follows the conjugated verb.

Observation 15e: A dependent clause is always set off by a comma.

Observation 15f: If a dependent clause begins a sentence, the whole clause is considered the first element (p.e.) in the sentence and is therefore followed by inverted word order in the main clause:

p.e.   V——S; p.e.   Vbl.

(Wenn einer eine Reise macht), **kann er** was **erzählen.**

Forms

1. Coordinating Conjunctions

Er machte eine Reise, **aber** er erzählte nichts davon.
He took a trip, but he didn't tell anything about it.
Er machte eine Reise, **denn** er wollte viele Länder sehen.
He took a trip, for he wanted to see many lands.

The conjunctions **aber** (*but*), **denn** (*for, because*), **oder** (*or*), **sondern** (*but*), **und** (*and*) are coordinating conjunctions connecting two parallel sentence elements. Coordinating conjunctions have no effect on word order.

2. Subordinating Conjunctions

The most common subordinating conjunctions are:

als	*when*	**nachdem**	*after*
bevor	*before*[1]	**ob**	*whether*
bis	*until*	**obgleich**	*although*
da	*since, because*	**während**	*while*
damit	*so that*	**weil**	*because*
daß	*that*	**wenn**	*if, when, whenever*
ehe	*before*[1]		

Subordinating conjunctions introduce dependent clauses, with dependent word order (Pattern 15).

3. Question Words

Was ist das?	Ich weiß nicht, **was** das ist.
What is that?	*I don't know what that is.*
Wann kommen Sie?	Er will wissen, **wann** Sie kommen.
When are you coming?	*He wants to know when you are coming.*
Wie heißen Sie?	Ich frage, **wie** Sie heißen.
What is your name?	*I am asking what your name is.*

Question words may introduce direct questions with inverted word order (Pattern 2) as well as indirect questions (after expressions such as **ich frage, ich will wissen, ich weiß [nicht]**, etc.). Indirect questions are dependent clauses (Pattern 15). The most common question words are:

was	*what*	**warum**	*why*
wer	*who*	**wie**	*how*
wann	*when*	**wo(hin)**	*where*

[1] **bevor** and **ehe** may be used interchangeably.

To convert a direct yes-or-no question (Pattern 3) to an indirect question, use **ob** (*whether*):

Ist er hier?	Ich weiß nicht, **ob er hier ist.**
Is he here?	*I don't know whether he is here.*

4. als — wenn — wann

Er war sieben Jahre alt, **als sein Vater starb.**
He was seven years old when his father died.
Ich rufe dich an, **wenn er ankommt.**
I'll call you when he arrives.
Er war immer sehr traurig, **wenn er an seinen Vater dachte.**
He was always very sad when(ever) he thought of his father.
Ich weiß nicht, **wann sein Vater starb.**
I don't know when his father died.

Als, wenn, and **wann** all mean *when*. **Als** is used to express a single action in the past. **Wenn** is the normal equivalent of *when* or *whenever* in the present or future; in the past, it expresses repeated action (*whenever*). **Wann** is used only to introduce a direct or indirect question (see 3, above).

Note: **wenn** may also be used in any tense with the meaning *if:*

Wenn die Straße so gut bleibt, sind wir in fünf Minuten da.
If the road stays as good as this, we'll be there in five minutes.

ÜBUNGEN

Mündlich

A. *Connect the following pairs of sentences with the conjunction indicated:*

EXAMPLE: Er macht eine Reise. Er will viele Länder sehen. (weil)
Er macht eine Reise, weil er viele Länder sehen will.

1. Der Motor blieb stehen. Es war kein Benzin im Tank. (da) 2. Er hatte nicht mehr daran gedacht. Er mußte tanken. (daß) 3. Der Motor springt nicht an. Die Batterie ist kaputt. (denn) 4. Glücklicherweise stand kein Polizist an der Ecke. Hans bemerkte das Verkehrslicht nicht. (als) 5. Sie gingen zum Camping-Platz zurück. Sie hatten in der Stadt zu Abend gegessen. (nachdem) 6. Warten Sie bitte hier. Ich komme zurück. (bis) 7. Wir haben unsere Schlafsäcke mitgenommen. Wir mußten nicht in Hotels übernachten. (damit) 8. Wollen Sie zu Hause bleiben? Gehen Sie lieber mit uns in die Stadt? (oder) 9. Sie fuhren erst um sieben Uhr ab.

Hans und Fritz hatten nicht früher fahren wollen. (weil)   10. Sie mußten früh aufstehen. Sie waren erst sehr spät eingeschlafen. (obgleich)   11. Das Wetter war schön. In der Sonne war es ziemlich heiß. (aber)   12. Die Reisenden lasen die Zeitungen. Sie warteten auf den Zug. (während)   13. Wir sind am Ende der Romantischen Straße. Wir kommen nach Füssen. (wenn)   14. Die drei Reisenden ärgerten sich. Der Motor blieb plötzlich stehen. (als)   15. Die Romantische Straße hat so viele schöne Städtchen. Die drei Freunde haben sie nicht alle besichtigen können. (daß)   16. Wir müssen noch einige Vorbereitungen treffen. Wir können unsere Reise beginnen. (ehe)   17. Wir müssen warten. Er ruft uns an. (bis)   18. Sie werden es nicht vergessen. Sie schreiben es auf. (wenn)   19. Wir müssen uns beeilen. Der Zug fährt bald ab. (denn)   20. Sie hat sich geärgert. Ich habe sie nicht mitnehmen wollen. (weil)

B. *Change the following direct questions to indirect questions by introducing each with the expression* **Ich weiß nicht:**

EXAMPLE: Wann fängt das Kino an?
Ich weiß nicht, wann das Kino anfängt.

1. Warum sollen wir so früh aufstehen?   2. Wie heißt Ihr guter Freund?   3. Wo hört die Romantische Straße auf?   4. Wann hat er endlich einschlafen können?   5. Sind alle Vorbereitungen schon getroffen?   6. Wer hat ihnen das gesagt?   7. Was für Bücher liest er am liebsten?   8. Hat sie das Verkehrslicht bemerkt?

C. *Connect the following pairs of sentences with* **als, wenn,** *or* **wann:**
1. Wir waren gestern nicht zu Hause. Er wollte uns besuchen.   2. Er fragt mich immer. Ich werde ihn besuchen.   3. Der Motor sprang diesmal nicht an. Er drehte den Zündschlüssel.   4. Er ärgerte sich immer sehr. Sein Auto war kaputt.   5. Wir wissen nicht. Wir kommen in Würzburg an.   6. Ich besichtige den Dom. Ich komme wieder nach Wien.   7. Es fing an zu regnen. Sie wollten gerade schwimmen.   8. Wir sind in fünf Minuten da. Die Straße bleibt so gut.   9. Fragen Sie den Professor. Wir schreiben die nächste Klassenarbeit.   10. Er wachte erst auf. Die Sonne schien schon hell in sein Zimmer.

D. *Supply a suitable conclusion for each of the following incomplete sentences:*
1. Ich werde mir diesen Roman kaufen, weil . . .   2. Wissen Sie, ob . . .   3. Wir müssen sofort gehen, ehe . . .   4. Fragen Sie mich nicht, warum . . . !   5. Gib mir bitte fünf Mark, damit . . . !   6. Ich kann dir das Geld leider nicht geben, denn . . .   7. Sie studiert gern Deutsch, obgleich . . .   8. Am Donnerstag sind wir ins Theater gegangen, nachdem . . .   9. Das Wetter war gestern sehr schön, aber . . .   10. Warten Sie, bis . . . !

E. *Change to the compound past:*
1. Da mein Freund das Auto nicht reparieren konnte, mußten wir in dem kleinen Alpendorf übernachten. 2. Glücklicherweise bemerkte er, daß er kein Geld bei sich hatte, ehe er ins Geschäft ging. 3. Der Lehrer wollte wissen, warum wir nicht aufpaßten. 4. Er mußte mich begleiten, weil ich den Weg allein nicht finden konnte. 5. Weil kein Tropfen Benzin mehr im Tank war, mußten sie das Auto bis zur nächsten Tankstelle schieben. 6. Obgleich wir schon um sieben Uhr abfuhren, kamen wir erst um zehn Uhr abends an.

Schriftlich

F. *Write in German:*
1. When Hans, Karl, and Fritz left in the morning, they had the most beautiful weather. 2. But after they had driven approximately 75 kilometers, the sky became darker and darker. 3. Fritz said: "I don't like this weather at all. It will rain soon. 4. But this had to happen, for you know that today is Friday the 13th!" 5. "Don't worry, it never rains when I take a trip," answered Karl. 6. At (in) this moment, the first drops fell, and soon it was raining so hard (stark) that they could hardly see the road. 7. That was already bad enough, but then the motor suddenly stopped. 8. Fritz looked at Karl and said: "Since it never rains when you take a trip, you won't get wet. 9. So, get out and see what's the matter with the motor." 10. "I don't believe (that) I have to get out," said Karl. 11. "I know what's the matter. See, we have no more gas. 12. Hans, weren't you supposed to get gas before we left?" 13. Hans became red in the face and said: "I'm very sorry. 14. I completely forgot it. What'll we do now?" 15. Fritz said: "If you didn't forget your map, we can see how far it is (up) to the next village." 16. Hans didn't answer, but gave Fritz the map, and Fritz studied it. 17. "Yes, here is a village, and it can't be more than two kilometers from here. 18. Here is your raincoat, Hans; now you may take a nice walk (up) to the next gas station." 19. Hans was just about to open the door, when the rain stopped. 20. Soon the sun was shining again and the Romantische Straße looked romantic again. 21. Then Fritz said to Karl: "We mustn't let (the) poor Hans go alone, while we sit here so comfortably. 22. Come, let's accompany him!" 23. "Thanks a lot," said Hans. "When the weather is beautiful, one always has friends."

German Information Center

Camping-Platz

SUPPLEMENTARY VOCABULARY

das Zelt, -e   tent
der Bach, ⸗e   brook
der Zaun, ⸗e   fence

I. *Beschreiben Sie den Camping-Platz!*

II. *Gespräch*

Zwei Freunde (oder Freundinnen) wollen eine Wochenendfahrt machen.
Der eine will in einem Hotel übernachten, der andere auf einem Camping-
Platz.

Aufgabe 16

Kennen Sie die Geschichte von dem jungen Friedrich Schiller, der einer der größten deutschen Dichter wurde?

Friedrich von Schiller, der am 10. November 1759 in der kleinen Stadt Marbach am Neckar auf die Welt kam, war einer der größten deutschen Dichter. Verglichen mit Goethe, über dessen Jugend wir Ihnen schon in der 11. Aufgabe berichteten, hatte er immer ein viel schwereres Leben. Schillers Vater war Offizier im Dienste des tyrannischen Herzogs Karl   5 Eugen von Württemberg,[1] der seine Soldaten oft nicht bezahlte, weil er so viel Geld für sein eigenes Vergnügen brauchte. Deshalb mußte die Familie Schiller und ihre vier Kinder, von denen Friedrich der einzige Junge war, oft hungern.[2]

Daß es auch schlechte Menschen in der Welt gab, sah der kleine Fried-   10 rich schon bald. Deshalb wollte er Theologie studieren und Pfarrer werden, was ihm aber der Herzog nicht erlaubte. Karl Eugen brauchte nämlich keine Weltverbesserer,[3] sondern Soldaten, die er wie Sklaven[4] an andere Völker verkaufte, für die sie dann Krieg führen mußten. So verkaufte er zum Beispiel viele seiner Soldaten an England, das sie nach Amerika   15 schickte, wo sie gegen Washingtons „Rebellen" kämpfen mußten. Weil also der Herzog Soldaten brauchte, schickte er Friedrich im Alter von kaum vierzehn Jahren auf seine Militärschule.[5] Der junge Schiller war sehr

---

[1] tyrannical Duke Karl Eugen of Württemberg (1728-1793).   [2] **hungern** to go hungry.
[3] **der Weltverbesserer, -** world reformer.   [4] **der Sklave, -n** slave.   [5] **die Militärschule, -n** military academy.

intelligent und mußte deshalb zuerst Jura studieren und dann Medizin,
20 was ihm aber gar nicht gefiel. Während der sieben Schuljahre durfte er
seine Eltern und Schwestern nicht besuchen. Seine jüngste Schwester hatte
er noch nie gesehen, als er 1780 die Schule endlich verließ. So ist es kein
Wunder, daß Schillers Liebe zur Freiheit immer größer wurde. Sie ist das
Thema von vielen seiner größten Werke, zum Beispiel von „Wilhelm Tell".

25 Schon als Junge interessierte sich Schiller sehr für Literatur und schrieb
auch selbst Gedichte, von denen einige erschienen, als er erst achtzehn
Jahre alt war. Inzwischen studierte er aber auch Philosophie und Geschichte, wofür sein Interesse immer sehr groß blieb. Schon im Alter von
dreißig Jahren, also 1789, wurde er Professor für Philosophie und Ge-
30 schichte an der Universität Jena. Schiller sah Goethe zum ersten Mal im
Jahre 1779, als der damals schon berühmte Dichter die Militärschule in
Stuttgart besuchte, wo Friedrich studierte. Goethe kannte natürlich den
jungen Schiller noch nicht, der später in Weimar, wo sie beide wohnten,
einer seiner besten Freunde werden sollte.

35 Als Schiller noch in der Militärschule war, arbeitete er schon an seinem
ersten Drama, dem er den Titel „Die Räuber" gab. Es ist die Geschichte
von zwei Brüdern, Karl und Franz Moor. Franz, der ein ganz schlechter
Mensch ist, erzählt seinem alten Vater allerhand[6] Lügen über seinen Bruder Karl. Er tut das, weil er den Vater allein beerben[7] will und weil er
40 Karls Braut, Amalia, liebt. Karl, der Student ist, wohnt nicht zu Hause
und weiß deshalb nicht, was sein Bruder gegen ihn plant. Als er es endlich
erfährt, wird er ganz wild und schließt sich einer Räuberbande an,[8] deren
Führer er wird. Seinen Bruder Franz, der an allem schuld ist, will er töten.
Franz hört aber, daß Karl mit seinen Räubern kommt, und tötet sich
45 selbst. Karl will nun die Räuber verlassen und Amalia heiraten, was aber
die Räuber nicht erlauben, denn er hatte geschworen,[9] immer ihr Führer
zu bleiben. Amalia, die ohne Karl nicht leben will, bittet ihn, sie zu töten.
Nachdem er das getan hat, will er selbst nicht länger leben. Die Polizei
sucht ihn und verspricht dem Manne, der ihn meldet, viel Geld. Karl weiß
50 das und sagt: „Ich erinnere mich an einen armen Mann, der hier in der
Nähe wohnt und elf Kinder hat. Man wird ihm das Geld geben, wenn er
mich, den großen Räuber, lebendig[10] liefert."[11] Damit tut er etwas, was ihn
in unseren Augen wieder als guten Menschen erscheinen läßt.

Das Drama war schon als Buch ein großer Erfolg, und Schiller wurde
55 über Nacht ein berühmter Mann. Eine bekannte literarische Zeitung

---

[6] **allerhand** all kind of.   [7] **beerben** to be someone's heir.   [8] joins a band of robbers.
[9] **schwören** to swear.   [10] **lebendig** alive.   [11] **liefern** to deliver.

nannte ihn den deutschen Shakespeare, aber der Herzog verbot ihm, noch
mehr Stücke zu schreiben. Am 13. Januar 1782 führte das Nationaltheater
in Mannheim „Die Räuber" zum ersten Mal auf. Schiller wollte natürlich
dort sein und bat um Urlaub, den man ihm aber nicht gab. Und so reiste
er ohne die Erlaubnis des Herzogs, der aber davon erfuhr und sich sehr   60
darüber ärgerte. Er rief Schiller zu sich und sagte ihm: „Außer medizi-
nischen Schriften[12] dürfen Sie nichts mehr drucken lassen. Damit Sie
wissen, wer hier der Herr[13] ist, bekommen Sie vierzehn Tage Arrest!"

Der junge Dichter mußte ins Gefängnis, aber dort begann er sofort sein
nächstes Werk, „Fiesco", sein erstes großes Freiheitsdrama. Schiller   65
konnte nicht länger in seiner Heimat bleiben, wo man ihn nicht schreiben
ließ. Er wollte und mußte seine Freiheit haben. Mit einem guten Freund,
der nach Hamburg reisen wollte, floh Schiller in der Nacht vom 22. zum 23.
September 1782 aus Stuttgart und ging zurück nach Mannheim. Hier fand
er aber nicht den Erfolg, den er sich gewünscht hatte. Viele Jahre mußte   70
er von einer Stadt zur anderen wandern, und Freunde mußten ihm immer
wieder helfen. Auch damals schrieb er Dramen, Gedichte — zum Beispiel
das Lied „An die Freude",[14] das Beethoven in der Neunten Symphonie
vertonte[15] — und andere Werke, die ihn bekannt machten. Aber erst
1789, als er Professor in Jena wurde, konnte er aufatmen.[16] Dreißig Jahre   75
war er jetzt alt, und in den sechzehn Jahren, die ihm noch blieben, schrieb
er seine besten Werke. Er starb im Jahre 1805.

---

[12] medical writings.   [13] *here* lord.   [14] Ode to Joy.   [15] **vertonen** to set to music.
[16] **auf/atmen** to breathe a sigh of relief.

WORTSCHATZ

(das) Am**e**rika	America	die **Freiheit, -en**	freedom, liberty
auf/führen	to perform	das **Freiheitsdrama, -en**	freedom drama
bitten, bat, gebeten		der **Führer, -**	leader
(um)	to ask, beg (for)	das **Gefängnis, -se**	prison, jail
die **Braut, ⁼e**	fiancée, bride	die **Heimat**	native country,
deshalb	that is why, there-		homeland
	fore	**heiraten**	to marry
der **Dienst, -e**	service, employ-	**intelligent**	intelligent
	ment, duty	das **Interesse, -n**	interest
einzig	only, sole	**kämpfen**	to fight
(das) **England**	England	die **Lüge, -n**	lie
erfahren, erfuhr,	to find out, learn	die **Medizin, en**	medicine
erfahren,		**melden**	to report, inform
erfährt		**planen**	to plan
die **Erl**aubnis	permission	die **Polizei**	police
fliehen, floh, ist ge-			
flohen	to flee, escape		

der **Räuber, -**	robber	**vergl<u>ei</u>chen, verglich,**	
das **Schuljahr, -e**	school year	**verglichen**	to compare
der **Titel, -**	title	das **Volk, ⸗er**	nation, people
der **Urlaub**	leave, vacation	**wild**	wild
verb<u>ie</u>ten, verbot,		**zurück /gehen, ging**	
verboten	to forbid	**zurück, ist zu-**	
		rückgegangen	to go back, return

IDIOMS

im Alter von	at the age of
Krieg führen	to wage war
noch nie	never (before)
schuld sein an (*with dat.*)	to be to blame for
zum ersten Mal	for the first time

PATTERNS AND FORMS

Patterns

PATTERN 16: DEPENDENT WORD ORDER; RELATIVE CLAUSES

(Kennen Sie die Geschichte von dem jungen Friedrich Schiller),
(*Do you know the story of the young Friedrich Schiller*),

RP——(S);	p.e.	(Vbl.)	V
der	**einer der größten deutschen Dichter**		**wurde?**
who became one of the greatest German poets?			
dessen Werke	in der ganzen Welt		**bekannt sind?**
whose works are known in the entire world?			
von dem wir	in dieser Aufgabe		**sprechen wollen?**
of whom we wish to speak in this lesson?			
den man einen der größten deutschen Dichter			**nennen kann?**
whom one can call one of the greatest German poets?			

Observation 16: Clauses introduced by relative pronouns have dependent word order (Pattern 15). The relative pronoun (RP) or a preposition plus relative pronoun is normally followed immediately by the subject (unless the relative pronoun is itself the subject); the conjugated verb is last.[1] All variations of Pattern 15a–d may also occur in a relative clause. Relative clauses are always set off by commas.

---

[1] Unless followed by a double-infinitive construction (Pattern 15d).

Forms

1. The Relative Pronoun

	MASC. SING.			
Der Mann,	**der**	hier ist, . . .	NOM.	*who*
	dessen	Bruder hier ist, . . .	GEN.	*whose*
	dem	ich das Geld gab, . . .	DAT.	*to whom*
	den	ich kenne, . . .	ACC.	*whom*

	FEM. SING.	
Die Frau,	**die**	hier ist, . . .
	deren	Bruder hier ist, . . .
	der	ich das Geld gab, . . .
	die	ich kenne, . . .

	NEUT. SING.	
Das Kind,	**das**	hier ist, . . .
	dessen	Bruder hier ist, . . .
	dem	ich das Geld gab, . . .
	das	ich kenne, . . .

	PLURAL	
Die Männer (Frauen, Kinder),	**die**	hier sind, . . .
	deren	Bruder hier ist, . . .
	denen	ich das Geld gab, . . .
	die	ich kenne, . . .

The most commonly used relative pronoun is **der, die, das.**[1] It has the same forms as the definite article, except in the genitive singular and plural and in the dative plural, where the "long forms" **dessen, deren, denen are** used.

A relative pronoun agrees with the noun or pronoun to which it refers (its antecedent) in gender and number, but its case is determined by its function in the relative clause (subject, object, object of preposition, possessive).

---

[1] A second relative pronoun, **welcher, welche, welches,** is rarely used in speaking, though it frequently appears in literary and other formal contexts. Completely synonymous with **der, die, das,** it is declined exactly like the **der**-word **welcher,** but has no genitive case forms. In the genitive, forms of **der, die, das** must be used.

Note: German relative pronouns correspond to English relative pronouns, *who, whose, (to) whom* when referring to people, *which* or *that* when referring to things:

Der Mann, den ich kenne, . . .   *The man (whom) I know . . .*
Der Roman, den ich kenne, . . .   *The novel (that) I know . . .*

Contrary to English, German relative pronouns may NEVER be omitted.

2. Wo-Compounds as Substitutes for Relative Pronouns

Das Haus, **in dem** ich wohne, ist groß.
Das Haus, **worin** ich wohne, ist groß.
The house in which I live is big.

Der Kugelschreiber, **mit dem** ich schreiben wollte, ist kaputt.
Der Kugelschreiber, **womit** ich schreiben wollte, ist kaputt.
The ball-point pen with which I wanted to write is broken.

Either a preposition and relative pronoun or a **wo**-compound may be used when the antecedent is a thing. In spoken German, however, **wo**-compounds are not generally favored in relative clauses.

3. Indefinite Relative Pronouns

a. **Alles, was** er schrieb, war gut.
   Everything that he wrote was good.
   Nichts, was er schrieb, war gut.
   Nothing that he wrote was good.
   Er hatte den Film schon gesehen, **was** ich leider nicht wußte.
   He had already seen the film, (something) which I unfortunately did not know.

   When the relative pronoun refers to an indefinite antecedent, such as **alles, nichts, etwas, viel(es), wenig,** or to an entire clause, the indefinite relative pronoun **was** (*which, a fact that, something that*) is used.

b. **Was** er schrieb, war gut.
   What he wrote was good.
   Wer das schrieb, war ein großer Dichter.
   Who(ever) wrote that was a great poet.

   Was (referring to things) and **wer** (referring to people) are used to introduce an indefinite relative clause with no specific antecedent.

ÜBUNGEN

Mündlich

A. *Restate the following sentences using the subject indicated and making any other necessary changes:*

EXAMPLE: Der Mann, der hier wohnt, ist mein Freund. (Die Frau)
Die Frau, die hier wohnt, ist meine Freundin.

1. Dieser Student, mit dem ich gesprochen habe, ist bald mit seinem Studium fertig. (Diese Studentin) 2. Der Soldat, dessen Vater gestorben ist, bekam Urlaub. (Die Verkäuferin) 3. Das Drama, das ihn bekannt machte, erschien im Jahre 1782. (Der Roman) 4. Ist der Zug, worauf Sie so lange gewartet haben, endlich angekommen? (Der Freund) 5. Die arme Frau, der niemand helfen konnte, mußte aus ihrem Land fliehen. (Der junge Mann)

B. *Change the sentences in A to plural:*

EXAMPLE: Der Mann, der hier wohnt, ist mein Freund.
Die Männer, die hier wohnen, sind meine Freunde.

C. *Connect the following sentences with the appropriate form of the relative pronoun:*

EXAMPLE: Kennen Sie Friedrich Schiller? Er hat „Die Räuber" geschrieben.
Kennen Sie Friedrich Schiller, der „Die Räuber" geschrieben hat?

1. Er hat ein Buch. Ich kann es lesen. 2. Das ist der Dichter. Von ihm haben wir schon gesprochen. 3. Wo ist der arme Mann? Wir haben ihm geholfen. 4. Hier ist etwas. Das habe ich noch nicht gelesen. 5. Zeigen Sie mir bitte den Kugelschreiber. Damit haben Sie diesen Brief geschrieben. 6. Das sind die armen Leute. Ihre Kinder haben oft Hunger. 7. Er studierte Geschichte. Er hatte immer großes Interesse dafür. 8. Er war letzten Sommer in Deutschland. Ich wußte das nicht. 9. Das ist unser Haus. Wir wohnen schon seit fünf Jahren darin. 10. Das ist ein guter Vorschlag. Mein Bruder hat ihn gemacht. 11. Die Leute wohnen in Deutschland. Ich habe ihnen gestern geschrieben. 12. Der Dichter ist sehr berühmt. Wir lesen jetzt seine Werke. 13. Der Mann ist ein großer Räuber. Die Polizei sucht ihn. 14. Der Herzog brauchte Soldaten. Er verkaufte sie an England. 15. Der Freund wurde im letzten Augenblick krank. Ich wollte mit ihm nach Frankfurt fahren. 16. Wie heißt das Land? Sein Hauptstadt ist Paris. 17. Der Student ist nicht hier. Der Deutschlehrer hat gestern mit ihm gesprochen. 18. Der Farbfilm war herrlich. Wir haben ihn gestern

gesehen. 19. Unsere Bekannten sind sehr nett. Wir essen heute bei ihnen zu Abend. 20. In meiner Bibliothek habe ich alles. Friedrich Schiller hat es geschrieben.

D. *Connect the following sentence pairs by changing the first sentence to a clause introduced by* **wer** *or* **was:**

EXAMPLES: Wir wollen lernen. Wir müssen studieren.
              Wer lernen will, muß studieren.

              Wir lesen es. Es ist interessant.
              Was wir lesen, ist interessant.

1. Man arbeitet viel. Man wird müde.   2. Wir können es uns nicht leisten. Es gefällt uns immer am besten.   3. Er weiß alles. Er kann nichts lernen. 4. Das interessiert einen klugen Mann. Das interessiert einen dummen nicht. 5. Du kannst es. Ich kann es auch.   6. Er ist am stärksten. Er hat immer recht.

E. *Complete each of the following sentences with an appropriate relative clause, using a relative pronoun in the case indicated:*

EXAMPLE: Das ist der Mann, (acc.) . . .
            Das ist der Mann, den ich kenne.

1. War das alles, (acc.) . . . ?   2. Franz Moor liebt Amalia, (nom.) . . . . 3. Kennen Sie den Dichter, (gen.) . . . ?   4. Der junge Schiller schrieb auch Gedichte, von . . . .   5. Fritz, das ist Herr Müller, mit . . . .   6. Der Herzog brauchte Soldaten, (acc.) . . . .   7. Karl Moor schließt sich einer Räuberbande an, (gen.) . . . .   8. Wir sahen das Gefängnis, in . . . .   9. Er sagte mir etwas, (nom.) . . . .

Schriftlich

F. *Write in German:*
1. "Oh, there's my friend Günter, who wasn't in (the) German class again yesterday.   2. Günter, I'll tell you everything we did, if you'll tell me why you weren't there.   3. The stories you tell are even (noch) better than the stories we hear from our teacher."   4. "This time I can't tell you much that will interest you.   5. I visited a friend who is sick.   6. He was lying in bed (and) reading something that was written in German.   7. I believe it was a drama by Goethe that tells the story of two brothers, one of whom was a great robber.   8. My friend wanted to explain the whole story to me in German, but I could not understand much of it.   9. What I have learned

up to now in (the) German class was simply not enough." 10. "Are you sure that it was a drama by Goethe? 11. Only yesterday our German teacher told us a story by Schiller, which was similar." 12. "Who is Schiller? The only German poet I know is Goethe." 13. "You don't know Friedrich Schiller, whose works are famous in the whole world?" 14. "No. Since you know everything, tell me what kind of works he wrote." 15. "Everything I know about him I learned only yesterday. 16. But I know that he wrote some dramas and many poems and was Professor of (für) History at the University (of) Jena." 17. "I can't imagine any professor of history who writes dramas and poems." 18. "He wasn't a professor very long, but soon went to Weimar, where he became one of Goethe's best friends." 19. "And you are also a good friend, who always helps me when I don't study. 20. Whoever has such a friend doesn't need a German class!"

G. *Composition*
Retell in German the major events in Schiller's early life.

German Information Center

Schillers Geburtshaus

SUPPLEMENTARY VOCABULARY

reich	rich
sich befinden	to be located

Antworten Sie auf deutsch!

1. In welcher Stadt befindet sich dieses Haus? An welchem Fluß liegt die Stadt?
2. Welche andere Stadt kennen Sie, die auch an diesem Fluß liegt?
3. In welchem Jahr kam Schiller in diesem Haus auf die Welt?
4. Sieht es aus, wie das Haus einer reichen Familie?
5. Warum war die Familie Schiller arm?
6. Hatte Schiller viele Brüder und Schwestern?
7. Gefällt Ihnen dieses Haus besser als das Haus in der 10. Aufgabe? Warum?

Aufgabe 17

Gerhard erzählte mir, daß Berlin ihm sehr gefallen habe.

Bonn, den 3. März 1967.

Lieber Hans!

Gestern traf ich unseren früheren Studienkollegen[1] Gerhard, den ich seit mehr als einem Jahr nicht mehr gesehen hatte. Er war während dieser Zeit in Berlin gewesen, wo er an der Freien Universität[2] studiert hat. Ich war natürlich sehr neugierig, wie es ihm in der geteilten Stadt und früheren deutschen Hauptstadt gefallen habe. Wir gingen in ein Restaurant, wo wir   5
schon immer gern gegessen hatten, aßen dort zu Abend und unterhielten uns dabei über Berlin. Da ich nicht viel über diese Stadt wußte, wurde es eine etwas einseitige[3] Unterhaltung, während der ich Fragen stellte und er Antworten gab. Er versicherte[4] mir aber, daß er das gern tue, besonders weil er sich so sehr in Berlin verliebt habe.   10

Wenn er so in diese Stadt verliebt sei, fragte ich ihn, dann wisse er doch sicher etwas über ihre Geschichte. Verglichen mit anderen europäischen Hauptstädten wie Rom, Paris oder London, sei Berlin eine ziemlich junge Stadt, antwortete er, die erst um die Mitte des 13. Jahrhunderts entstanden sei. Die erste Urkunde,[5] die Berlin erwähne, sei aus dem Jahre   15
1244. Aber erst vierhundert Jahre später sei die Stadt zu einem politisch, wirtschaftlich[6] und kulturell wichtigen Zentrum[7] geworden. Im 18. Jahr-

---

[1] **der Studienkollege, -n** fellow student.　　[2] *Free University in West Berlin, founded in 1948.*
[3] **einseitig** one-sided.　　[4] **versichern** (*with dat.*) to assure.　　[5] **die Urkunde, -n** document.
[6] **wirtschaftlich** economic.　　[7] **das Zentrum, die Zentren** center.

hundert, unter der Regierung König Friedrichs II. von Preußen,[8] den man
auch den Großen nannte, sei Berlin weiter gewachsen und eine europäische
20   Hauptstadt geworden. Das wichtigste Jahr in der Geschichte dieser Stadt
sei aber das Jahr 1871 gewesen, als sie unter Kaiser Wilhelm I. und seinem
Kanzler Bismarck[9] die Hauptstadt des neuen deutschen Reiches wurde.

Von diesen vielen Daten wurde es mir ganz dumm im Kopf, und ich bat
Gerhard, er solle mir etwas anderes erzählen, da ich so viel Geschichte auf
25   einmal kaum verdauen[10] könne. Er lachte und fragte, was ich sonst über
Berlin wissen möchte.[11] Er könne mir etwas über die Freie Universität
erzählen, oder die Luftbrücke,[12] wovon die Leute heute noch sprächen,
oder die Mauer, oder . . . . Da unterbrach ich ihn und sagte, daß ich schon
immer gern hätte wissen mögen, wie man denn eine Mauer, die eine so
30   große Stadt teile, fast über Nacht habe bauen können. Das sei eine
interessante, wenn auch tragische Geschichte, sagte er, die er mir gern
erzählen würde.

Seit dem Ende des Zweiten Weltkrieges bis zum Jahre 1961 seien fast
sechs Millionen Menschen aus der Deutschen Demokratischen Republik
35   nach Westdeutschland, besonders nach West-Berlin geflohen, so begann
Gerhard seinen Bericht. Im Sommer 1961 hätten jede Woche durchschnittlich[13] dreitausend Menschen die Grenze zum Westen illegal überschritten.[14] Das sei ungefähr so viel gewesen wie die Bevölkerung[15] einer
kleinen Stadt. Natürlich könne kein Land es sich leisten, jede Woche so
40   viele Arbeiter, Ärzte, Lehrer usw. zu verlieren. Deshalb habe man sich im
Osten entschlossen, entlang der Grenze eine Mauer durch die Mitte der
Stadt zu bauen. Das habe man natürlich so schnell wie möglich machen
müssen, damit der Westen gar keine Zeit hätte zu protestieren. Und so sei
der schlimmste Tag in der Geschichte Berlins gekommen, Sonntag, der 13.
45   August 1961. Schon einige Tage vorher habe man mehr Soldaten in Ost-
Berlin gesehen als gewöhnlich, aber man habe nicht gewußt, was sie
planten.

Nach Mitternacht, am 13. August, seien dann tausende von Soldaten an
der Sektorengrenze[16] erschienen und hätten niemand mehr passieren[17]
50   lassen. Gleichzeitig[18] seien Arbeiter gekommen, die eine vorläufige[19]

---

[8] **(das) Preußen** Prussia.   [9] *Emperor William I (1797-1888)*; *Chancellor Otto von Bismarck
(1815-1898)*.   [10] **verdauen** to digest.   [11] would like.   [12] airlift.   [13] **durchschnittlich** on
the average.   [14] **überschreiten** to cross.   [15] **die Bevölkerung, -en** population.   [16] border
between East and West sectors.   [17] pass.   [18] **gleichzeitig** at the same time.   [19] **vorläufig**
temporary.

Mauer aus Steinen und Stacheldraht[20] gebaut hätten. Das sei alles so schnell gegangen, daß schon nach wenigen Stunden die beiden Teile der Stadt vollständig[21] voneinander abgeschlossen gewesen seien. Erst dann habe man im Osten mit dem Bauen der eigentlichen hohen Mauer aus Beton[22] begonnen, die langsam hinter dem Stacheldraht entstanden sei. 55
Heute sei diese häßliche Mauer fast 50 km lang, trenne Deutsche von Deutschen, sei ein Symbol für eine geteilte Welt, sei gleichzeitig aber auch eine Erinnerung an einen furchtbaren Krieg und noch furchtbarere Verbrechen,[23] durch welche diese Situation erst habe entstehen können.

Wir saßen lange und sagten kein Wort. Endlich fragte ich Gerhard, wie 60
ihm die Menschen und das Leben in West-Berlin gefallen hätten. Er kenne keine andere Stadt, antwortete er, in der er lieber wohnen möchte. Die Berliner hätten immer noch ihren berühmten Humor,[24] und durch die vielen Theater, die Oper, sehr gute Symphonieorchester und Museen[25] sei das kulturelle Leben der Stadt äußerst lebendig. Das sei ja alles ganz 65
schön, sagte ich und fragte ihn dann, ob es nicht sehr deprimierend[26] sei, wenn man immer nur Häuser sehe und kaum etwas Grünes, denn Berlin habe doch über 3,5 Millionen Einwohner. Nein, antwortete Gerhard, das sei gar nicht so schlimm. West-Berlin allein sei so groß, daß die drei großen Städte Frankfurt, München und Stuttgart darin Platz finden könnten. 70
Mehr als 1/5 der Stadt bestehe aus Wäldern und Parks. Dann gebe es auch noch Seen und Schwimmbäder,[27] wo man im Sommer herrlichen Wassersport treiben könne. Deshalb sagten viele Leute, Berlin sei wirklich eine „Stadt im Grünen".

Inzwischen war es schon ziemlich spät geworden und wir beide waren 75
müde von unserer langen Unterhaltung. Ich sagte Gerhard, ich hätte mich sehr über seinen Besuch und den Bericht über Berlin gefreut. Dann verabschiedeten wir uns und gingen nach Hause.

Mein Brief ist länger geworden, als ich gedacht hatte. Ich bringe ihn sofort zur Post, damit Du ihn bald bekommst. Hoffentlich schreibst Du 80
mir auch bald wieder einmal und erzählst mir, wie Du Deine Zeit verbringst.
Herzliche Grüße sendet Dir

Dein Freund
Peter 85

---

[20] **der Stacheldraht** barbed wire. [21] **vollständig** completely. [22] **der Beton** concrete.
[23] **das Verbrechen, -** crime. [24] **der Humor** (sense of) humor. [25] **das Museum, die Museen** museum. [26] **deprimierend** depressing. [27] **das Schwimmbad, ⸗er** swimming pool.

WORTSCHATZ

ab /schließen,		**häßlich**	ugly
schloß ab,		**möglich**	possible
abgeschlossen	to lock, seal	**neugierig**	curious
die **Antwort, -en**	answer	die **Oper, -n**	opera
der **Arbeiter, -**	worker	die **Post**	post office, mail
der **Arzt, ⸗e**	physician, (medi-	die **Regierung, -en**	government
	cal) doctor	das **Reich, -e**	realm, empire
bauen	to build	**senden, sandte,**	
bedeuten	to mean	**gesandt**	to send
einander	one another	der **Sport**	sport
voneinander	from one another	der **Wassersport**	water sport
der **Einwohner, -**	inhabitant	der **Stein, -e**	stone, rock
entlang	along	das **Symphonie-**	symphony
entstehen, entstand,		**orchester, -**	orchestra
ist entstanden	to originate	**treiben, trieb,**	
die **Erinnerung, -en**	reminder, memory	**getrieben**	to drive, engage in
erwähnen	to mention	**sich verabschieden**	to say good-by
europäisch	European	**verbringen, ver-**	
das **Gebäude, -**	building	**brachte, ver-**	
die **Grenze, -n**	border, limit	**bracht**	to spend (time)
der **Gruß, ⸗e**	greeting		

IDIOMS

auf einmal	(all) at once
eine Frage stellen	to ask a question
sich verlieben (in, *with acc.***)**	to fall in love (with)
verliebt sein (in, *with acc.***)**	to be in love (with)
Wassersport treiben	to go in for (practice, do)
	water sport
wenn auch	although

PATTERNS AND FORMS

Patterns

PATTERN 17: INDIRECT DISCOURSE

a. Introduced by **daß** or a question word (Dependent Word Order)

	Cj.——S;	p.e.	Vbl.	V

Gerhard erzählte mir, { **daß Berlin ihm sehr gefallen habe.**
{ **daß Berlin ihm sehr gefallen hätte.**

Gerhard told me that Berlin had appealed to him very much.

Ich fragte ihn, { **ob Berlin ihm   gefallen habe.**
{ **ob Berlin ihm   gefallen hätte.**

I asked him whether Berlin had appealed to him.

b. Without **daß** (Normal Word Order)

$$\overbrace{\text{S—V;} \qquad\qquad \text{p.e.} \qquad \text{Vbl.}}$$
Gerhard erzählte mir, Berlin habe (hätte) ihm sehr gefallen.
Gerhard told me (that) Berlin had appealed to him very much.

Observation 17a: Indirect statements introduced by **daß** and all indirect questions are in dependent word order (Pattern 15).

Observation 17b: Indirect statements without **daß** are in normal word order. The use or omission of **daß** is a stylistic matter; most indirect statements may be made equally well with or without **daß**.

Forms

1. The Subjunctive

a. General Information

Up to now you have been using verbs in the indicative mood (consisting of six tenses: present, simple past, compound past, past perfect, future, future perfect). The indicative states facts or describes situations or events; you have also learned the imperative mood, which expresses commands. A third "mood," the subjunctive (German: der Konjunktiv), expresses chiefly situations that are doubtful or unreal, as well as wishes and desires.

Although the subjunctive is rapidly disappearing in modern English, it is still used occasionally; for example:

If I were you, . . . (unreality; I am not you!)
I suggest that this be considered thoroughly. (wish, desire)
Long live freedom! (wish, desire)

The subjunctive occurs much more frequently in German than in English.[1] Its two principal uses are in indirect discourse (English: *He said [that] he would come.*) and in conditional sentences expressing an unreal or doubtful condition (English: *If I were you, I would not do that.*). In this lesson we shall consider indirect discourse.

b. Tenses of the Subjunctive

The indicative mood has six tenses; the subjunctive has only four:

INDICATIVE	SUBJUNCTIVE
present	present
simple past ⎫	
compound past ⎬	past
past perfect ⎭	

[1] However, the subjunctive is avoided more and more in colloquial German.

INDICATIVE	SUBJUNCTIVE
future	future
(future perfect)[1]	(future perfect)[1]

Note that the past subjunctive is the only form expressing past time in the subjunctive and corresponds to three indicative tenses.

c. Forms of the Subjunctive[2]

There are two subjunctive forms for each of the four tenses, Subjunctive I and Subjunctive II. Either Subjunctive I or Subjunctive II may be used in indirect discourse; only Subjunctive II forms are used in conditional sentences.

2. Subjunctive I

a. Present

The present subjunctive I is formed by adding the subjunctive endings (**-e, -est, -e; -en, -et, -en**) to the present stem of a verb.[3] Every German verb (except **sein**) is regular in the present subjunctive I, even if it has irregular forms in the indicative:

sagen	fahren	haben	werden	müssen
ich sage	ich fahre	ich habe	ich werde	ich müsse
du sagest	du fahrest	du habest	du werdest	du müssest
er sage	er fahre	er habe	er werde	er müsse
wir sagen	wir fahren	wir haben	wir werden	wir müssen
ihr saget	ihr fahret	ihr habet	ihr werdet	ihr müsset
sie sagen	sie fahren	sie haben	sie werden	sie müssen

Note the irregular verb **sein**:   ich **sei**   wir **seien**
                                        du **sei(e)st**   ihr **seiet**
                                        er **sei**   sie **seien**

The present subjunctive is the only simple form of a subjunctive verb; all other tenses consist of the subjunctive of an auxiliary (**haben, sein,** or **werden**) plus verbal (past participle or infinitive).

---

[1] The future perfect is rarely used in spoken German either in the indicative or subjunctive.
[2] The meanings of subjunctive forms vary with the contexts.
[3] The present stem is obtained by dropping the **-n** or **-en** of the infinitive.

b. Past

ich **habe gesagt**	ich **sei gefahren**
du **habest gesagt**	du **sei(e)st gefahren**
er **habe gesagt**	er **sei gefahren**
wir **haben gesagt**	wir **seien gefahren**
ihr **habet gesagt**	ihr **seiet gefahren**
sie **haben gesagt**	sie **seien gefahren**

The past subjunctive I consists of the present subjunctive I of the auxiliary **haben** or **sein** plus past participle.

c. Future

ich **werde sagen**	wir **werden sagen**
du **werdest sagen**	ihr **werdet sagen**
er **werde sagen**	sie **werden sagen**

The future subjunctive I consists of the present subjunctive I of **werden** plus infinitive.[1]

3. Subjunctive II

a. Present

The present subjunctive II is formed by adding the same subjunctive endings (**-e, -est, -e; -en, -et, -en**) to the past stem of a verb. Strong verbs and most irregular verbs also add umlaut to the stem vowel, if possible. (Remember, only **a, o, u** can take umlaut.)

Regular Weak Verbs
      sagen: PAST STEM sagt(e)[2]

ich sag**te**	wir sag**ten**
du sag**test**	ihr sag**tet**
er sag**te**	sie sag**ten**

Note that the present subjunctive II of regular weak verbs is identical with their past indicative.

---

[1] The future perfect subjunctive I is rarely used. It consists of the present subjunctive I of **werden** plus perfect infinitive:

ich **werde gesagt haben**	ich **werde gefahren sein**
du **werdest gesagt haben**	du **werdest gefahren sein**
er **werde gesagt haben**	er **werde gefahren sein**
etc.	etc.

[2] The final **e** of the past stem is dropped before the **e** of the subjunctive endings.

Strong and Irregular Verbs[1]

fahren (fuhr)	gehen (ging)	haben (hatt-)	sein (war)	denken (dacht-)	wissen (wußt-)
ich **führe**	ich **ginge**	ich **hätte**	ich **wäre**	ich **dächte**	ich **wüßte**
du **führest**	du **gingest**	du **hättest**	du **wärest**	du **dächtest**	du **wüßtest**
er **führe**	er **ginge**	er **hätte**	er **wäre**	er **dächte**	er **wüßte**
wir **führen**	wir **gingen**	wir **hätten**	wir **wären**	wir **dächten**	wir **wüßten**
ihr **führet**	ihr **ginget**	ihr **hättet**	ihr **wäret**	ihr **dächtet**	ihr **wüßtet**
sie **führen**	sie **gingen**	sie **hätten**	sie **wären**	sie **dächten**	sie **wüßten**

Exceptional Verbs

MODAL AUXILIARIES

könnenn			wollen	
ich **könnte**	wir **könnten**		ich **wollte**	wir **wollten**
du **könntest**	ihr **könntet**		du **wolltest**	ihr **wolltet**
er **könnte**	sie **könnten**		er **wollte**	sie **wollten**

Dürfen, können, mögen, müssen add umlaut in the present subjunctive II:
ich **dürfte, könnte, möchte, müßte. Sollen** and **wollen** do not: ich **sollte, wollte.**

IRREGULAR WEAK VERBS: KENNEN-GROUP

The subjunctive II of the irregular weak verbs **brennen (brannte, gebrannt);
kennen (kannte, gekannt); nennen (nannte, genannt); rennen (rannte, gerannt**
to run); **senden (sandte, gesandt); wenden (wandte, gewandt** *to turn*) is formed
like regular weak verbs: ich **brennte, kennte, rennte, nennte, sendete, wendete.**

b. Past

ich **hätte gesagt**	ich **wäre gefahren**
du **hättest gesagt**	du **wärest gefahren**
er **hätte gesagt**	er **wäre gefahren**
etc.	etc.

The past subjunctive II consists of the present subjunctive II of **haben** or **sein**
plus past participle.

---

[1] The following strong verbs have irregular subjunctive II forms:

helfen	ich **hülfe,** etc.
sterben	ich **stürbe,** etc.
werfen	ich **würfe,** etc.
stehen	ich **stünde** *or* ich **stände,** etc.

c. Future

ich **würde sagen**	wir **würden sagen**
du **würdest sagen**	ihr **würdet sagen**
er **würde sagen**	sie **würden sagen**

The future subjunctive II (also called present conditional) consists of the present subjunctive II of **werden** plus infinitive.[1]

4. Indirect Discourse

DIRECT: Er sagte: „Herr Müller ist nicht da.“
INDIRECT: Er sagte, **Herr Müller sei (wäre) nicht da.**
Er sagte, **daß Herr Müller nicht da sei (wäre).**

DIRECT: Er fragte: „Ist Herr Müller da?“
INDIRECT: Er fragte, **ob Herr Müller da sei (wäre).**

In direct discourse, someone's statement or question is quoted in his exact words. In indirect discourse, the statement or question is reported indirectly (paraphrased). Since an indirect report may imply some doubt and does not have the accuracy of a direct quote, the subjunctive is normally used in indirect discourse.[2]

Either subjunctive I or II may be used in indirect discourse, although subjunctive II forms are somewhat more common in conversation and informal writing. Note, however, that subjunctive I is normally not used if it is identical with the indicative:

Er sagte, seine Freunde **hätten** (*not* haben) kein Geld.

5. Tenses in Indirect Discourse

a. Present
DIRECT: Er sagte: „Herr Müller **ist** nicht da.“
He said: "Mr. Müller isn't there."
INDIRECT: Er sagte, Herr Müller **sei (wäre)** nicht da.
He said (that) Mr. Müller wasn't there.

---

[1] The future perfect subjunctive II (also called perfect conditional) consists of the present subjunctive II of **werden** plus perfect infinitive:

ich **würde gesagt haben**	ich **würde gefahren sein**
etc.	etc.

[2] After an introductory verb indicating certainty (such as **wissen**), the indicative is used: **Er wußte, daß Herr Müller da war.** In spoken German, there is some tendency to avoid the subjunctive in indirect discourse in favor of the indicative, especially after a present-tense verb of saying (asking, etc.): **Er sagt, daß Herr Müller da ist. Er fragt, ob Herr Müller da ist.**

b. Past

DIRECT: Er sagte: ,,Herr Müller **war** nicht da." (or ,,Herr Müller **ist (war)** nicht da **gewesen.**")

He said: "Mr. Müller wasn't there." (or "Mr. Müller hasn't (hadn't) been there.")

INDIRECT: Er sagte, Herr Müller **sei (wäre)** nicht da **gewesen.**

He said (that) Mr. Müller hadn't been there.

c. Future

DIRECT: Er sagte: ,,Herr Müller **wird** nicht da **sein.**"

He said: "Mr. Müller won't be there."

INDIRECT: Er sagte, Herr Müller **werde (würde)** nicht da **sein.**

He said (that) Mr. Müller wouldn't be there.

When a direct statement or question is expressed as an indirect statement or question, the tense remains unchanged; the only change is from indicative to subjunctive.[1]

In German, contrary to English, the tense of the introductory verb has no bearing on the tense of the verb in the indirect statement or question. That verb must always be in the same tense as it would have been in direct discourse.

6. Indirect Commands

DIRECT: Er sagte zu mir:[2] ,,**Kommen Sie** sofort nach Hause!"

He said to me: "Come home at once."

INDIRECT: Er sagte mir,[2] **ich solle (sollte)** sofort nach Hause **kommen.**"

He told me to come home at once.

An indirect command (in English often expressed by an infinitive construction) is expressed in German by a clause containing present subjunctive I or II of **sollen.**

ÜBUNGEN

Mündlich

A. *Change to indirect discourse by preceding each sentence with* **Er sagte, . . . :**

[1] Watch out for a change of person in indirect discourse:

DIRECT: Er sagte: ,,**Ich habe** kein Geld."

He said: "I have no money."

INDIRECT: Er sagte, **er habe (hätte)** kein Geld.

He said he had no money.

[2] **Sagen** is followed by **zu** plus dative before a direct quote, but is used without **zu** in indirect discourse.

EXAMPLES: Herr Müller ist nicht da.
    Er sagte, Herr Müller sei nicht da.
    Er sagte, Herr Müller wäre nicht da.

1. Fritz schließt seine Wohnung nie ab. 2. Er hat sich in Berlin verliebt.
3. Sie bauten sich ein neues Haus in der Vorstadt. 4. Berlin entstand
im 13. Jahrhundert. 5. Der Professor wird es sicher noch einmal erklären.
6. Er mußte den Brief zur Post bringen. 7. Inge trieb immer gern Wassersport. 8. Ein großer Teil Berlins besteht aus Wäldern und Seen. 9. Er
will sich jetzt verabschieden. 10. Sie werden den nächsten Sommer in
Deutschland verbringen. 11. Er wollte ihr noch viele Fragen stellen.
12. Seine Freunde bringen ihm immer die neusten Zeitungen. 13. Er war
noch nie in Deutschland. 14. Sein Bruder hatte nicht mehr genug Geld.
15. Wir wissen das schon lange.

B. *Repeat the sentences in A, using* **Er sagte, daß** . . . :

C. *Change to indirect questions:*

EXAMPLES: Er fragte: „Ist Herr Müller da?"
    Er fragte, ob Herr Müller da sei.
    Er fragte, ob Herr Müller da wäre.

1. Er fragte: „Seit wann kennen sie ihn schon?" 2. Sie fragte mich: „Wie
alt sind Sie?" 3. Wir fragten ihn: „Wann werden Sie uns wieder besuchen?"
4. Fritz fragte den Schaffner: „Hat der Zug nach Frankfurt Verspätung?"
5. Seine Schwester fragte ihn: „Ißt du lieber Käse oder Wurst?" 6. Der
kleine Hans fragte seine Mutter: „Darf ich heute meine Freunde einladen?"
7. Er fragte uns: „Warum haben Sie mir nicht geholfen?" 8. Günter
fragte mich: „Woran denkst du gerade?" 9. Das Mädchen fragte die
Mutter: „Hast du keine Angst vor dem großen Hund?"

D. *Change to indirect commands (both with and without* **daß**):

EXAMPLES: Er sagte zu mir: „Kommen Sie sofort nach Hause!"
    Er sagte mir, ich solle (sollte) sofort nach Hause kommen.
    Er sagte mir, daß ich sofort nach Hause kommen solle (sollte).

1. Er sagte zu mir: „Erzähl mir noch mehr über Berlin!" 2. Ich sagte zu
meiner Schwester: „Gib mir bitte fünf Mark!" 3. Der Lehrer sagte zu uns:
„Multiplizieren Sie sieben mit acht!" 4. Die Mutter sagte zu ihren Kindern:
„Bleibt nicht zu lange bei eurem Freund!" 5. Herr Müller sagte zu mir:
„Vergessen Sie Ihren Photoapparat nicht!"

E. *Restate each of the following sentences, changing the subject of the indirect statement or question as indicated:*

EXAMPLE: Er sagte, er sei nicht da. (sie, plural)
Er sagte, sie seien nicht da.

1. Er sagte, er habe nicht genug Geld. (sie, plural)   2. Er fragte, ob sie ihr Buch vergessen habe. (ich)   3. Er erklärte, er wisse so viel wie ich. (du)   4. Er fragte, wann ich meinen Urlaub bekommen würde. (er)   5. Er dachte, daß Sie seinen Bruder schon kennten. (Inge)   6. Er fragte, ob wir uns auf die Reise freuten. (ich)   7. Er sagte, daß er gestern seinen Bekannten auf der Straße begegnet sei. (sie, plural)   8. Er fragte, ob ich dem armen Mann hätte helfen können. (wir)   9. Er sagte, er wolle sich nicht beeilen. (du)   10. Er wollte wissen, ob ihr so früh aufsteht. (wir alle)

Schriftlich

F. *Write in German:*
1. "Hello, Hans. I heard from your sister that Gerhard has just come back from (aus) Berlin.   2. Did he tell you whether he liked it there?"   3. "Yes, he said that he didn't know any other city that he liked better.   4. We talked almost the whole night about it."   5. "Why don't you two come to my house this evening?   6. I want to ask him some questions about Berlin and the Freie Universität, because I'm going to study there next year."   7. "Unfortunately, that won't be possible, for he told me that he must go to New York this evening."   8. "Maybe you can help me. What did he tell you about the city and its inhabitants?"   9. "I can't remember everything, but I know he said that the Berliners are well-known for their sense of humor.[1]   10. For example, he told me that there is a modern building which consists almost entirely of glass and belongs to the government. 11. Therefore the Berliners call it 'das Beamtenaquarium'."[2]   12. "I don't understand that. What's that supposed to mean?"   13. "Your sense of humor isn't as good as the Berliners' sense of humor.   14. Maybe you'll like the next example better. Gerhard also told me that Berlin had a famous church before the war.   15. He said that it is now almost destroyed and looks very ugly, so it is called the 'rotten tooth'."[3]   16. "That I understand, since we have a picture of that in our book.   17. Now I'll give you an example.   18. A friend told me that there is another modern building in Berlin which they call the 'Hindemith Garage'.[4]   19. Do you know what kind of a building that is?"   20. "Gerhard didn't tell me anything about that, but I can imagine that one can hear music there."   21. "You're right. My friend said that famous symphony orchestras usually play there."   22. "Since you know so much (that is) interesting about Berlin, you will surely like it there."

[1] **der Humor.**   [2] officials' aquarium.   [3] **der morsche Zahn.**   [4] **die Hindemith-Garage.**

German Information Center

Berlin: Kaiser-Wilhelm-Gedächtniskirche

I. *Antworten Sie auf deutsch!*

   1. Beschreiben Sie das Bild!
   2. Warum kann man dieses Bild auch vielleicht „Altes und Neues" nennen?

II. *Gespräch*

   Zwei amerikanische Studenten (oder Studentinnen) wollen ein Jahr in Deutschland studieren. Der eine will nach Berlin, aber der andere glaubt, daß das Leben in so einer isolierten Stadt deprimierend sein könnte.

Aufgabe 18

PATTERN SENTENCE: ▨▨▨▨▨▨▨▨▨▨

Wenn das Wörtchen *wenn* nicht wär',[1] wär' mein Vater Millionär.[2]

▨▨▨▨▨▨▨▨▨▨

Wäre mein Vater wirklich Millionär, so sähe mein Leben vielleicht ganz anders aus. Es wäre möglich, daß ich dann nicht mehr zu arbeiten brauchte und immer alles tun könnte, was ich wollte. Aber ich glaube kaum, daß mir das auf die Dauer[3] gefallen würde, denn das Leben wäre doch dann
5 ziemlich langweilig. Außerdem ist mein Vater ein sehr vernünftiger Mann, der, selbst wenn er sehr reich wäre und eine Million hätte, sicher sagen würde, ich könnte erst dann tun, was ich wollte, wenn ich selbst meine erste Million verdient hätte.

Aber träumen darf man ja, selbst wenn man weiß, daß Träume gewöhn-
10 lich nicht Wirklichkeit werden. Deshalb stelle ich mir manchmal vor, was ich wohl tun würde, wenn ich wirklich einen Vater hätte, der nicht nur Millionär, sondern auch unvernünftig genug wäre, mir alle meine Wünsche zu erfüllen. Da aber sogar erfüllte Wünsche manchmal enttäuschend sein können, sollte man sich immer genau überlegen, was man sich wünschen
15 möchte. Deshalb erzähle ich Ihnen zunächst ganz kurz ein bekanntes Märchen der Brüder Grimm, das den Titel trägt „Der Arme und der Reiche", und das diesen Punkt sehr überzeugend[4] demonstriert.

Einem armen Mann hatte der liebe Gott, als dieser einmal unerkannt[5] die Erde besuchte, drei Wünsche erfüllt, weil er ihn bei sich hatte über-
20 nachten lassen, nachdem sein reicher Nachbar ihn weggeschickt hatte. Als der Reiche das erfuhr, wurde er sehr neidisch und dachte: „Hätte ich

[1] wär' = wäre.   [2] *German proverb.*   [3] in the long run.   [4] **überzeugen** to convince.
[5] unrecognized.

204

nur gewußt, daß der Reisende Wünsche erfüllen kann, so hätte ich ihn
natürlich bei mir übernachten lassen. Dann hätte er mir sicher auch drei
Wünsche erfüllt, und ich hätte mir nicht nur genug zu essen, die ewige[6]
Seligkeit[7] und ein neues Haus gewünscht, wie es mein dummer Nachbar   25
getan hat." Er sprach mit seiner Frau darüber, und sie riet ihm, er solle
dem Reisenden sofort nachreiten[8] und ihm sagen, er könne auf der Rückreise[9] bei ihnen übernachten, wenn er ihnen auch drei Wünsche erfüllen
würde. Das tat der Reiche, und nachdem der liebe Gott sich alles ange-
hört[10] hatte, sagte er dem Reichen, er solle wieder nach Hause reiten und   30
drei Wünsche aussprechen, die er ihm erfüllen würde. Darüber freute sich
der Reiche natürlich und überlegte sich, was er sich nun wünschen sollte.
Plötzlich fing sein Pferd an zu springen, was ihn in seinen Gedanken störte.
Er wurde ganz wütend und rief: „Du dummes Pferd, warum springst du
denn so und störst mich? Ich wollte, du fielest hin und brächest dir den   35
Hals!" Kaum hatte er das gesagt, als das Pferd stolperte,[11] hinfiel, sich den
Hals brach und auf der Stelle[12] tot war.

Jetzt mußte der Reiche zu Fuß gehen und den schweren Sattel[13] tragen.
Es war aber inzwischen sehr heiß geworden, und plötzlich kam ihm der
Gedanke, daß seine Frau, die ja an allem schuld war, jetzt wahrscheinlich   40
zu Hause bequem im Sessel säße. Da wurde er wieder wütend und sagte
zu sich: „Ich wollte, s i e säße auf dem Sattel, damit ich ihn nicht mehr auf
meinem Rücken tragen müßte!" Bevor er wußte, daß er damit seinen
zweiten Wunsch ausgesprochen hatte, war der Sattel von seinem Rücken
verschwunden. Da erschrak er sehr und lief nach Hause, so schnell er   45
konnte. Als er ins Wohnzimmer trat, saß seine Frau auf dem Sattel und
konnte nicht herunter. Es war, als wäre sie darauf festgewachsen.[14] Nun
mußte er, ob er wollte oder nicht, auch noch den dritten Wunsch aussprechen, damit seine Frau wieder vom Sattel steigen konnte.

Nachdem ich Ihnen nun gezeigt habe, was passieren kann, wenn man   50
sich etwas Unvernünftiges wünscht, möchte ich zum Anfang unsrer
Geschichte zurückgehen und Ihnen erzählen, was ich täte, wenn ich wüßte,
daß meine Wünsche erfüllt würden. Ich würde eine lange Reise machen,
denn was könnte schöner und interessanter sein als eine Reise ins Ausland?[15] Ich ginge also in ein Reisebüro und würde mir dort die nötige   55
Auskunft holen. Nehmen wir an, ich wäre jetzt im Reisebüro.

---

[6] **ewig** eternal.   [7] **die Seligkeit, -en** salvation.   [8] **nach/reiten** to ride after.   [9] **die
Rückreise, -n** return journey.   [10] **(sich) etwas an/hören** to listen to.   [11] **stolpern** to trip.
[12] on the spot.   [13] **der Sattel, =** saddle.   [14] **fest/wachsen auf** to grow on to.   [15] **das
Ausland** abroad.

„Guten Tag, mein Herr", sagt ein hübsches Mädchen, das dort arbeitet. „Was wünschen Sie?"

„Ich möchte sehr gern eine längere Reise nach Europa machen", ant-
60 worte ich. „Am liebsten würde ich schon morgen fahren."

„Es ist schade, daß Sie nicht etwas früher zu uns gekommen sind", sagt das Mädchen. „Wenn Sie gestern gekommen wären, hätten Sie noch eine Flugkarte[16] für morgen haben können."

„Vielen Dank, aber so wörtlich[17] hatte ich es gar nicht gemeint",
65 antworte ich. „Übrigens möchte ich auch gar nicht mit dem Flugzeug reisen, sondern mit dem Schiff." Sie sieht mich etwas mitleidig[18] an, als dächte sie an die lange Seereise und an die Möglichkeit, daß ich seekrank werden könnte. Sie sagt dann:

„Möchten Sie nicht lieber fliegen? Die heutigen[19] Düsenflugzeuge sind
70 doch so schnell und bequem. Stellen Sie sich nur vor, daß Sie nach höch-
stens sieben Stunden Flugzeit[20] schon in Bonn oder Frankfurt zu Mittag essen könnten, wenn Sie spät abends von New York abfliegen[21] würden!"

„Das ist es ja gerade", antworte ich ihr, „das ist mir zu schnell. Da es sich um meine erste Auslandsreise handelt, hätte ich lieber etwas mehr
75 Zeit, damit ich mich an das Neue gewöhnen kann. Auf dem Schiff hat man die Zeit, im Flugzeug nicht. Vielleicht komme ich aber mit dem Flugzeug zurück, das wäre möglich."

„Das ist eine gute Idee", sagt das Mädchen jetzt. „Diesen Vorschlag hätte ich Ihnen auch gemacht, denn am Ende einer langen Reise ist man
80 gewöhnlich froh, wenn man so schnell wie möglich wieder nach Hause kommt. Wohin möchten Sie denn fahren? Nach England, Holland, Frank-
reich, Deutschland, Italien oder Griechenland? Wir haben Verbindungen[22] nach allen europäischen Ländern. Skandinavien kann ich Ihnen besonders im Sommer sehr empfehlen. Ich war selbst schon einmal in Norwegen,
85 Dänemark und Schweden. In Kopenhagen und Stockholm hat es mir besonders gut gefallen, und . . ."

„Das glaube ich Ihnen sehr gern, mein Fräulein", unterbreche ich sie, „aber ich glaube, ich möchte mir zuerst Deutschland, Österreich und die Schweiz ansehen, da ich im letzten Jahr etwas Deutsch gelernt habe und
90 neugierig bin, ob ich die Deutschen verstehen kann und sie mich! Ich möchte also nach Hamburg fahren, dort ein Auto mieten,[23] einige Wochen

---

[16] **die Flugkarte, -n** airplane ticket.   [17] **wörtlich** literal(ly).   [18] **mitleidig** sympathetic(ally)
[19] **heutig** of today.   [20] **die Flugzeit, -en** flying time.   [21] **ab/fliegen** to depart.   [22] **die Verbindung, -en** connection.   [23] **mieten** to rent.

herumfahren und dann von Frankfurt aus wieder nach den Vereinigten
Staaten zurückfliegen."

„Gut", sagt das hübsche Mädchen, „dann sagen Sie mir nur, wann Sie
fahren möchten, und ich bestelle Ihnen alles, die Schiffs- und Flugkarten, 95
das Auto und das Hotelzimmer. Würden Sie mir nun bitte noch Ihren
Reisepaß und Ihren Impfschein[24] zeigen und eine kleine Anzahlung[25]
machen."

An Reisepaß und Impfschein hatte ich gar nicht gedacht, und als ich ihr
nun sage, ich hätte noch keine Reisepapiere,[26] da sieht sie mich wieder 100
mitleidig an, so, als ob sie dächte, ich wäre entweder ein Schwindler oder
wäre gerade vom Mond gefallen und wüßte nicht, daß man in unserer
bürokratischen Gesellschaft[27] leider Papiere braucht. Ich sage deshalb zu
ihr:

„Es tut mir leid, daß ich daran nicht gedacht habe. Wenn ich eine 105
Ahnung gehabt hätte, wie kompliziert[28] das Reisen sogar heute noch ist,
dann wäre ich vielleicht gar nicht zu Ihnen gekommen." Sie erklärt mir
nun noch, wo ich einen Reisepaß und Impfschein bekommen könnte. Ich
danke ihr für die freundliche Auskunft, verspreche ihr, ich käme bald
wieder und verlasse das Reisebüro. 110

Würden Sie, nachdem Sie diese Geschichte gelesen haben, auch eine
Reise machen wollen?

---

[24] **der Impfschein, -e** vaccination certificate.   [25] **die Anzahlung, -en** down payment.
[26] **die Reisepapiere** travel papers.   [27] **die Gesellschaft, -en** society.   [28] **kompliziert** complicated.

WORTSCHATZ

	an/nehmen, nahm an, angenommen, nimmt an	to assume	**fliegen, flog, ist geflogen**	to fly
			zurück/fliegen	to fly back
die	**Auskunft, =e**	information	das **Flugzeug, -e**	airplane
	außerdem	besides	das **Düsenflugzeug, -e**	jet
	aus/sprechen, sprach aus, ausgesprochen, spricht ans	to pronounce	(das) **Frankreich**	France
			(das) **Griechenland**	Greece
(das)	**Dänemark**	Denmark	der **Hals, =e**	neck
	enttäuschen	to disappoint	**herum/fahren, fuhr herum, ist herumgefahren, fährt herum**	to drive around
die	**Erde, -n**	earth, world		
	erfüllen	to fulfill		
	erschrecken, erschrak, ist erschrocken, erschrickt	to be frightened	**hin/fallen, fiel hin, ist hingefallen, fällt hin**	to fall down

(das) **Holland**	Holland	(das) **Schweden**	Sweden
hübsch	pretty, handsome	(das) **Skandin̲a̲vien**	Scandinavia
(das) **It̲a̲lien**	Italy	**springen, sprang, ist**	
meinen	to mean	**gesprungen**	to jump
der **Million̲a̲r, -e**	millionaire	der **Traum, ≕e**	dream
die **Möglichkeit, -en**	possibility	**träumen**	to dream
der **Mond, -e**	moon	**treten, trat,**	to step
neidisch	envious	**ist getreten,**	
(das) **Norwegen**	Norway	**tritt**	
nötig	necessary	**verdi̲e̲nen**	to earn
das **Pferd, -e**	horse	**vern̲ü̲nftig**	reasonable
der **Punkt, -e**	point, period	**unvern̲ü̲nftig**	unreasonable
raten, riet, geraten,	to advise	**verschw̲i̲nden,**	
rät (*with dat.*)		**verschwand, ist**	
reich	rich, wealthy	**verschwunden**	to disappear
das **R̲e̲isebür̲o̲, -s**	travel agency	**weg /schicken**	to send away
der **Reisepaß, ≕sse**	passport	die **Wirklichkeit, -en**	reality
reiten, ritt, ist geritten	to ride (on horseback)	**wohl**	probably
		das **Wörtchen, -**	little word
der **Rücken, -**	back	der **Wunsch, ≕e**	wish
		wütend	mad, irate

IDIOMS

es handelt sich um	it is a question of
es ist schade	it is too bad, it is a shame
sich gew̲ö̲hnen an (*with acc.*)	to get used to
sich (*dat.*) **etwas überl̲e̲gen**	to consider, think about
tun als (ob)	to act as if

PATTERNS AND FORMS

Patterns

PATTERN **18a**: CONDITIONAL SENTENCES WITH **wenn**

Real Condition:

[Cj.——S;   p.e.   V];   [V—S; p.e.   Vbl.]
Wenn einer eine Reise **macht, kann** er was erzählen. (Pattern 15)
If someone takes a trip, he has something to tell about.

Contrary-to-Fact Condition:

[Cj.————S;   p.e.   V];   [V————S;   p.e.]
Wenn das Wörtchen „wenn" nicht **wär(e), wär(e)** mein Vater Millionär.
If the little word "if" didn't exist, my father would be a millionaire.

Pattern **18b**: Conditional Sentences Without **wenn**

Real Condition:

> [V——S;   p.e.];   [p.e.   V—S; p.e.   Vbl.]
> **Macht** einer eine Reise, dann **kann** er was erzählen.
> *If someone takes a trip, (then) he has something to tell about.*

Contrary-to-Fact Condition:

> [V———S;   p.e.]; [p.e.   V——S;   p.e.]
> **Wäre** das Wörtchen „wenn" nicht, so **wäre** mein Vater Millionär.
> *If the little word "if" didn't exist, (then) my father would be a millionaire.*

Observation 18a: A conditional sentence consists of two clauses: an if-clause and a conclusion. An if-clause introduced by **wenn** is a dependent clause. The conclusion following an if-clause has inverted word order (Observation 15g).

Observation 18b: An if-clause beginning a sentence may omit introductory **wenn,** but then has verb-first word order (Pattern 3). The conclusion is usually preceded by **so** or **dann.**[1]

Note the three uses of verb-first word order:

> YES-OR-NO QUESTION (Pattern 3a): **Wandern wir heute?**
> IMPERATIVE (Pattern 3b): **Lesen Sie die Speisekarte!**
> CONDITIONAL (Pattern 18b): **Wäre das Wörtchen „wenn" nicht, so . . .**

Observation 18c: If the conclusion begins the sentence, **wenn** may not be omitted in the if-clause:

> Mein Vater wäre Millionär, **wenn das Wörtchen „wenn" nicht wäre.**

Forms

1. Conditional Sentences

A condition describing a possible or likely situation is called a real condition and is in the indicative:

Wenn einer eine Reise macht, kann er was erzählen. [He may well take a trip, so he may well be able to tell about it.]

---

[1] For German **so** or **dann,** English uses *then* or omits the word entirely.

A condition describing an unreal or improbable situation is called a contrary-to-fact condition and is in the subjunctive:

Wenn das Wörtchen „wenn" nicht wäre, wäre mein Vater Millionär. [But the word does exist, so he is not a millionaire.]

2. Contrary-to-fact Conditions

a. Wenn ich mehr Geld **hätte,** $\begin{cases}\textbf{ginge} \text{ ich ins Theater.} \\ \textbf{würde} \text{ ich ins Theater } \textbf{gehen.}\end{cases}$
If I had more money, I would go to the theater.

b. Wenn ich mehr Geld **gehabt hätte, wäre** ich ins Theater **gegangen.**
If I had had more money, I would have gone to the theater.

c. **Hätte** ich die Aufgabe **gelernt,** $\begin{cases}\text{so } \textbf{wüßte} \text{ ich die Antwort auf diese Frage.} \\ \text{so } \textbf{würde} \text{ ich die Antwort auf diese Frage} \\ \qquad \textbf{wissen.}\end{cases}$
If I had learned the lesson, I would know the answer to this question.

Contrary-to-fact conditions are always in subjunctive II. The present subjunctive II in the if-clause expresses a condition in present or future time. In the conclusion, either present or future subjunctive II is used. The past subjunctive II in the if-clause expresses a contrary-to-fact condition in past time and is also used in the conclusion.[1]

In mixed contrary-to-fact conditions (c), the if-clause may be in past time (past subjunctive II) and the conclusion in present or future time (present subjunctive II) .

3. Wishes

Wenn ich nur mehr Geld **hätte!**
Hätte ich nur mehr Geld!
If only I had more money!

Wenn ich nur mehr Geld **gehabt hätte!**
Hätte ich nur mehr Geld **gehabt!**
If only I had had more money!

The if-clause of a contrary-to-fact condition (usually with **nur** or **doch** for emphasis) expresses wishes that are unfulfilled or unlikely to be fulfilled.

---

[1] In formal German, the conclusion is occasionally in future perfect subjunctive II:

      Wenn ich mehr Geld gehabt hätte, **würde** ich ins Theater **gegangen sein.**

This construction is avoided in everyday speech.

4. Als (ob)

Er sieht aus, $\begin{cases}\text{als ob er krank } \textbf{wäre.}\\ \text{als } \textbf{wäre} \text{ er krank.}\end{cases}$ Er sah aus, $\begin{cases}\text{als ob er krank } \textbf{wäre.}\\ \text{als } \textbf{wäre} \text{ er krank.}\end{cases}$

He looks as if he were sick.   *He looked as if he were sick.*

Er sieht (sah) aus, $\begin{cases}\text{als ob er krank } \textbf{gewesen wäre.}\\ \text{als } \textbf{wäre} \text{ er krank } \textbf{gewesen.}\end{cases}$

He looks (looked) as if he had been sick.

After **als ob** (*as if, as though*) subjunctive II is normally used. Note that the tense of the subjunctive is independent of the tense of the introductory verb. The present subjunctive expresses a situation existing at the time of the introductory statement; the perfect subjunctive expresses an earlier situation.

Als may be used alone with the same meaning, but is then followed immediately by the subjunctive verb.

5. Other Uses of Subjunctive II

a. Condition implied but not stated

Das **wäre** sehr interessant.
That would be very interesting.
Er **hätte** uns sicher **geholfen.**
He certainly would have helped us.

b. Understatement and politeness (frequently with modals)

Ich **möchte** ein Glas Wasser.
I would like a glass of water.
Dürfte ich etwas **vorschlagen?**
Might I suggest something?
Würden Sie so freundlich sein und mir das noch einmal erklären?
Would you be so kind as to explain that to me again?

c. Other uses with modals

Es **könnte** heute abend **regnen.**
It might (could) rain this evening.
Ich **hätte** reich werden **können.**
I could have become rich.
Wir **sollten** heute zu Hause **bleiben.**
We should stay home today.
Wir **hätten** zu Hause **bleiben sollen.**
We should have stayed home.

Note: The present subjunctive II of **sollen** is identical in form with the past indicative. Only the context determines the meaning. For example: **Wir sollten zu Hause bleiben** could mean either *We should stay home* (present subjunctive) or *We were supposed to stay home* (past indicative).

6. Minor Uses of Subjunctive I

a. **Es lebe der König!**   *Long live the king!*
 Gott sei Dank!   *Thank God!*

b. **Man frage sich,** was hier am besten wäre.
 Let one (one should) ask himself what would be best here.
 P sei ein Punkt auf der Linie a — b.
 Let P be a point on line a — b.

c. **Man nehme** vier Tropfen von dieser Medizin in einem Glas Wasser.
 Take four drops of this medicine in a glass of water.

Present subjunctive I is used (primarily in formal German or in set phrases) with a third person singular or plural subject to indicate (a) a wish or hope capable of being fulfilled or (b, c) an impersonal command. Note that present subjunctive I with the subject **man** is often best rendered in English as a direct command (c).

7. Recapitulation of Subjunctive Uses

a. Subjunctive I

 Indirect Discourse:

 Er sagte, **Herr Müller sei nicht da.**
 Er fragte, **ob Herr Müller da sei.**

 Impersonal commands, wishes, hopes (chiefly in formal German):

 Es lebe der König!
 Man nehme vier Tropfen von dieser Medizin.

b. Subjunctive II

 Indirect Discourse:

 Er sagte, **Herr Müller wäre nicht da.**
 Er fragte, **ob Herr Müller da wäre.**

 Contrary-to-fact conditions:

 Wenn ich mehr Geld hätte, ginge ich ins Theater.
 Hätte ich mehr Geld, so würde ich ins Theater gehen.

Wishes unfulfilled or unlikely to be fulfilled:

Wenn ich nur mehr Geld hätte!
Hätte ich nur mehr Geld!

After **als (ob):**

Er sah aus, **als ob er krank wäre.**
Er sah aus, **als wäre er krank.**

Miscellaneous:

Das wäre interessant.
Ich möchte ein Glas Wasser.
Wir sollten heute zu Hause bleiben.

ÜBUNGEN

Mündlich

A. *Change to contrary-to-fact conditions with* **wenn:**

EXAMPLES: Wenn er kommt, gehen wir in die Stadt.
Wenn er käme, würden wir in die Stadt gehen.
Wenn er käme, gingen wir in die Stadt.

1. Wenn ich reich bin, mache ich eine Reise. 2. Wenn du das Wort richtig aussprichst, mußt du es nicht wiederholen. 3. Wenn er das weiß, wird er es sicher nicht kaufen. 4. Wenn ich genug Zeit habe, fliege ich sicher nicht. 5. Wenn es sich um ein gutes Bild handelt, kaufe ich es mir. 6. Wenn du dir die Sache gut überlegst, machst du diesen Fehler nicht. 7. Wenn ich drei Wünsche haben kann, wünsche ich mir nichts Dummes. 8. Wenn sie hübsch ist, lade ich sie ein. 9. Wenn Sie mir das raten, tue ich es. 10. Wenn ich mehr Geld verdiene, kann ich mir ein neues Auto leisten. 11. Wenn du mir diesen Wunsch erfüllst, freue ich mich sehr. 12. Wenn Sie dieses komische Wort oft genug schreiben, gewöhnen Sie sich daran. 13. Wenn du hinfällst, brichst du dir vielleicht den Hals. 14. Wenn Fritz nicht aufpaßt, verliebt er sich in das hübsche Mädchen. 15. Wenn dein Vater das erfährt, wird er sich sehr ärgern.

B. *Repeat Übung A, omitting* **wenn:**

EXAMPLES: Wenn er kommt, gehen wir in die Stadt.
Käme er, so (dann) würden wir in die Stadt gehen.
Käme er, so (dann) gingen wir in die Stadt.

C. *Change the sentences in A to contrary-to-fact conditions in past time:*

EXAMPLE: Wenn er kommt, gehen wir in die Stadt.
Wenn er gekommen wäre, wären wir in die Stadt gegangen.

D. *Repeat Übung C, omitting* **wenn:**

EXAMPLE: Wenn er kommt, gehen wir in die Stadt.
Wäre er gekommen, so wären wir in die Stadt gegangen.

E. *Change the following negative statements to contrary-to-fact conditions in the proper tense:*

EXAMPLE: Er hat sich nicht gefreut, denn du bist nicht gekommen.
Er hätte sich gefreut, wenn du gekommen wärest.

1. Sie hat sich nicht an mich erinnert, da ich ihr nicht geschrieben habe.
2. Du verbringst nicht so viel Zeit im Kino, denn du hast etwas Besseres zu tun.   3. Ich erschrak nicht, denn er trat nicht plötzlich ins Zimmer.   4. Ich bin nicht in den Zug nach Berlin eingestiegen, denn er hat mir nicht die richtige Auskunft gegeben.   5. Ich gebe Ihnen Ihre Bücher heute nicht zurück, denn ich habe sie nicht finden können.   6. Deine Eltern werden sich über dich keine Sorgen machen, denn du hast sie gestern abend angerufen.

F. Complete the following sentences with each of the statements indicated (do not change the tenses of the statements!):

EXAMPLE: Er sieht aus, als ob . . . (Er war krank.)
Er sieht aus, als ob er krank gewesen wäre.

1. Er sieht aus, als ob . . .	(Er hat zu viel getrunken.)
	(Er ist sehr traurig.)
	(Er will etwas sagen.)
2. Sie sah aus, als . . .	(Sie war verliebt.)
	(Sie versteht die Aufgabe nicht.)
	(Sie hat nichts Gutes im Sinne.)
3. Es schien mir, als ob . . .	(Ich habe ihn schon einmal gesehen.)
	(Ich muß das wissen.)
	(Ich sollte ihn noch etwas fragen.)
4. Sie taten, als . . .	(Sie wissen alles.)
	(Sie haben mich nicht gesehen.)
	(Sie haben sich noch nicht daran gewöhnt.)

G. *Express each of the following statements in the form of a wish:*

EXAMPLES: Ich habe Zeit.
Wenn ich nur Zeit hätte!
Hätte ich nur Zeit!

1. Ich weiß das. 2. Ich kann mich an das Klima gewöhnen. 3. Der Zug hat keine Verspätung. 4. Der dicke Junge treibt Sport. 5. Die Regen- wolken verschwinden. 6. Die Sonne scheint. 7. Er lädt uns ein. 8. Ich kenne dieses bekannte Drama von Schiller. 9. Sie dürfen es ihm sagen. 10. Er gibt mir das Geld zurück.

H. *Express each of the statements in G in the form of wishes in past time:*

EXAMPLES: Ich habe Zeit.
Wenn ich nur Zeit gehabt hätte!
Hätte ich nur Zeit gehabt!

Schriftlich

I. *Write in German:*

1. One day a young man walked into a travel agency and stopped before a large map of the world. 2. "There are so many beautiful countries in (auf) the world that I would like to take a look at," he thought. 3. "If only I knew where I should spend my vacation this year! 4. England wouldn't be bad, if it didn't rain so much there. 5. At least I would be able to converse with the people. 6. If I knew the language, I would prefer to go to Italy where the weather is said to be so beautiful. 7. Perhaps someone could advise me. 8. Oh, this young lady looks as if she worked here. 9. Hello, could you perhaps help me? 10. I would like to take a trip, but I can't decide where I want to go." 11. "Might I suggest Scandinavia to you, sir?" said the young lady. 12. "If you wanted to spend three weeks there, you could visit Sweden, Norway, and Denmark." 13. "That would be interesting, but one of my acquaintances told me that it is usually very cold there." 14. "If it's too cold for you in Scandinavia, why don't you go to Italy?" 15. "If only I had learned the language, I would have thought of that right away. 16. I wouldn't be interested in any country whose language I don't know. 17. What would you do if you wanted to eat something and couldn't order anything?" 18. "How would it be if you visited England? They speak English there." 19. "I thought of that already, but it rains too much there." 20. "It seems as if no country appealed to you. 21. Perhaps it would be best if you stayed at home and spent your vacation in New York."

J. *Composition*

Retell briefly in German the story of the poor man and the rich man.

Antworten Sie auf deutsch!
1. Beschreiben Sie das Zimmer!
2. Wer tritt ins Zimmer?
3. Was sieht er?
4. Warum sitzt seine Frau dort?
5. Was muß er tun, damit sie herunterkommt?
6. Warum hat er einen Sattel, aber kein Pferd?
7. Wer war vernünftiger, der arme oder der reiche Mann? Warum?
8. Was würden Sie sich wünschen, wenn Sie wüßten, daß Ihnen drei Wünsche erfüllt würden?

Aufgabe 19

PATTERN SENTENCE: ▨▨▨▨▨▨▨▨▨▨▨▨▨▨▨▨

Wie wird
die deutsche Jugend erzogen?

Vor über elfhundert Jahren, ungefähr zur Zeit Karls des Großen,[1] der 742 geboren wurde und 814 starb, wurden in Deutschland die ersten Schulen gegründet. Das bedeutet aber nicht, daß seitdem jeder Deutsche in eine Schule gegangen ist. Erst um die Mitte des 18. Jahrhunderts hat man in den meisten deutschen Staaten, die heute Länder genannt werden, die allgemeine Schulpflicht[2] eingeführt, und seit etwas mehr als hundert Jahren müssen alle Deutschen eine Schule besuchen. Es gibt also in Deutschland keine Analphabeten[3] mehr, wogegen[4] angenommen wird, daß fast die Hälfte der heutigen Weltbevölkerung weder lesen noch schreiben kann.

Wenn Sie nun jemand fragen würden, wie denn das deutsche Schulsystem organisiert sei, so würde Ihnen sicher geantwortet, das ließe sich gar nicht so leicht erklären, denn das deutsche Schulsystem sei ziemlich kompliziert. Und das stimmt auch. Wir möchten aber trotzdem eine Erklärung versuchen. Zunächst sei gesagt, daß die deutschen Schulen von denen der Vereinigten Staaten ziemlich verschieden sind. Diesen Unterschied sehen wir schon im Schulkalender. Das deutsche Schuljahr beginnt zwar in allen Ländern im Herbst, wie auch in Amerika, hat aber weniger Ferientage als das amerikanische. Die Schüler haben um Ostern zwei Wochen Ferien, im Sommer fünf bis sechs Wochen, eine Woche im

5

10

15

20

---

[1] Charlemagne.   [2] **die allgemeine Schulpflicht** compulsory education.   [3] **der Analphabet, -en** illiterate.   [4] **wogegen** whereas.

Oktober und ungefähr zwei Wochen um Weihnachten. Sie gehen sechs Tage in der Woche zur Schule, nicht fünf. Jedes Kind muß zehn bis zwölf Jahre lang[5] eine Schule besuchen, und zwar vom vollendeten 6. bis zum 16. oder 18. Lebensjahr.[6] Der Schulbesuch beginnt mit vier Jahren *Grundschule,*[7]

25 in der alle Kinder zusammen unterrichtet werden. Hier lernen sie das Lesen, Schreiben und Rechnen und bekommen Religionsunterricht, da es in Deutschland keine Trennung von Kirche und Staat gibt. Nach diesen ersten vier Jahren kann das Kind entweder noch vier bis fünf Jahre in der *Grund-* oder *Volksschule*[8] bleiben, oder, wenn es die ziemlich schwierige

30 Aufnahmeprüfung[9] besteht, in eine sogenannte[10] *Höhere Schule*[11] eintreten, die auch *Oberschule* oder *Gymnasium* genannt wird. In jener werden die Naturwissenschaften[12] betont, in diesem die humanistischen Fächer.[13] Die Höhere Schule wird in den meisten Ländern neun Jahre lang besucht, aber nur von ungefähr 25%[14] aller Schulkinder; die anderen 75% bleiben

35 in der Volksschule. In den Höheren Schulen werden die Jungen und Mädchen meistens getrennt unterrichtet, d.h. sie besuchen selten dieselbe Schule.

In Deutschland sind fast alle Schulen staatlich, außer einigen *Bekenntnisschulen*[15] und ziemlich wenigen *Privatschulen.* Da die Eltern in Deutsch-

40 land, wie ja auch in den Vereinigten Staaten, für die Höhere Schule kein Schulgeld[16] zu bezahlen brauchen, hat jeder Schüler die Möglichkeit, so eine Schule zu besuchen, vorausgesetzt,[17] daß er intelligent genug dazu ist. Ist das nicht der Fall, dann bleibt er, wie schon gesagt wurde, in der Volksschule und geht danach noch einige Jahre in eine *Berufsschule,*[18] wo

45 er auf ein Handwerk[19] vorbereitet wird.

Nun möchten Sie wahrscheinlich noch wissen, was in der zweiten Hälfte der Volksschule und in den Höheren Schulen unterrichtet wird. In der Volksschule sind schon immer Religion, Schreiben, Rechnen, Geschichte, Geographie, Singen, Zeichnen und Turnen[20] gegeben worden. Dazu ist

50 in den letzten Jahren in einigen Ländern noch eine Fremdsprache gekommen.[21] In den Höheren Schulen wird den Schülern natürlich viel mehr geboten. Diejenigen, die eine Oberschule besuchen, müssen mindestens

---

[5] **zehn bis zwölf Jahre lang** for ten to twelve years.   [6] **das Lebensjahr** year of (one's) life = age.   [7] **die Grundschule, -n** elementary school.   [8] **die Volksschule, -n** elementary school. [9] **die Aufnahmeprüfung, -en** entrance examination.   [10] **sogenannt** so-called.   [11] **die Höhere Schule, -n** secondary school.   [12] **die Naturwissenschaft, -en** natural science.   [13] **die humanistischen Fächer** humanities.   [14] **% = Prozent.**   [15] **die Bekenntnisschule, -n** denominational school.   [16] **das Schulgeld, -er** tuition.   [17] **vorausgesetzt** provided.   [18] **die Berufsschule, -n** vocational school.   [19] **das Handwerk** craft, trade.   [20] **das Turnen** physical education.   [21] **dazu ist . . . gekommen** to this has been added.

drei Fremdsprachen lernen, und zwar Englisch, Französisch und Latein.[22]
Für diejenigen, die in ein Gymnasium gehen, sind es sogar vier oder fünf:
Latein, Griechisch,[23] Englisch, Französisch und oft noch Hebräisch[24]   55
oder Italienisch. Daneben unterrichtet man noch Mathematik, Physik,
Chemie, Biologie, Deutsch, Geschichte, Geographie, Musik, Religion,
Turnen und Kunstgeschichte.[25] Wie Sie sehen, kennt man an den Höheren
Schulen keine Fächer wie Soziologie, Psychologie, Volkswirtschaft[26] oder
Philosophie. Die kann man nur auf der Universität studieren. Was Sie   60
aber sicher am meisten überraschen wird, ist die Tatsache, daß das
deutsche Schulsystem keine Colleges hat, denn von der Höheren Schule
geht man, wenn man das will, sofort auf eine Universität oder Hochschule.[27]

Es ließe sich über das deutsche Schulsystem noch mehr sagen, aber so   65
genau brauchen wir ja hier nicht zu sein. Da aber seit dem zweiten Welt-
krieg immer mehr Ausländer, und besonders natürlich amerikanische
Studenten, an deutschen Universitäten und Hochschulen studieren, möchten wir Ihnen auch darüber etwas erzählen.

Die älteste Universität, die von Deutschen gegründet wurde, ist die von   70
Prag (1348), und die jüngste die von Bochum, an welcher erst 1965 die
ersten Studenten ihr Studium begannen. In den über sechshundert Jahren,
die zwischen diesen beiden Gründungen[28] liegen, wurden noch viele andere
deutsche Universitäten ins Leben gerufen,[29] von denen hier nur die bekanntesten genannt seien: Heidelberg (1386), Leipzig (1409), Freiburg   75
(1457), Tübingen (1477), Marburg (1527), Jena, wo Schiller Professor war
(1558), Göttingen (1737), Berlin, die Humboldt-Universität, die jetzt in
Ost-Berlin liegt (1810), Bonn (1818), München (1826), Mainz (1946) und
die Freie Universität Berlin (1948). Die größte von diesen allen ist die
Universität München, wo ungefähr 16 000 Studenten immatrikuliert sind,   80
darunter über 10% Ausländer.

Wie Sie sehen, haben die deutschen Universitäten eine alte und lange
Tradition, auf die sie sehr stolz sind. Wichtiger als diese lange Tradition
ist aber die Tatsache, daß, außer der Zeit der Nazi-Tyrannei von 1933-
1945, immer das Prinzip der akademischen Freiheit geherrscht hat. Unter   85
diesem Prinzip konnten in der Vergangenheit und können auch heute
wieder Professoren lehren, was sie wollen, und können die Studenten

---

[22] **(das) Latein** Latin.   [23] **(das) Griechisch** Greek.   [24] **(das) Hebräisch** Hebrew.   [25] **die
Kunstgeschichte** history of art.   [26] **die Volkswirtschaft** economics.   [27] **die Hochschule, -n**
institution of higher learning in general, specifically academies (*of music, pedagogy, engineering,
etc.*).   [28] **die Gründung, -en** foundation.   [29] **ins Leben rufen** to call into being.

studieren, wofür sie sich interessieren. Diese werden von niemand kontrolliert, es wird ihnen nicht gesagt, was sie studieren müssen, man fragt
90   sie nicht, ob sie in die Vorlesungen gehen, es wird nur von ihnen erwartet,
daß sie nach acht bis zwölf Semestern ihr Studium beendet haben. Dadurch wird von Studenten an deutschen Universitäten viel mehr Verantwortungsgefühl[30] erwartet und verlangt als von denjenigen, die amerikanische Hochschulen besuchen. Deshalb gibt es auch so viele deutsche
95   Studentenlieder, in denen von der Freiheit des Studentenlebens gesungen
wird. Diese Lieder würden Sie auch kennenlernen, wenn Sie eine deutsche
Universität besuchten.

[30] das Verantwortungsgefühl, -e feeling of responsibility.

WORTSCHATZ

allgemein	general(ly), common	(das) **Ostern**	Easter
der **Ausländer, -**	foreigner	die **Prüfung, -en**	test, examination
best**e**hen, bestand, bestanden	to pass (*a test*)	**rechnen**	to figure, do arithmetic
bet**o**nen	to emphasize	der **Schüler, -**	pupil, (preuni-versity) student
bieten, bot, geboten	to offer		
ein/führen	to introduce	**schwierig**	difficult
ein/treten (in), trat ein, ist eingetreten, tritt ein	to enter	**selten**	rare(ly), seldom
		das **Semester, -**	semester
		staatlich	belonging to the state
die **Erklärung, -en**	explanation	das **System, -e**	system
das **Fach, ⸗er**	subject (of instruction)	die **Tatsache, -n**	fact
		die **Tradition, -en**	tradition
der **Fall, ⸗e**	case, fall	die **Trennung, -en**	separation
die **Fremdsprache, -n**	foreign language	**überraschen**	to surprise
geb**o**ren	born	**unterrichten**	to teach, instruct
getr**e**nnt	separate	der **Unterschied, -e**	difference
gründen	to found	**verlangen**	to demand
herrschen	to rule, prevail	**verschieden**	different
der **Kalender, -**	calendar	**vor/bereiten (auf,** *with acc.*)	to prepare (for)
lehren	to teach	**zeichnen**	to draw
das **Mädchen, -**	girl		

IDIOMS

ab/hängen von, hing ab, abgehangen	to depend on
es stimmt	it is true
kennen/lernen	to get to know, become acquainted with
(und) zwar	that is to say
weder . . . noch	neither . . . nor
zur Zeit	at the time

PATTERNS AND FORMS

Patterns

PATTERN **19**: PASSIVE

a. Simple Tenses

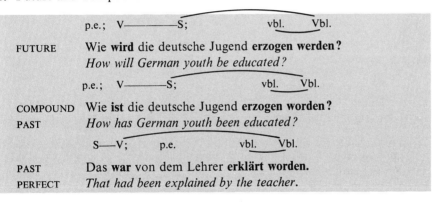

PRESENT Wie **wird** die deutsche Jugend **erzogen?**
How is German youth educated?

PAST Das **wurde** von dem Lehrer **erklärt.**
That was (being) explained by the teacher.

b. Future and Compound Tenses.[1]

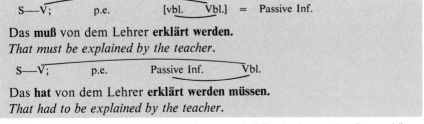

FUTURE Wie **wird** die deutsche Jugend **erzogen werden?**
How will German youth be educated?

COMPOUND PAST Wie **ist** die deutsche Jugend **erzogen worden?**
How has German youth been educated?

PAST PERFECT Das **war** von dem Lehrer **erklärt worden.**
That had been explained by the teacher.

c. Present Passive Infinitive (with modals)

Das **muß** von dem Lehrer **erklärt werden.**
That must be explained by the teacher.

Das **hat** von dem Lehrer **erklärt werden müssen.**
That had to be explained by the teacher.

---

[1] Future perfect is rarely used, except to express probability in the past (see Lesson 14):

Das **wird wohl** von dem Lehrer **erklärt worden sein.**
That was probably explained by the teacher.

d. Perfect Passive Infinitive (with modals)

S—V;   p.e.   Perf. Passive Inf.
Das muß von dem Lehrer **erklärt worden sein.**
That must have been explained by the teacher.

Observation 19a: The passive consists of the proper tense of the auxiliary **werden** plus past participle.

Observation 19b: The future and compound tenses of the passive follow Pattern 12. Note the special form of the past participle (**worden**).

Observation 19c: After any tense of a modal auxiliary the present passive infinitive may be used (infinitive of the auxiliary **werden** plus past participle).

Observation 19d: After the present tense of a modal auxiliary the perfect passive infinitive may also be used (perfect infinitive of the auxiliary **werden** plus past participle).

Forms

1. Passive Voice

	ACTIVE	PASSIVE
a.	Der Lehrer **erklärt** das.	**Das wird** von dem Lehrer **erklärt.**
	The teacher is explaining that.	*That is being explained by the teacher.*

In the active voice the subject acts; in the passive it is acted upon. In German, as in English, an active sentence containing a transitive verb can be converted to a passive sentence by making the following changes:

ACTIVE		PASSIVE	
Direct Object	**(das)**	Subject	**(das)**
Verb	**(erklärt)**	Passive Verb	**(wird . . . erklärt)**
Subject	**(der Lehrer)**	Agent	**(von dem Lehrer)**

Note that the auxiliary of the passive is **werden**. The past participle **worden**, which is used only in the passive, takes the place of the regular past participle, **geworden**.

	ACTIVE	PASSIVE
b.	Der Lehrer **hilft ihnen.**	**Ihnen wird** von dem Lehrer **geholfen.**
	The teacher is helping them.	*They are (being) helped by the teacher.*

An active sentence containing only a dative object can also be converted to the passive. The dative object occupies the position of the subject in the passive sentence, but remains in the dative case. The verb is always in the third person singular (with the subject **es** understood).

c. **Es wurde** den ganzen Abend **getanzt und gesungen.**
Den ganzen Abend **wurde getanzt und gesungen.**
There was singing and dancing all evening.

The passive is occasionally used with the subject **es** or no subject to indicate a general, impersonal situation. English has no equivalent passive construction.

2. Passive Subjunctive

Er fragte, wie die deutsche Jugend **erzogen werde (würde).**
He asked how German youth was being educated.
Er fragte, wie die deutsche Jugend **erzogen worden sei (wäre).**
He asked how German youth had been educated.
Wenn das von dem Lehrer **erklärt worden wäre, wäre** es von den Studenten **verstanden worden.**
If that had been explained by the teacher, it would have been understood by the students.

To put a passive verb into the subjunctive, use the proper tense of the subjunctive of **werden.**

3. Substitutes for the Passive

In German the passive is less frequently used than in English. Germans avoid the passive, especially in everyday speech, by substituting active constructions. It is much easier and more direct to say **Der Lehrer hat das erklärt** than **Das ist von dem Lehrer erklärt worden.** Other common substitutes for the passive are:

a. **man**

Wie erzieht man die deutsche Jugend? (instead of **Wie wird die deutsche Jugend erzogen?**)
How is German youth (being) educated?

An active construction with **man** often replaces a passive construction, especially if no agent is expressed.

b. **sich lassen**

Das läßt sich machen. (instead of **Das kann gemacht werden.**)
That can be done.

Sich lassen plus infinitive is the equivalent of **können** plus passive infinitive.

4. Passive or Descriptive

PASSIVE: Die Tür **wird geschlossen.**
             The door is being closed (*by someone*).
DESCRIPTIVE: Die Tür **ist geschlossen.**
             The door is closed.

The only passive auxiliary in German is **werden.** If the past participle of a transitive verb is used with **sein,** it is a predicate adjective *describing* the subject (see Lesson 11): **Die Tür ist geschlossen** has exactly the same pattern as **Die Tür ist groß** (S—V; p.e.). Note that the English progressive form *is being* can be used in a passive but never in a descriptive expression.

5. Three Uses of werden

a. Meaning *to become*

Es wird dunkel.   *It is becoming* (*getting*) *dark.*

b. As auxiliary in a future tense

Es wird regnen.   *It will rain.*

c. As auxiliary in a passive construction

Es wird geschlossen.   *It is being closed.*

6. Four German Infinitives

ACTIVE

PRESENT: **erklären**   Er wird es **erklären.**
                                  He will explain it.
PERFECT: **erklärt haben**   Er wird es wohl **erklärt haben.**
                                  He probably explained it.

PASSIVE

PRESENT: **erklärt werden**   Das muß von ihm **erklärt werden.**
                                  That must be explained by him.
PERFECT: **erklärt worden sein** Das muß von ihm **erklärt worden sein.**
                                  That must have been explained by him.

7. To Be Born

a. Wann **sind** Sie **geboren?**   Ich **bin** 1948 **geboren.**
       When were you born?   *I was born in 1948.*
b. Wann **wurde** Karl der Große **geboren?** Karl der Große **wurde** 742 **geboren.**
       When was Charlemagne born?   *Charlemagne was born in 742.*

When referring to living persons, use the expression **geboren sein;** when referring to persons no longer living, use **geboren werden.**

8. Demonstrative Pronouns

Demonstrative pronouns point out or identify. The two demonstrative pronouns you have already learned — **dieser, diese, dieses** (*this one, the latter*) and **jener, jene, jenes** (*that one, the former*) — are simply **der**-words used as pronouns (see Lesson 7).

Another important demonstrative pronoun is also derived from a **der**-word: **der, die, das** itself. When used as a demonstrative pronoun, it is declined like the relative pronoun **der, die, das** (Lesson 16). **Der, die, das** as demonstrative pronouns are used:

a. For emphasis:

D e r Roman ist nicht gut.[1]   **Der** ist nicht gut.
That novel is not good.   *That one is not good.*

The emphatic expression **d e r Roman** (*that novel*) is replaced by the pronoun **der** (*that one*), just as the unemphatic **der Roman** (*the novel*) is replaced by **er** (*it*).

b. Before a genitive expression:

Das Schulsystem Deutschlands und **das** der Vereinigten Staaten . . .
The school system of Germany and that of the United States . . .

c. As an antecedent for a relative clause:

Die Studenten, die das Gymnasium besuchen und **die,** die die Oberschule
    besuchen . . .[2]
The students who attend the Gymnasium and those who attend the Oberschule . . .

Note the three uses of **die** in one sentence: demonstrative pronoun, relative pronoun, and article.

d. As a substitute for the possessive adjective:

Mein Freund, sein Bruder und **dessen** Frau sind gekommen.
My friend, his brother, and his (the latter's) wife came.

For clarity or emphasis, the genitive of the demonstrative pronoun is sometimes used instead of a possessive adjective. Note that as a pronoun it

---

[1] Note that, in printing, German indicates emphasis by spacing: D e r Roman ist nicht gut.
[2] In this use, the genitive plural of demonstrative **der, die, das** is **derer,** instead of **deren:**

> Die Bücher **derer,** die das Gymnasium besuchen . . .
> *The books of those who attend the Gymnasium . . .*

agrees with its antecedent in gender and number, and not with the thing possessed.

9. Derjenige, diejenige, dasjenige

Das Schulsystem Deutschlands und **dasjenige** der Vereinigten Staaten . . .
The school system of Germany and that of the United States . . .
Die Studenten, die das Gymnasium besuchen und **diejenigen,** die die Oberschule besuchen . . .
The students who attend the Gymnasium and those who attend the Oberschule . . .

Derjenige, diejenige, dasjenige occur as demonstrative pronouns, especially in formal contexts, before genitive expressions or relative clauses, with the same meanings as **der, die, das. Derjenige, diejenige, dasjenige** are declined like the articles **der, die, das** plus weak adjective forms of **-jenige**:

MASCULINE	FEMININE	NEUTER	PLURAL
derjenige	**diejenige**	**dasjenige**	**diejenigen**
desjenigen	**derjenigen**	**desjenigen**	**derjenigen**
etc.	etc.	etc.	etc.

10. Derselbe, dieselbe, dasselbe

The pronoun **derselbe, dieselbe, dasselbe** (*the same*) is declined like **derjenige**.

ÜBUNGEN

Mündlich

A. *Change to the passive:*

EXAMPLE: Der Professor hat das Buch geschrieben.
Das Buch ist von dem Professor geschrieben worden.

1. Alle Studenten haben diese Lieder immer gern gesungen.   2. Das betont der Deutschlehrer in jeder Stunde.   3. Das kann man von ihm nicht verlangen.   4. An den Oberschulen unterrichtet man Naturwissenschaften und Fremdsprachen.   5. Die Reisenden werden das alte Schloß besichtigen.   6. Warum hilft man ihm nicht?   7. Man bittet reiche Leute oft um Geld.   8. Wer hat Ihnen das erklärt?   9. Das kann er nicht geschrieben haben.   10. Man antwortete ihr nicht.   11. Man vergleicht dieses Drama mit demjenigen von Goethe.   12. Sein Vater hat ihm eine Reise versprochen.

13. Der Lehrer muß diese Frage schon oft gestellt haben. 14. Warum hat man mir das nicht früher gesagt? 15. Sie hat ihn daran erinnert.

B. *Translate:*

1. Wir werden ihn rufen. 2. Die Tage werden immer länger. 3. Wann wurde in Deutschland die allgemeine Schulpflicht eingeführt? 4. Wer wird unser nächster Präsident? 5. Das werden wir nie wieder tun. 6. Das muß Ihnen erklärt werden. 7. Diese Tatsache wird von dem Lehrer immer wieder betont. 8. Morgen wird er davon erzählen. 9. Das muß vor ungefähr hundert Jahren geschrieben worden sein. 10. Dadurch ist der Dichter sehr bekannt geworden. 11. Darüber wird sicher noch etwas gesagt werden. 12. Dieses Schulsystem ist mit dem der Vereinigten Staaten verglichen worden. 13. Wo wird dieser Film gezeigt? 14. Das wird man nie von mir sagen können. 15. Gestern wurde bei uns nicht gearbeitet.

C. *Change to active sentences by using* **man:**

EXAMPLE: Das kann gemacht werden.
Das kann man machen.

1. Wie kann das erklärt werden? 2. Das kann erklärt werden. 3. So eine Frage kann leicht gestellt werden. 4. Das Auto kann nicht schnell repariert werden. 5. Es konnte nicht genau gesagt werden, von wem der Brief war. 6. Es ist schade, daß das nicht besser organisiert werden konnte. 7. Wie wird das geschrieben?

D. *Change the sentences in C to active by using* **sich lassen:**

EXAMPLE: Das kann gemacht werden.
Das läßt sich machen.

E. *Form sentences:*

EXAMPLE: deutsch, erzogen werden, Jugend, wie?
Wie wird die deutsche Jugend erzogen?

1. dasselbe Jahrhundert, gegründet werden, in, diese Universitäten.
2. er, kennen, der Name seines Deutschlehrers, derjenige seines Mathematiklehrers, weder . . . noch.
3. das, einfach, lassen, machen, sich.
4. etwas Neues, immer, können, lernen, man.
5. Ausländer, Herr Meyer, kennenlernen, dessen Schwester, und.
6. berühmt, Dichter, geschrieben werden, dieser Roman, von, vor zwei Jahren.
7. Auto, leider, mein, müssen, repariert werden, schon wieder.
8. arm, diese, geholfen werden, können, Leute, nicht.

F. *Review: use the proper form of the adjective indicated:*

EXAMPLE: Er hat ein Buch. (gut)
           Er hat ein gutes Buch.

1. Das ist von Interesse. (allgemein)   2. Man sollte Fremdsprachen lernen.
(viel)   3. Hat er diese Prüfung bestanden? (schwierig)   4. Sie hat mir von
den Schulen in Deutschland erzählt. (verschieden)   5. Er machte ein Gesicht. (überrascht)   6. Die Trennung kam bald. (erwartet)   7. Ich mag
keine Erklärungen. (lang)   8. Wir sind mit einem Düsenflugzeug geflogen.
(groß)   9. Sie hat einen Hut, nicht wahr? (hübsch)   10. Haben Sie das
Geld? (nötig)   11. Er hat mir keine Vorschläge machen können. (vernünftig)
12. Haben Sie noch Ihren Reisepaß? (alt)   13. Wir haben fast alle Länder
Europas besucht. (südlich)   14. Lernen Sie bitte diese Wörter auswendig!
(neu)   15. Sein Vater konnte stolz auf ihn sein. (alt)

Schriftlich

G. *Write in German:*
1. John and Hans are students at the same American university.   2. John
is an American, but Hans is a German student who has been studying at this
university since (the) beginning of this school year.   3. One day they were
talking about the differences between the school system in Germany and
that in the United States.   4. The German system had just been explained
in John's German class.   5. But he still wanted to ask Hans several questions
about it.   6. He wanted to know, for example, if it were true that boys and
girls are taught separately.   7. Hans told him that that was usually the case,
especially in larger cities.   8. In villages and smaller towns, however, where
there are not many pupils, two schools could not always be built.[1]   9. There
boys and girls attend the same schools.[1]   10. Hans said that he liked the
German system better than the one we have here.   11. To be sure, the
former has shorter summer vacations than the latter, but more free days
during the year.[1]   12. Here Hans was interrupted by John, who said that
his friend had forgotten something important.   13. The German pupils have
to go to school six days a (German: in the) week.[1]   14. So, their school
year is longer than ours in America.[1]   15. Hans had to admit (zugeben) that
that was still the case.   16. It was generally assumed, however, that a
shorter school week would soon be introduced.[1]   17. John said he was sure
that the German pupils would be very happy about that.

H. *Composition*
Describe in German the German educational system.

---

[1] Note that these sentences are still in indirect discourse.

German Information Center

Dorfschule

Antworten Sie auf deutsch!
1. Was zeigt dieses Bild?
2. Was für eine Schule ist das?
3. Was für eine Landkarte ist auf dem Bild?
4. Ist Deutschland ein ungeteiltes Land?
5. Was erklärt der Lehrer seinen Schülern?
6. In welchem Teil Deutschlands liegt Berlin?
7. Warum heben viele der Schüler die Hand?
8. Werden nur Mädchen in dieser Schule unterrichtet?

Aufgabe 20

PATTERN SENTENCE:

Wofür interessiert sich die heute in Deutschland aufwachsende junge Generation?

Überall in der Welt interessiert man sich heute für die deutsche Jugend. Man tut das nicht, weil diese jungen Menschen interessanter wären als diejenigen anderer Länder, sondern weil man sich gewisse, diese Jugend besonders betreffende[1] Fragen stellt. So kann man sich zum Beispiel

5 einen Franzosen, Engländer oder Amerikaner vorstellen, der fragt: Wie wird sich die heute in Deutschland aufwachsende Generation entwickeln nach allen Veränderungen,[2] die seit dem Ende des zweiten Weltkrieges in diesem Land stattgefunden haben? Wird diese Generation aggressiv sein oder gleichgültig, faul oder fleißig, radikal oder gemäßigt?[3] Wird

10 der deutsche Nationalismus wieder erscheinen, oder werden die jungen Deutschen in Zukunft anderen Völkern gegenüber objektiver sein? Das sind Fragen, für die man sich im Ausland interessiert, aber auch in Deutschland selbst.

Die Regierung der deutschen Bundesrepublik und verschiedene, mit

15 den Problemen der deutschen Jugend sich beschäftigende Organisationen möchten wissen, wie sich die kommende Generation entwickeln wird, und was für Rat und Hilfe sie braucht. Alle vier Jahre veröffentlicht[4] die Regierung einen Bericht über die junge Generation. Diese Berichte beschäftigen sich mit den jungen Menschen im Alter von 15 bis 25 Jahren.

20 Der letzte, erst kürzlich veröffentlichte Bericht überraschte nicht nur die meisten Deutschen, sondern auch das Ausland. Er zeigt nämlich eine

---

[1] **betreffen, betraf, betroffen** to concern.   [2] **die Veränderung, -en** change.   [3] **gemäßigt** moderate.   [4] **veröffentlichen** to publish.

Jugend, die sich positiver entwickelt hat, als man erwartet hatte. Was am
meisten überraschte, waren folgende Tatsachen:

Erstens: Die westdeutsche Jugend interessiert sich für das, was in
ihrem eigenen Land geschieht; sie will aber auch wissen, was für Politik in   25
anderen Ländern der Welt gemacht wird. Deshalb liest man regelmäßig[5]
eine Zeitung, hört Nachrichten am Radio, oder sieht sich eines der über
wichtige Ereignisse in der ganzen Welt berichtenden Fernsehprogramme
an. (Es gibt übrigens heute in der Bundesrepublik kaum noch eine Familie,
die keinen Fernsehapparat besitzt.) So sollte sich niemand wundern, daß   30
63%, also fast zwei Drittel der Jugend über wichtige Ereignisse in der
Weltpolitik gut informiert sind. Dagegen wollen aber nur 5% der jungen
Deutschen etwas mit Parteipolitik[6] zu tun haben! Die meisten wissen
weder, wie diese Parteien funktionieren, noch welche Rolle der Einzelne[7]
in der Partei spielen soll. Man ist für den Westen und gegen den Kom-   35
munismus, und man wünscht sich ein politisch und wirtschaftlich ver-
einigtes[8] Europa. Hauptsächlich aber will man fremde Länder und deren
Menschen kennenlernen, damit man sie besser verstehen und in Frieden
mit ihnen leben kann. Das für 80% aller jungen Deutschen wichtigste
Problem ist die Frage der Wiedervereinigung[9] ihres Landes. Kaum einer   40
von ihnen hat jemals mit einem der in der Deutschen Demokratischen
Republik lebenden 17 Millionen Deutschen gesprochen. Hier sind seit
Jahren Deutsche von Deutschen getrennt, und deshalb wollen sie alle die
Wiedervereinigung. Sie wissen aber auch, daß es wahrscheinlich noch
lange dauern wird, ehe man dieses Ziel wird erreichen können.   45

Zweitens: Trotz aller sozialen und wirtschaftlichen Veränderungen, die
seit dem Ende des letzten Krieges stattgefunden haben, hat sich das Familienleben in der Bundesrepublik kaum geändert. Was sich aber geändert
hat, — und das ist etwas Wichtiges — ist die Rolle des Vaters in der
Familie. Vieles ist demokratischer geworden, denn ein Teil der früher so   50
großen Autorität des Vaters ist an die Mutter gegangen. Viele Mütter
arbeiten heute außerhalb des Hauses, wodurch mehr Geld verdient wird,
wodurch aber auch die Rolle der Mütter innerhalb des Hauses anders
geworden ist. Die Kinder sehen in ihren Eltern gleichberechtigte Partner
und haben größeres Vertrauen[10] in sie als noch vor zehn oder zwanzig   55
Jahren.

Drittens: Obwohl die Gesundheit der gegen Ende des Krieges und kurz
danach geborenen Kinder zuerst ziemlich schlecht war, da es damals

---

[5] **regelmäßig** regularly.   [6] **die Parteipolitik** party politics.   [7] **der Einzelne, -n** individual.
[8] **vereinigen** to unite.   [9] **die Wiedervereinigung** reunification.   [10] **das Vertrauen** confidence.

nicht genug zu essen gab, sind die jungen Menschen von heute gesünder
60   als früher. Aber auch die für ihre Liebe zum Sport bekannten Deutschen
sind ein bißchen fauler geworden und treiben nicht mehr genug Sport. Sie
fahren lieber mit dem Auto oder kaufen sich ein Motorrad, als daß sie zu
Fuß gehen oder wandern. Manche Leute sind der Meinung, daß hier die
Schulen helfen und mehr Sport verlangen sollten.

65   Viertens: Man heiratet heute in Deutschland früher als noch vor einigen
Jahren. 1949 haben die meisten jungen Männer erst mit 28 Jahren geheiratet, heute tun sie es durchschnittlich drei Jahre früher. Bei den
Mädchen ist es ähnlich. Vor ungefähr fünfzehn Jahren haben sie mit
25 geheiratet, heute finden sie ihr Glück schon mit 23!

70   Fünftens: Es dürfte kaum überraschen, daß die meisten der eine höhere
Schule besuchenden jungen Menschen am liebsten Fremdsprachen lernen.
Damit gewinnen sie am leichtesten ein Verständnis für die in ihrer Nähe
lebenden anderen Völker, deren Länder sie während der Ferien und als
Austauschstudenten[11] oft besuchen. An zweiter Stelle hinter den Fremd-
75   sprachen stehen die Naturwissenschaften, denn will man die immer weiter
ins Weltall[12] vorstoßende[13] Raumschiffahrt[14] verstehen, dann muß man
über die Naturwissenschaften sehr gut Bescheid wissen.

Die junge Generation hat es wirklich gut, denn es gibt heute in der
Bundesrepublik mehr Arbeit als Arbeiter. Dadurch wird mehr Geld
80   verdient, man kann sich mehr leisten und sich bessere und modernere
Kleidung kaufen. Obwohl die Preise oft ziemlich hoch sind, kauft man
sich öfter eine neue Bluse oder ein Hemd, ein Paar neue Schuhe, Hand-
schuhe oder einen Hut, einen Anzug oder ein Kleid, einen Rock oder
auch einen Mantel, wo man früher gesagt hätte, die Strümpfe oder das
85   Kleid oder der alte Wintermantel seien noch gut genug. Und so ist es
kein Wunder, daß die Bundesrepublik heute eines der modernsten Länder
der Welt ist. Das bedeutet aber auch, daß besonders die jungen Menschen
viel realistischer und praktischer denken als früher und viel von dem als
typisch deutsch betrachteten[15] Idealismus verloren haben. Das zeigt sich,
90   wenn für jeden jungen Mann die Zeit kommt, wo er Soldat werden muß.
Er weiß, daß leider jedes Land Soldaten haben muß, aber er ist nicht mehr
gern Soldat, wie das früher einmal war. Die deutsche Jugend von heute
kennt und sieht ziemlich genau die von ihren Vätern in der Vergangenheit
gemachten Fehler, und sie weiß auch, was getan werden muß, damit diese
95   Fehler nicht wiederholt werden.

---

[11] **der Austauschstudent, -en** exchange student.   [12] **das Weltall** universe.   [13] **vor/stoßen,
stieß vor, ist vorgestoßen** to advance.   [14] **die Raumschiffahrt** space travel. [15] **betrachten** to
consider.

WORTSCHATZ

(sich) ändern	to change		hauptsächlich	main(ly)
der Anzug, ⸗e	suit		das Hemd, -en	shirt
auf/wachsen, wuchs	to grow up		der Hut, ⸗e	hat
auf, ist aufge-			je, jemals	ever
wachsen,			das Kleid, -er	dress
wächst auf			die Kleidung	clothes
die Bluse, -n	blouse		der Kommunismus	communism
demokratisch	democratic		kürzlich	recently
der Engländer, -	Englishman		die Meinung, -en	opinion
(sich) entwickeln	to develop		das Motorrad, ⸗er	motorcycle
die Entwicklung, -en	development		die Politik	politics
das Ereignis, -se	event		der Preis, -e	price
faul	lazy		der Rock, ⸗e	skirt
der Fehler, -	error, mistake		die Rolle, -n	role
das Fernsehprogramm,			der Schuh, -e	shoe
-e	TV program		der Handschuh	glove
fleißig	diligent, indus-		statt/finden, fand	
	trious		statt, stattge-	
fremd	strange, foreign		funden	to take place
gesund	healthy		die Stelle, -n	place, spot
die Gesundheit	health		der Strumpf, ⸗e	stocking
gewiß	certain		das Verständnis, -se	understanding
gleichgültig	indifferent		typisch	typical
das Glück	happiness, (good)		das Ziel, -e	aim, goal
	luck			

IDIOMS

alle . . . Jahre (Monate, Wochen, Tage)	every . . . years (months, weeks, days)
(sich) beschäftigen (mit)	to be concerned (with)
Bescheid wissen (über, *with acc.*)	to be informed (about)
ein bißchen	a little (bit)
in Zukunft	in the future
sich wundern (über, *with acc.*)	to be surprised (at)

PATTERNS AND FORMS

Patterns

PATTERN 20: EXTENDED-ADJECTIVE MODIFIERS

a. With Present Participle

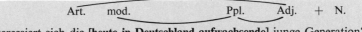

Art. mod. Ppl. Adj. + N.

Wofür interessiert sich die [heute in Deutschland aufwachsende] junge Generation?
What is the young generation (that is) growing up in Germany today interested in?

b. With Past Participle

Art. + Adj.   mod.   Ppl.   N.   +   mod.

Ein neues, [**von meinem guten Freund geschriebenes**] Buch über Wassersport erscheint
bald.
*A new book about water sports, which was written by my good friend, will soon
appear.*

c. With Adjective Instead of Participle

Art.   mod.   Adj.   N.

Das ist eine [**für die Entwicklung der deutschen Jugend sehr wichtige**] Tatsache.
That is a very important fact for the development of German youth.

d. Participle Used as Noun

Art.   mod.   Ppl. = N.

Er hat nur das [**von allen anderen Ärzten schon Gesagte**] wiederholt.
He only repeated what had already been said by all other doctors.

e. Two or More Modifiers With the Same Noun

Adj.   (1)   (2)   N.
    [mod.   Ppl.]   +   [mod.   adj.]

Dieses [**im Gefängnis geschriebene**] und [**heute in der ganzen Welt bekannte**] Werk
handelt von der Freiheit des Menschen.
*This work, which was written in prison and today is well known in the entire world,
deals with the freedom of man.*

f. One Modifier Within Another Modifier

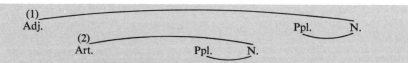

    (1)
    Adj.   Ppl.   N.
        (2)
        Art.   Ppl.   N.

Dieses [**von dem (noch in Berlin wohnenden) Dichter geschriebene**] Werk handelt von
der Freiheit des Menschen.
*This work, which was written by the poet who is still living in Berlin, deals with the
freedom of man.*

Note: In both German and English, participles may be used as adjectives (see Lessons 10, 11). In English, however, while we may say "a well-written book," we may not say "a by-my-good-friend-written book"; that is, a participle with modifiers may not be used as an attributive adjective. In German, especially in the written language, such constructions are not only possible but frequent, although they rarely occur in everyday speech. It is, therefore, important for you to learn to recognize them in your reading.

Observe the following about extended-adjective modifiers:

1. Although they may be rather long expressions, they are basically attributive adjectives and, therefore, precede the noun they modify. They may follow an article, and they may be used together with other adjectives.

2. All attributive adjectives have endings. Thus, the last word of an extended adjective modifier (very often a participle) has the usual adjective ending: **das geschriebene Buch; das gut geschriebene Buch; das von meinem guten Freund geschriebene Buch.**

3. Any extended-adjective modifier may be replaced by a relative clause: **das von meinem guten Freund geschriebene Buch = das Buch, das von meinem guten Freund geschrieben wurde.**

How to recognize an extended adjective modifier:

Look for an interruption in the normal structure of a sentence. In the last example given above, **das von** is a clue, since an article would not normally be followed by a preposition (just as English *the of* or *the by* makes no sense). Observe similar interruptions in each of the pattern sentences. (To help you recognize the extended-adjective modifiers in the sentences above, we have enclosed them in brackets.)

Observation 20a: An extended-adjective modifier containing a present participle represents an active situation; that is, it describes what the noun it modifies is doing **(die . . . aufwachsende Generation = die Generation, die aufwächst).**

Observation 20b: An extended-adjective modifier containing a past participle represents a passive situation; that is, it describes what has happened or is happening to the noun it modifies **(ein . . . geschriebenes Buch = ein Buch, das geschrieben wurde).**

Observation 20c: Occasionally an extended-adjective modifier may contain a descriptive adjective instead of a participle. Such a construction is the equivalent of a relative clause with the verb **sein (eine . . . wichtige Tatsache = eine Tatsache, die wichtig ist).**

Observation 20d: If the participle is capitalized and used as a noun, it functions both as the modifying adjective and the noun modified. Such a construction is the equivalent of a relative clause introduced by the indefinite pronoun **was** (**das . . . Gesagte = das, was gesagt wurde**).

Observation 20e: Two or more extended-adjective modifiers modifying the same noun are the equivalent of two or more relative clauses with the same antecedent (**dieses . . . geschriebene und . . . bekannte Werk** = *this work, which was written . . . and is known . . .*).

Observation 20f: One extended-adjective modifier within another is the equivalent of one relative clause dependent on another (**dieses von dem noch in Berlin wohnenden Dichter geschriebene Werk** = *this work, which was written by the poet who is still living in Berlin*)

Forms
Prepositions Following their Objects

Meiner Meinung nach ist das nicht wahr.
In my opinion that's not true.
Er wohnt **der Post gegenüber.**
He lives opposite (across from) the post office.
Wir fuhren einige Kilometer **den Rhein entlang.**
We drove along the Rhine for several kilometers.
Meinetwegen kannst du morgen kommen.
So far as I'm concerned, you may come tomorrow.

Some prepositions, especially **gegenüber** (*opposite, across from;* with dative) and **entlang** (*along;* with accusative), normally follow their objects. **Nach** may follow its object when it means *according to.* **Wegen** (*because of*) follows pronoun objects and is attached to them; the pronouns also take a special form ending in **-t: meinetwegen, deinetwegen, ihretwegen;** but: **unsertwegen, euretwegen** (Compare the usual genitive pronouns in Lesson 6). Note also the idiomatic use of **meinetwegen.**

ÜBUNGEN

A. *Change each relative clause to an extended-adjective modifier:*

EXAMPLE: die junge Generation, die heute in Deutschland aufwächst
die heute in Deutschland aufwachsende junge Generation

1. die Fragen, die von Deutschen und Ausländern gestellt werden   2. ein Lied, das von allen Studenten immer gern gesungen wird   3. der Mann,

der über die Weltpolitik gut informiert ist 4. ein Dichter, der hauptsächlich Liebesgedichte schreibt 5. in dem Zug, der aus Hamburg kam 6. ein Vater, der auf seinen Sohn sehr stolz ist 7. in den Schulen, die von den meisten Schülern besucht werden 8. das alte Schloß, das von allen Reisenden besichtigt wird 9. junge Menschen, die viel realistischer und praktischer denken 10. die Völker, die in ihrer Nähe leben 11. die Preise, die immer höher steigen 12. die Raumschiffahrt, die immer weiter ins Weltall vorstößt 13. der Bericht über die Jugend, der von der Regierung alle vier Jahre veröffentlicht wird 14. das Familienleben, das viel demokratischer geworden ist 15. die jungen Leute, die bei uns als Austauschstudenten studieren

B. *Change each extended-adjective modifier to a relative clause and translate into English:*

> EXAMPLE: die heute in Deutschland aufwachsende junge Generation
> die junge Generation, die heute in Deutschland aufwächst
> *the young generation (that is) growing up in Germany today*

1. der letzte, erst kürzlich veröffentlichte Bericht 2. die ungefähr zur Zeit Karls des Großen gegründeten deutschen Schulen 3. verschiedene mit den Problemen der deutschen Jugend sich beschäftigende Organisationen 4. diese in seinen vor vielen Jahren geschriebenen Werken oft erscheinenden Gedanken 5. ein in der Partei eine wichtige Rolle spielender Mann 6. viele der in der D.D.R. lebenden Deutschen 7. das von uns noch nicht erreichte Ziel 8. das von uns in der letzten Aufgabe über das deutsche Schulsystem Gesagte 9. dieses von vielen gelesene neue Buch über Italien 10. der von vielen als typisch deutsch betrachtete aber immer mehr verschwindende Idealismus 11. die von vielen nicht bestandene schwierige Prüfung 12. die schon lange vorgeschlagenen nötigen Änderungen 13. Er sieht sich gern die über wichtige Ereignisse in der ganzen Welt berichtenden Fernsehprogramme an. 14. Er wundert sich nicht mehr über die in der deutschen Sprache möglichen Schwierigkeiten. 15. Er schickte mir einen über Land und Leute sehr objektiv berichtenden Brief aus Schweden.

C. *Review of prepositions; say in German:*

1. to France 2. through the forest 3. because of your mistakes 4. at my brother's house 5. opposite the gas station 6. since the war 7. without this tradition 8. in spite of his explanation 9. in our opinion 10. on the wall (*location*) 11. at home 12. to the theater 13. from the road (up) to the river 14. onto the table 15. along the road 16. between the earth and the moon 17. at ten o'clock 18. after this TV program 19. three years ago 20. for or against the government 21. to the doctor 22. because of him

D. *Write in German:*

1. The interest in youth that prevails in Germany today is found also in most other countries.   2. It is no wonder that one worries about the problems of youth, since approximately half of the people (who are) living in the U.S. are[1] under 25 years old.   3. In spite of many reports that have appeared recently, the same questions are still being asked: 4. Are (the) young people concerned with politics or are they interested only in their own pleasure?   5. Is the young generation which is growing up today lazier or more industrious than the older (one) was?   6. Although we have no answers for (auf + *acc.*) such difficult questions, one (thing) seems to be certain: 7. There is nothing new under the sun.   8. What is said today about the young generation was already said many centuries ago about the young people (who were) living at that time.   9. Let's take, for example, a story that originated in Scandinavia in the thirteenth century.   10. A father says sadly: "I don't know what's the matter with the youth of today.   11. When I was young, we rode and fought and worked, but now look at my son!   12. He prefers to sit by (an) the fire and eat and sleep, while our friends and neighbors are being killed by robbers."   13. If instead of the word *fire*, we say *television set*, then we see that almost nothing has changed in the last 700 years.

E. *Composition*

Relate briefly what modern German youth is most interested in.

[1] Use singular verb. Why?

German Information Center

Im Studentenheim

SUPPLEMENTARY VOCABULARY

die Gitarre, -n	guitar
einzeln	individual
die Pfeife, -n	pipe
rauchen	to smoke
die Socke, -n	sock
das Studentenheim	student dormitory

Antworten Sie auf deutsch!
1. Was für Leute sehen Sie auf diesem Bild?
2. Was tun die einzelnen Leute?
3. Was steht auf dem Tisch?
4. Sind diese Leute Deutsche oder Amerikaner?
5. Was sehen Sie an den Wänden?
6. Was für Möbel hat das Zimmer?
7. Beschreiben Sie die Kleidung der einzelnen Leute!

Aufgabe 21

PATTERN SENTENCE:

Man braucht keine Flügel, um wie die Vögel zu fliegen.

Tausende von Jahren träumten die Menschen vom Fliegen. Die ersten, denen es gelungen sein soll, sich wie Vögel in die Luft zu erheben,[1] waren die beiden Griechen[2] Dädalus und dessen Sohn Ikarus. Wie die Sage berichtet, habe Dädalus, um von der Insel Kreta[3] fliehen zu können, wo

5 er das berühmte Labyrinth hatte bauen müssen, für sich und seinen Sohn Flügel aus Vogelfedern[4] und Wachs gemacht. Es sei ihnen auch tatsächlich gelungen zu fliegen, wobei jedoch der junge Ikarus, ohne auf die Warnung seines Vaters zu achten der Sonne zu nahe gekommen, und, weil dadurch das Wachs geschmolzen, abgestürzt[5] und ums Leben ge-

10 kommen[6] sei. Die Moral dieser Geschichte ist Ihnen doch klar, nicht wahr?

Eine deutsche Sage[7] aus der Zeit des späten Mittelalters erzählt uns von einem Schneider, der in der Stadt Ulm gelebt und eines Tages auch habe fliegen wollen. Um das zu tun, habe er sich Flügel gemacht, sei auf den

15 Turm des Münsters gestiegen und hinunter geflogen. Unglücklicherweise sei er aber in die an der Stadt vorbeifließende Donau gefallen und ertrunken.[8] Daß der berühmte Italiener Leonardo da Vinci (1452-1519) nicht nur Maler war, sondern auch alle möglichen Kriegs- und Flugmaschinen[9] zu bauen versuchte, ist Ihnen sicher nichts Neues. Aber ein

20 brauchbares[10] Flugzeug konnte auch er nicht bauen.

---

[1] **sich erheben, erhob, erhoben** to rise. [2] **der Grieche, -n** Greek. [3] Crete. [4] **die Vogelfeder, -n** bird's feather. [5] **ab/stürzen** to go down, crash. [6] **ums Leben kommen** to perish. [7] **die Sage, -n** legend. [8] **ertrinken, ertrank, ist ertrunken** to drown. [9] war and flying machines. [10] **brauchbar** usable.

240

Dann kam aber das Jahr 1783, in dem zwei Franzosen, die Brüder Jacques und Joseph Montgolfier, den ersten Ballon konstruierten,[11] der wirklich flog. Er arbeitete nach dem Heißluftprinzip,[12] das heißt man konnte ihn steigen lassen, indem man heiße Luft produzierte und diese in die Ballonhülle[13] einführte. Sobald sich die Luft abkühlte,[14] kehrte der 25 Ballon wieder auf die Erde zurück. Diese Art des Fliegens war aber ziemlich gefährlich. Die Gefahr bestand[15] nämlich, daß das unter dem Ballon brennende Feuer, durch das die Luft erhitzt[16] wurde, diesen in Brand setzte, wodurch er, anstatt zu steigen, das Gegenteil davon tat! Und schließlich war ja ein Ballon auch ein schwer zu kontrollierender, 30 von Wind und Wetter abhängiger Flugapparat,[17] der einen oft dahin trug, wo man gar nicht hinwollte. Obwohl man nun also schon in die Luft steigen konnte, waren noch viele Probleme zu lösen, ehe man richtig flog.

Nicht nur war ein den Vögeln ähnlicher Apparat zu erfinden und dann zu bauen, sondern auch eine Kraftquelle[18] war nötig, womit sich dieser 35 Apparat antreiben[19] ließe. Den beiden Amerikanern Wilbur und Orville Wright gelang es endlich im Jahre 1903, ein Flugzeug mit Verbrennungsmotor[20] zu bauen, und am 17. Dezember desselben Jahres starteten sie bei Kitty Hawk im Staate North Carolina zu ihren ersten Flügen. Heute lacht man, wenn man hört, daß dieses Flugzeug nur eine Geschwindigkeit 40 von 10 km in der Stunde erreichte, daß der erste Flug nur 12 Sekunden dauerte und daß dabei eine Strecke von ungefähr 40 m zurückgelegt[21] wurde! Was für ein Unterschied ist das zu den heute in kaum sechs Stunden von New York nach London fliegenden großen Düsenflugzeugen!

Aber selbst mit diesen Geschwindigkeiten sind die Menschen schon 45 lange nicht mehr zufrieden. Heute will man ins Weltall fliegen, will Mond, Planeten[22] und Sterne aus nächster Nähe kennenlernen. Dazu sind aber riesige[23] Raketen[24] zu bauen, um die zur Überwindung[25] der Erdschwerkraft[26] nötige Geschwindigkeit von 11,17 km in der Sekunde zu erreichen.

Es ist noch zu erwähnen, daß in demselben Jahr, in dem die Brüder 50 Wright zu ihrem ersten Flug starteten, also im Jahre 1903, der russische Wissenschaftler[27] Konstantin Tsiolkovsky die erste wissenschaftliche[28] Arbeit über für den Raumflug[29] zu verwendende Raketen veröffentlichte.

[11] **konstruieren** to construct.   [12] das **Heißluftprinzip** hot-air principle.   [13] **die Ballonhülle, -n** balloon cover.   [14] **(sich) ab/kühlen** to cool off.   [15] *here* existed.   [16] **erhitzen** to heat.   [17] **der Flugapparat, -e** flying apparatus.   [18] **die Kraftquelle, -n** source of power.   [19] **an/treiben, trieb an, angetrieben** to drive, propel.   [20] **der Verbrennungsmotor, -en** combustion engine.   [21] **zurücklegen** to cover.   [22] **der Planet, -en** planet.   [23] **riesig** gigantic.   [24] **die Rakete, -n** rocket.   [25] **die Überwindung** overcoming.   [26] **die Erdschwerkraft** earth's gravity.   [27] **der Wissenschaftler, -** scientist.   [28] **wissenschaftlich** scientific.   [29] **der Raumflug, ⸗e** space flight.

55 Aber erst zwanzig Jahre später begann man, sich ernsthaft mit den Problemen der Raketenforschung[30] zu beschäftigen. Unabhängig voneinander arbeitend, kamen der Amerikaner Robert H. Goddard und der Deutsche Hermann Oberth zu ähnlichen Ergebnissen.[31] Nach zuerst ziemlich primitiven Raketen hat man heute schon dreistufige[32] mit festem oder flüssigem Treibstoff,[33] die die Raumkapseln[34] als Erd-, Mond-, oder
60 Sonnensatelliten ins Weltall schießen. Bald werden wir wahrscheinlich zum Mond und den Planeten fliegen, ohne daß das als etwas Merkwürdiges zu betrachten wäre.

[30] **die Forschung** research.   [31] **das Ergebnis, -se** result.   [32] **dreistufig** three-stage.   [33] **der Treibstoff** fuel.   [34] **die Raumkapsel, -n** space capsule.

WORTSCHATZ

abhängig (von)	dependent (on)	die **Luft, ⸗e**	air
unabhängig (von)	independent (of)	der **Maler, -**	painter
die **Art, -en**	kind, type	**merkwürdig**	strange
erfinden, erfand,		das **Problem, -e**	problem
erfunden	to invent	**russisch**	Russian
ernsthaft	serious(ly)	**schießen, schoß,**	
fest	solid	**geschossen**	to shoot
fließen, floß, ist		**schließlich**	finally, after all
geflossen	to flow	**schmelzen, schmolz,**	to melt
vorbei/fließen	to flow past	**ist geschmolzen,**	
der **Flug, ⸗e**	flight	**schmilzt**	
der **Flügel, -**	wing	der **Schneider, -**	tailor
flüssig	liquid	**sobald**	as soon as
die **Gefahr, -en**	danger	**starten**	to start (*an engine,*
gelingen, gelang,			*plane*)
ist gelungen	to succeed	der **Stern, -e**	star
(*with dat.*)		die **Strecke, -n**	distance
die **Geschwindigkeit,**		**unglücklicherweise**	unfortunately
-en	speed, velocity	das **Wachs**	wax
die **Insel, -n**	island	der **Wind, -e**	wind
jedoch	however	**zufrieden**	satisfied, content
klar	clear	**zurück/kehren**	to return
lösen	to solve		

IDIOMS

achten auf (*with acc.*)	to pay attention to
alle möglichen	all kinds of
betrachten als	to consider
es gelingt mir . . . zu tun	I succeed in doing
in Brand setzen	to set on fire

PATTERNS AND FORMS

Patterns

PATTERN **21**: INFINITIVE AND PARTICIPIAL PHRASES

a. Infinitive Phrases

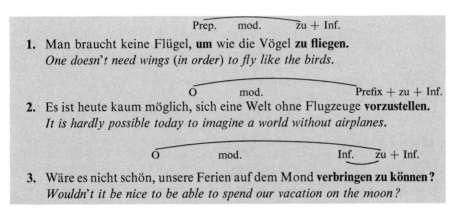

Prep.   mod.   zu + Inf.

1. Man braucht keine Flügel, **um** wie die Vögel **zu fliegen.**
   One doesn't need wings (in order) to fly like the birds.

O   mod.   Prefix + zu + Inf.

2. Es ist heute kaum möglich, sich eine Welt ohne Flugzeuge **vorzustellen.**
   It is hardly possible today to imagine a world without airplanes.

O   mod.   Inf.   zu + Inf.

3. Wäre es nicht schön, unsere Ferien auf dem Mond **verbringen zu können?**
   Wouldn't it be nice to be able to spend our vacation on the moon?

b. Participial Phrases

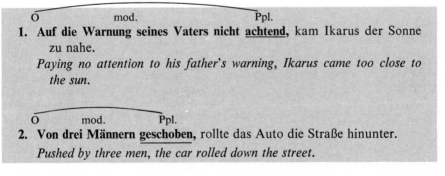

O   mod.   Ppl.

1. **Auf die Warnung seines Vaters nicht <u>achtend</u>,** kam Ikarus der Sonne
   zu nahe.
   *Paying no attention to his father's warning, Ikarus came too close to
   the sun.*

O   mod.   Ppl.

2. **Von drei Männern <u>geschoben</u>,** rollte das Auto die Straße hinunter.
   Pushed by three men, the car rolled down the street.

Observation 21a: In an infinitive phrase, the infinitive (with **zu**) is at the end;
the phrase may be introduced by a preposition (a 1) or nothing (a 2,3). Infinitive
phrases are usually set off by commas.[1]

Observation 21b: In a participial phrase, the participle is at the end; participial
phrases are set off by commas. A present participle is active in meaning, a past

---

[1] If the infinitive is used alone without modifiers, no comma is needed: Es ist ihnen gelungen
zu fliegen.

participle is passive or indicates a completed action.[1] Participial phrases are used much less often in German than in English.

Note that in both phrases and clauses, verbals (infinitives and participles) are always at or near the end.

Forms

1. Infinitives Without and With <u>zu</u>

a. Without **zu**

Er wird **kommen.**	*He will come.*
Er muß **kommen.**	*He must come.*
Ich hörte ihn **kommen.**	*I heard him come (coming).*

b. With **zu**

Er hofft, morgen zu uns **zu kommen.**
He hopes to come to (see) us tomorrow.
Er muß mit dem Bus fahren, **um** nach Hause **zu kommen.**
He has to take the bus in order to get home.
Er verbrachte drei Jahre in Europa, **ohne** nach Hause **zu kommen.**
He spent three years in Europe without coming home.
Er blieb zu Hause, **(an)statt** zu uns **zu kommen.**
He stayed home instead of coming to (see) us.

Infinitives are used without **zu:**

1. after **werden,** to form the future;
2. after modal auxiliaries;
3. after certain verbs that behave like modals (especially **lassen, hören, sehen;** see Lesson 12).

Otherwise infinitives are normally used with **zu;** for example:

1. after verbs other than those listed above;
2. after the prepositions **um, ohne, (an)statt.** Note the English equivalents of the infinitive with **ohne** and **anstatt.**

2. Infinitives With <u>zu</u>: Separable Verbs

Es ist uns nicht gelungen, vor zwölf Uhr nach Hause **zurückzukehren.**
We didn't succeed in returning home before twelve o'clock.

---

[1] Past participles of intransitive verbs (which cannot have a passive meaning) indicate a completed action:

Nach Hause **zurückgekehrt,** ging er sofort zu Bett.(= **Nachdem er** nach Hause **zurückgekehrt war, . . .**)
(After) having returned home, he went to bed at once.

Es freut mich sehr, Sie **kennenzulernen.**
I am very happy to meet you.

Note the position of **zu** between the prefix and the verb.

3. <u>Sein</u> Plus Infinitive With <u>zu</u>

Dieses Problem **ist** noch **zu lösen.** (= Dieses Problem muß noch gelöst werden.)
This problem is still to be solved (still must be solved).
Keine Stimme **war zu hören.** (= Keine Stimme konnte gehört werden.)
No voice was to be heard (could be heard).
Es **ist** noch **zu erwähnen,** daß . . . (= Es muß [soll] noch erwähnt werden, daß . . .)
It still must (should) be mentioned, that . . .

A form of the verb **sein** plus infinitive with **zu** is frequently used as a substitute for a modal auxiliary (usually **müssen, sollen,** or **können**) plus passive infinitive. (English: *is to be* [*done*], *must be* [*done*], *can be* [*done*], etc.)

4. <u>Zu</u> Plus Present Participle

das noch **zu lösende** Problem (= das Problem, das noch zu lösen ist)
the problem that is still to be solved (that still must be solved)
für den Raumflug **zu verwendende** Raketen (= Raketen, die für den Raumflug zu verwenden sind)
rockets that are to be (can be) used for space flight

An extended-adjective construction containing **zu** plus present participle (with adjective endings) is the equivalent of a relative clause containing **sein** plus infinitive with **zu** (3 above).

5. Indem

Indem er das **sagte,** ging er zur Tür. (= Das sagend, ging er zur Tür.)
Saying that, he went to the door.
Man konnte den Ballon steigen lassen, **indem man** heiße Luft in die Ballonhülle **einführte.**
The balloon could be made to rise by introducing hot air into the balloon cover.

A dependent clause introduced by the conjunction **indem** is usually best rendered in English by a participial phrase. A clause with **indem** is also frequently used as a substitute for a present-participle phrase.

Caution: Do not confuse the one-word conjunction **indem** with the two words **in dem** (*in the* or *in which*).

6. Man, einem, einen

Man baut heute Flugzeuge, die **einen** in wenigen Stunden nach Europa bringen.

One builds airplanes today which take one to Europe in a few hours.

The pronoun **man** exists only in the nominative case and is always the subject of a clause. To express the indefinite pronoun in the dative and accusative, use **einem** and **einen.** There is no genitive form.

ÜBUNGEN

Mündlich

A. *Change the second sentence in each pair to an infinitive phrase (introduced by a preposition, if indicated):*

EXAMPLES: Er kommt. Er besucht mich. (um)
Er kommt, um mich zu besuchen.

Es freut mich. Ich sehe Sie wieder.
Es freut mich, Sie wieder zu sehen.

1. Ich rief ihn an. Ich stellte ihm eine Frage. (um)   2. Warum hast du das getan? Du hast mich nicht vorher gefragt. (ohne)   3. Es ist ihm nicht gelungen. Er hat das Problem nicht gelöst.   4. Ich lese dieses Buch. Ich kann es mit einem anderen vergleichen. (um)   5. Sie machten gestern abend noch einen Spaziergang. Sie gingen nicht sofort nach Hause zurück. (anstatt)   6. Ich las das merkwürdige Werk. Ich konnte es nicht ganz verstehen. (ohne)   7. Wir warteten noch eine Viertelstunde. Wir fingen nicht gleich an. (anstatt)   8. Ich half ihm. Er schrieb diesen wichtigen Brief. 9. Er fuhr nach Bonn. Er besuchte seine hübsche Braut. (um)   10. Wäre es möglich? Kauft man hier ein Auto so billig?   11. Sie saß drei Stunden lang vor dem Fernsehapparat. Sie schlief nicht ein (ohne)   12. Die kleinen Kinder gingen allein durch den dunklen Wald. Sie hatten keine Angst. (ohne)   13. Sie hat alles versucht. Sie mußte die Arbeit nicht machen. (um) 14. Warum wollen Sie Französisch studieren? Sie lernen Deutsch. (anstatt) 15. Glücklicherweise gelang es den Soldaten nicht. Sie setzten die Stadt nicht in Brand.

B. *Change each participial phrase to a clause introduced by* **indem** *or* **nachdem:**

EXAMPLES: Das sagend, ging er zur Tür.
Indem er das sagte, ging er zur Tür.

> Nach Hause zurückgekehrt, ging er sofort ins Bett.
> Nachdem er nach Hause zurückgekehrt war, ging er sofort ins
> Bett.

1. Um die Ecke gehend, sah ich plötzlich Fritz da stehen. 2. In den Zug
steigend, bemerkte ich meinen alten Lehrer. 3. Aufstehend, dachte er sofort
ans Frühstück. 4. In München angekommen, ging er sofort ins Hotel.
5. An seine alte Mutter denkend, wollte er ihr einen langen Brief schreiben.
6. In den Bus eingestiegen, suchten sie sich einen Sitzplatz.

C. *Change the following phrases to sentences, using an infinitive with* **sein:**

EXAMPLE: dieses noch zu lösende Problem
         Dieses Problem ist noch zu lösen.

1. diese zu betonende Tatsache 2. das zu erklärende Wort 3. dieser nicht
auszusprechende Name 4. das jetzt zu erwähnende Drama 5. zwei zu
reparierende Autos 6. sein von allen zu lesender Roman

D. *Restate each of the sentences you formed in exercise C by using a modal
auxiliary with a passive infinitive:*

EXAMPLE: Dieses Problem ist noch zu lösen.
         Dieses Problem muß noch gelöst werden.

Schriftlich

E. *Review: write in German:*
1. We are waiting for the train. We are waiting for it. 2. Who's afraid of
this examination? Who's afraid of it? 3. I do not feel sorry for him.
4. This examination consists of two parts. 5. This report deals with (the)
German youth. 6. He was very proud of his invention. He was very proud
of it. 7. Don't worry about the future. Don't worry about it. 8. He fell
in love with his friend's sister. 9. Franz was to blame for everything. He
was to blame for it. 10. Here it is a question of the difference between two
systems. 11. I can't get used to this climate. I can't get used to it. 12. That
will depend entirely on the speed of the plane. 13. He is now concerned
with the study of communism. 14. We are not informed about these
questions. We are not informed about them. 15. Don't be surprised at the
high prices. Don't be surprised at them. 16. The driver must pay attention
to traffic lights. 17. I had to ask him for his ball-point pen. 18. Can you
still remember him? Can you still remember it? 19. I am looking forward
to the flight to Europe. 20. He likes to think of former times.

F. *Composition*
Relate briefly in German the history of aviation.

Lufthansa

Erfinden und erzählen Sie zwei kurze Geschichten über diese beiden Bilder!

Altes und Neues, 3. Teil

Gedanken zur deutschen Literatur der Gegenwart

Um die heutige deutsche Literatur zu verstehen, muß man einen kurzen
Blick auf die politischen Ereignisse der letzten Jahrzehnte werfen. In
Deutschland, das während des ersten Viertels dieses Jahrhunderts mit dem
literarischen Expressionismus einen wichtigen Beitrag[1] zum europäischen
Geistesleben[2] geleistet hatte, wurden nach 1933 viele Schriftsteller vom   5
Nazi-Regime zensiert,[3] am Schreiben gehindert und vom internationalen
Kunstleben[4] isoliert. Viele dieser Autoren wurden als Gegner des Regimes
in Konzentrationslagern[5] getötet, andere hörten auf zu schreiben, und
wieder andere sympathisierten mit den Nazis. Daneben gab es aber auch
solche Schriftsteller, die dem faschistischen Terror dadurch zu entkommen   10
versuchten, daß sie ihre Heimat verließen. Zu diesen gehörten so wichtige
und bekannte Persönlichkeiten[6] wie Thomas Mann und Bertolt Brecht.
Es hat also die Zeit von 1933 bis 1945 eine Unterbrechung in der Entwicklung der deutschen Literatur verursacht,[7] deren Folgen[8] nur langsam
überwunden werden konnten.   15
Obgleich es zu optimistisch wäre zu behaupten, es gebe keine Nach-
wirkungen[9] faschistischer Tendenzen in der deutschen Literatur seit 1945,

---

[1] **einen Beitrag leisten zu** to make a contribution toward.   [2] **das Geistesleben** intellectual
life.   [3] **zensieren** to censor.   [4] **das Kunstleben** artistic life.   [5] **das Lager, -** camp.
[6] **die Persönlichkeit, -en** personality.   [7] **verursachen** to cause.   [8] **die Folge, -n** consequence.
[9] **die Nachwirkung, -en** aftereffect.

so kann doch gesagt werden, daß die Mehrzahl der deutschen Nachkriegs-
autoren[10] jene Phase ihrer Geschichte eindeutig[11] verurteilt.[12] Aber wenn
20 sie auch den Emigranten politisch und menschlich meistens nahestehen,[13]
so trennt sie doch von diesen ein Generationsunterschied, der zu oft ganz
verschiedenen künstlerischen Haltungen[14] geführt hat. Deshalb haben ja
auch die größten unter den wenigen Emigranten, die den Krieg ohne
Verlust ihrer Produktivität überlebten, wie Thomas Mann (1875–1955)
25 oder der expressionistische Schriftsteller Alfred Döblin (1878–1957), nur
einen verhältnismäßig[15] geringen Einfluß auf die heutige Literatur gehabt.
Nur Bertolt Brecht (1898–1956) hat die Entwicklung der neusten Literatur
entscheidend beeinflußt, und zwar hauptsächlich das Drama und damit
natürlich das Theater.
30   Darin also, daß eine Tradition fehlte, worauf sich die jungen Dichter
hätten stützen[16] können, ist das größte Problem zu sehen, das die deutsche
Literatur nach 1945 zu lösen hatte. Es blieb der neuen Generation nichts
anderes übrig, als bis zum Expressionismus zurückzugehen, um dort
künstlerischen Halt[17] zu finden. Doch gab es auch noch eine andere
35 Quelle, aus der man schöpfen[18] konnte, und das war die Literatur des Aus-
landes, die in Deutschland zwölf Jahre lang fast ganz verboten gewesen
war. Der Ire[19] James Joyce, die Franzosen Marcel Proust, Jean-Paul
Sartre und Albert Camus, die Amerikaner Ernest Hemingway, Thornton
Wilder und William Faulkner und viele andere ausländische Schriftsteller
40 wurden dadurch so wichtig für die Deutschen, daß sie halfen, ein litera-
risches Vakuum zu füllen. Inzwischen bedienten sich die jüngeren deutschen Autoren hauptsächlich eines realistischen Stils und einer Sprache,
deren Nüchternheit[20] dem harten Leben der ersten Nachkriegsjahre entsprach.[21] In diesem Stil fing z.B. der bekannte Romanschriftsteller Heinrich
45 Böll (1917–) an zu schreiben. Es wurde auch der Expressionismus wieder
belebt,[22] wie in Wolfgang Borcherts (1921–1947) Hörspiel[23] „Draußen vor
der Tür",[24] das bei seiner Erstaufführung[25] im Jahre 1947 einen unge-
heuren[26] Eindruck auf das Publikum[27] machte.

---

[10] **Nachkriegs-** postwar.   [11] **eindeutig** clear(ly).   [12] **verurteilen** to condemn.   [13] **nahe /
stehen, stand nahe, nahegestanden** (*with dat.*) to be close to.   [14] **die Haltung, -en** attitude.
[15] **verhältnismäßig** relative(ly).   [16] **sich stützen auf** (*with acc.*) to fall back on.   [17] **der
Halt** hold, support.   [18] **schöpfen** to draw.   [19] **der Ire, -n** Irishman.   [20] **die Nüchternheit**
sobriety.   [21] **entsprechen, entsprach, entsprochen** (*with dat.*) to correspond to.   [22] **beleben**
to bring back to life.   [23] **das Hörspiel, -e** radio play.   [24] *The Man Outside.*   [25] **die
Erstaufführung, -en** premiere.   [26] **ungeheuer** enormous.   [27] **das Publikum** public, audience.

Es ließ sich dann um 1952 in der deutschen Literatur eine neue sti-
listische Richtung festellen, die sich dadurch charakterisierte, daß sie   50
die internationalen Entwicklungen mehr oder weniger in sich aufge-
nommen hatte. Dazu kam noch, daß im täglichen Leben das Elend[28] der
Nachkriegsjahre von einem allgemeinen und schnell wachsenden Wohlstand[29] abgelöst[30] wurde. Es wurde auch in Deutschland und Österreich
erst damals ein deutschsprachiger[31] Autor entdeckt, der schon 1924   55
gestorben war, und dessen Werke man während des Dritten Reiches nicht
hatte kaufen können, nämlich Franz Kafka. Sein Einfluß ist bei vielen
Autoren zu sehen, wie z.B. bei der bekannten Schriftstellerin Ilse Aichinger
(1921–).

Gegen Ende der fünfziger Jahre[32] fand wieder ein literarischer Kurs-   60
wechsel[33] statt. Eine neue Generation von Dichtern, für die der Krieg oft
nur noch eine Kindheitserinnerung[34] war, begann jetzt zu schreiben. Die
Veröffentlichung[35] des Romans „Die Blechtrommel"[36] von Günter Grass
(1927–) im Jahre 1959 war der beste Beweis dafür, daß es nun wieder
eine deutsche Literatur von internationalem Rang[37] gab. „Die Blech-   65
trommel", ein Meisterwerk,[38] das in viele Sprachen übersetzt wurde, und
das von manchen sogar mit dem berühmten „Zauberberg"[39] von Thomas
Mann verglichen wird, wurde zum verdienten Welterfolg. Aber neben
Grass finden wir auch solche talentierten Dichter wie Ingeborg Bachmann
(1926–), Günter Eich (1907–), Wolfgang Hildesheimer (1916–), Siegfried   70
Lenz (1926–) und Martin Walser (1927–), um nur ein paar Namen zu
nennen. Auch in der Deutschen Demokratischen Republik gibt es heute
Schriftsteller von sehr hohem Niveau,[40] wie Erwin Strittmatter (1912–),
Manfred Bieler (1934–) und Peter Hacks (1928–). Dieser ist unter
anderem dadurch bekannt geworden, daß er 1955 von West- nach Ost-   75
Deutschland ging. Er ist Dramatiker[41] und wurde von Bertolt Brecht und
dessen Ostberliner Theater angezogen, denn bis dahin hatte ja das Drama
im Westen noch nichts Großes geleistet. Es hatte sich nur in der Schweiz
ein modernes Theater entwickelt und zwar durch die beiden großen Dramatiker Max Frisch (1911–) und Friedrich Dürrenmatt (1921–).   80

Erst einige Jahre nach dem Tode Brechts begann es, sich im west-
deutschen Theater zu regen.[42] Das Anfang 1963 zum ersten Mal aufge-

---

[28] **das Elend** misery.   [29] **der Wohlstand** affluence.   [30] **ab/lösen** to replace.   [31] **deutschsprachig** German-speaking.   [32] the Fifties.   [33] **der Kurswechsel, -** change of course.
[34] **die Kindheitserinnerung** childhood memory.   [35] **die Veröffentlichung, -en** publication.
[36] *The Tin Drum.*   [37] **der Rang, ⸚e** rank.   [38] **das Meisterwerk** masterpiece.   [39] *Magic
Mountain.*   [40] **das Niveau, -s** standard.   [41] **der Dramatiker, -** dramatist.   [42] **begann . . .
regen** things began to move.

führte Stück „Der Stellvertreter"[43] von Rolf Hochhuth (1931–), das
in der ganzen Welt bekannt wurde, verdankt[44] seinen Ruhm[45] allerdings[46]
85   hauptsächlich seinem sensationell antikirchlichen[47] Inhalt. Künstlerisch
Besseres leisteten in den letzten Jahren dann schon Dramatiker wie Heinar
Kipphardt (1922–) und Peter Weiss (1916–), durch dessen Stück „Die
Verfolgung und Ermordung Jean Paul Marats dargestellt durch die
Schauspielgruppe des Hospizes zu Charenton unter Anleitung des Herrn
90   de Sade"[48] das deutsche Gegenwartsdrama[49] einen Höhepunkt[50] erreicht
hat. Daran sieht man, daß die deutsche Literatur endlich nicht nur in der
Prosa und in der Lyrik, sondern auch im Drama den Anschluß[51] an die
Weltliteratur gefunden hat. Es ist auch in letzter Zeit eine objektivere
Haltung gegenüber Brecht festzustellen, was sich darin zeigt, daß dieser
95   im jüngsten Stück von Grass, „Die Plebejer proben den Aufstand. Ein
deutsches Trauerspiel",[52] zur historischen Figur geworden, die Rolle eines
Schriftstellers spielt, der seiner politischen Verantwortung nicht gewach-
sen[53] ist.

[43] *The Deputy.*   [44] **verdanken** to owe.   [45] **der Ruhm** fame.   [46] **allerdings** to be sure.
[47] **antikirchlich** antichurch.   [48] *The Persecution and Assassination of Marat as Performed by the
Inmates of the Asylum of Charenton under the Direction of the Marquis de Sade.*   [49] **das Gegenwartsdrama, -en** present-day drama.   [50] **der Höhepunkt, -e** climax.   [51] **der Anschluß, ⸗sse**
connection.   [52] *The Plebeians Rehearse the Uprising. A German Tragedy.*   [53] **einer Sache
(nicht) gewachsen sein** (not) to measure up to a thing.

WORTSCHATZ

an /ziehen, zog an,		der **Gegner, -**	enemy
angezogen	to attract	**gering**	slight, small
auf /nehmen, nahm auf,		**hart**	hard
aufgenommen	to take up	der **Inhalt, -e**	contents
sich bedienen	to help oneself	das **Jahrzehnt, -e**	decade
beeinflussen	to influence	**künstlerisch**	artistic
der **Beweis, -e**	evidence	**leisten**	to achieve
entdecken	to discover	die **Literatur, -en**	literature
entkommen, entkam,		**menschlich**	human
ist entkommen	to escape	die **Quelle, -n**	source, spring
der **Einfluß, ⸗sse**	influence	die **Richtung, -en**	direction
entscheiden, entschied,		der **Schriftsteller, -**	writer
entschieden	to decide	**täglich**	daily
entscheidend	decisive	**überleben**	to survive
fest /stellen	to ascertain,	**überwinden, überwand,**	
	determine	**überwunden**	to ꞈvercome
füllen	to fill	die **Unterbrechung, -en**	interruption
die **Gegenwart**	present	der **Verlust, -e**	loss

IDIOMS

bis dahin	up to that time
dazu kommt, daß	add to this the fact that
dazu kam, daß	added to this was the fact that
einen Blick werfen auf (*with acc.*)	to take a look at
es bleibt mir nichts anderes übrig	I have no alternative
etwas in sich auf/nehmen	to absorb something
hindern an	to prevent from
sich bedienen (*with gen.*)	to avail oneself of
unter anderem	among other things

PATTERNS AND FORMS

Patterns: Review

15. DEPENDENT WORD ORDER

a. Simple Verb

Wenn einer eine Reise **macht,** kann er was erzählen.

b. Compound Verb

Wenn einer eine Reise **gemacht hat,** kann er was erzählen.

c. Separable Prefix

Wenn einer von einer Reise **zurückkommt,** kann er was erzählen.

d. Double Infinitive

Wenn einer eine Reise **hat machen können,** kann er was erzählen.

16. DEPENDENT WORD ORDER (CONT.); RELATIVE CLAUSES

Kennen Sie die Geschichte von dem jungen Friedrich Schiller, **der einer der größten deutschen Dichter wurde?**

17. INDIRECT DISCOURSE

a. Introduced by **daß** or a Question Word (Dependent Word Order)

Gerhard erzählte mir, **daß Berlin ihm sehr gefallen habe (hätte).**
Ich fragte ihn, **ob Berlin ihm gefallen habe (hätte).**

b. Without **daß** (Normal Word Order)

Gerhard erzählte mir, **Berlin habe (hätte) ihm sehr gefallen.**

18. Conditional Sentences (Contrary to Fact)

a. With **wenn**

Wenn das Wörtchen „wenn" nicht wär(e), wär(e) mein Vater Millionär.

b. Without **wenn**

Wäre das Wörtchen „wenn" nicht, so wäre mein Vater Millionär.

19. Passive

a. Simple Tenses

Wie **wird** die deutsche Jugend **erzogen?**

b. Future and Compound Tenses

Wie **wird** die deutsche Jugend **erzogen werden?**
Wie **ist** die deutsche Jugend **erzogen worden?**

c. Present Passive Infinitive (with modals)

Das **muß** von dem Lehrer **erklärt werden.**

d. Perfect Passive Infinitive (with modals)

Das **muß** von dem Lehrer **erklärt worden sein.**

20. Extended-Adjective Modifiers

Wofür interessiert sich die **heute in Deutschland aufwachsende** junge Generation?

21. Infinitive and Participial Phrases

a. Infinitive Phrases

Man braucht keine Flügel, **um** wie die Vögel **zu fliegen.**

b. Participial Phrases

Auf die Warnung seines Vaters nicht achtend, kam Ikarus der Sonne zu nahe.
Von drei Männern geschoben, rollte das Auto die Straße hinunter.

Forms

1. Anticipatory <u>da</u>-Compounds

Er freut sich **darauf,** heute abend ins Theater zu gehen.
He is looking forward to going to the theater this evening.

Er freut sich auch **darauf,** daß sie heute abend ins Theater geht.
He is also looking forward to her going to the theater this evening.

In Lesson 14, you learned that a **da**-compound is used instead of a preposition plus pronoun when the object of the preposition refers to a thing or things (English *it, that, them, those*).

Da-compounds are also used to anticipate infinitive phrases or dependent clauses. As you know, many verbs and idiomatic expressions in German are used with prepositions **(sich freuen auf, sich erinnern an, denken an, warten auf,** and others). If the object of the preposition is a noun or pronoun, there is no problem:

Er freut sich **auf die Ferien.** Er freut sich **darauf.**

Prepositions, however, cannot normally be used with an infinitive phrase.[1] In English, the infinitive is replaced by a verbal noun in *-ing* (a gerund): *He is looking forward to going.* In German, a **da**-compound replaces the preposition plus object and is then followed by the infinitive phrase: **Er freut sich darauf, . . . zu gehen.** Subordinate clauses dependent on a preposition are treated similarly: **Er freut sich darauf, daß sie . . . geht.**[2]

2. Es

Es wurde kein Wort gesprochen.
Not a word was spoken.

Es blieben viele Leute vor dem brennenden Gebäude **stehen.**
Many people stopped in front of the burning building.

For stylistic reasons, **es** may be used to begin a sentence. **Es** has no grammatical function; the true subject follows the verb. (Note the plural verb **blieben** agreeing with its subject **viele Leute.**)

3. Particles

German, like most other languages, has certain "flavoring" words (particles) that have little specific meaning of their own but add color or emphasis to a sentence. Some important particles (many of which you have already encountered in earlier lessons) are:

---

[1] Exceptions in German: **(an)statt, ohne, um;** Lesson 21.
[2] Such expressions can sometimes best be rendered in English by disregarding the **da**-compound:

> Er erinnerte sich nicht daran, daß er dich schon kennengelernt hatte.
> *He did not remember that he had already met you.*

denn (Lessons 1 and 7):[1]

Was hast du **denn**?
What (on earth) is the matter?

An emphatic particle, especially frequent in questions.

doch (Lesson 3):

Doch gab es auch noch eine andere Quelle, . . .
Yet there was still another source . . .

. . . so kann **doch** gesagt werden, . . .
yet it can *be said . . .*

Du trinkst **doch** Wein, nicht wahr?
You do *drink wine, don't you?*

„Er hat keine Schwester." — „**Doch!**"
"He has no sister." "Yes (he does)!"

Basic meaning: *yet* (also in the combination **so . . . doch**); also a contradictory
or argumentative particle, often rendered into English only by emphasis.
(**Du trinkst doch Wein** implies that, naturally, anyone in his right mind
drinks wine!) To contradict a negative statement, **doch** is used instead of **ja**.

ja:

Man kann **ja** sagen, daß er einer der größten deutschen Dichter ist.
Indeed one can say that he is one of the greatest German poets.

. . . denn bis dahin hatte **ja** das Drama im Westen noch nichts Großes
geleistet.
*for up to that time, of course (as is well known), the drama in the West had not
yet produced any great achievements.*

Basic meaning: *yes, indeed.* Frequently merely indicates that the statement
being made is a recognized fact.

schon:

Es ist **schon** gut. (Lesson 14)
It's all right. (So there is no need to explain or apologize further!)

Er wird **schon** kommen.
Surely he will come. (So there is no need to worry or call him up!)

---

[1] Note that some words occur either as particles or as function words; for example, **denn** may
be a coordinating conjunction (*for, because*) or an emphatic particle.

Künstlerisch Besseres leisteten in den letzten Jahren dann **schon** Dramatiker wie Kipphardt und Weiss.
For something artistically superior produced in recent years, one need only look to dramatists like Kipphardt and Weiss.

Basic meaning: *already* (Lesson 2). Frequently without English equivalent, implying that nothing further is necessary, since the situation has *already* been dealt with sufficiently.

nämlich (Lesson 6):

Es wurde erst damals ein Autor entdeckt, der schon 1924 gestorben war, **nämlich** Franz Kafka.
Only then was an author discovered who had died in 1924, namely Franz Kafka.

In Deutschland wurden **nämlich** nach 1933 viele Schriftsteller vom Nazi-Regime zensiert.
For (as you know), after 1933 many writers were censored by the Nazi regime in Germany.

Nämlich has two uses: 1) as the equivalent of English *namely*, and 2) as an explanatory particle similar in meaning to the conjunction **denn** (*for*), but also implying that the explanation is obvious (*as you know, as you should know*).

zwar (Lesson 7), **und zwar** (Lesson 19):

So eine Verspätung ist **zwar** nicht sehr angenehm, aber . . .
Such a delay is indeed not very pleasant, but . . .

Zwar is a qualifying particle (*indeed, to be sure*), often paired with **aber.**

Nur Bertolt Brecht hat die Entwicklung der neusten Literatur entscheidend beeinflußt, **und zwar** hauptsächlich das Drama.
Only Bertolt Brecht has decisively influenced the most recent literature, (that is to say) especially drama.

Ich habe nur zwei moderne Autoren gelesen, **und zwar** Dürrenmatt und Frisch.
I have read only two modern authors: Dürrenmatt and Frisch.

Und zwar (*that is to say*, sometimes best omitted in English), introduces specific information about a preceding general statement.

ÜBUNGEN

Mündlich

A. *Combine each of the following sentence pairs by changing the second sentence to an infinitive phrase, then translate into English:*

EXAMPLE: Er freut sich darauf. Er geht heute abend ins Theater.
Er freut sich darauf, heute abend ins Theater zu gehen.
He is looking forward to going to the theater this evening.

1. Er wartet darauf. Er bekommt eine Antwort auf seinen Brief. 2. Sie hatte Angst davor. Sie machte einen Fehler. 3. Es handelt sich darum. Man stellt die Einflüsse der ausländischen Literatur fest. 4. Wir haben uns daran gewöhnt. Wir sind immer früh aufgestanden. 5. Sie interessiert sich nicht dafür. Sie lernt etwas Neues über die Raumschiffahrt. 6. Wir dachten daran. Wir kauften uns ein neues Auto.

B. *Combine each of the following sentence pairs by changing the second sentence to a subordinate clause, then translate:*

EXAMPLE: Er freut sich darauf. Sie geht heute abend ins Theater.
Er freut sich darauf, daß sie heute abend ins Theater geht.
He is looking forward to her going to the theater this evening.

1. Erinnerst du dich daran? Du mußt ihm noch einen Brief schreiben· 2. Viele Studenten hatten Angst davor. Sie würden diese schwierige Prüfung nicht bestehen. 3. Der Schriftsteller war stolz darauf. Sein Roman wurde von so vielen Leuten gelesen. 4. Ich war nicht schuld daran. Wir kamen zu spät. 5. Er interessierte sich dafür. Das Theaterstück wurde wieder aufgeführt. 6. Freuen Sie sich auch darüber? Diese Übung ist jetzt fertig.

C. *Restate the following sentences without* **es:**

EXAMPLE: Es blieben viele Leute vor dem brennenden Gebäude stehen.
Viele Leute blieben vor dem brennenden Gebäude stehen.

1. Es bedienten sich verschiedene Schriftsteller derselben Quelle. 2. Es braucht nicht jedes Buch gelesen zu werden. 3. Es können nicht alle Probleme so leicht gelöst werden. 4. Es kamen viele deutsche Emigranten nach dem Kriege nach Amerika. 5. Es hat leider niemand einen besseren Vorschlag machen können. 6. Es wurden in den letzten Jahren viele Bücher darüber geschrieben.

D. *Use one of the particles* **denn, doch, ja, schon, nämlich, zwar** *in each of the following sentences:*

EXAMPLE: Du trinkst ＿＿ Wein, nicht wahr?
Du trinkst doch Wein, nicht wahr?

1. Ich freue mich besonders auf diese Reise. Ich fahre ＿＿ zum ersten Mal nach Deutschland. 2. Du hast es mir nicht geglaubt, aber es ist ＿＿ wahr. 3. Sie ist erst 16 Jahre alt? Dann ist sie ＿＿ viel zu jung, um zu heiraten! 4. Mach dir keine Sorgen! Er wird sich ＿＿ daran erinnern. 5. Es ist ＿＿ ziemlich kühl heute, aber wenigstens scheint die Sonne jetzt. 6. Was machst du ＿＿ hier? 7. „Das macht also zusammen DM 6,80." „Aber Fräulein, das kann ＿＿ nicht stimmen!" 8. Ich kann es Ihnen leider nicht erklären. Ich weiß es ＿＿ selber nicht.

E. *Review; subjunctive in indirect discourse. Change the following sentences to indirect discourse (watch out for change of person!):*
1. Fritz schrieb mir: „Ich habe mir letzte Woche ein neues Auto gekauft und ich werde dich wahrscheinlich bald besuchen. Schreib mir bitte, wann ich kommen kann!"
2. Er fragte mich: „Willst du vielleicht mit mir nach Heidelberg fahren? Ich habe schon lange die Universität sehen wollen, wo mein Vater studiert hat."
3. Er erzählte mir: „Ich war gestern bei unserem Freund Günter, dem es im Augenblick leider gar nicht gut geht. Er sieht wirklich sehr schlecht aus und ich habe ihm geraten, einen Arzt kommen zu lassen."

F. *Review; conditional sentences. Form contrary-to-fact conditions in the proper tense both with and without* **wenn:**

EXAMPLE: Sie liebte ihn. Er heiratete sie.
Wenn sie ihn geliebt hätte, hätte er sie geheiratet.
Hätte sie ihn geliebt, dann hätte er sie geheiratet.

1. Er bediente sich einer einfacheren Sprache. Ich verstand ihn besser. 2. Er hatte bessere Ideen. Er konnte etwas künstlerisch Entscheidendes leisten. 3. Es gelingt ihm, ein noch schnelleres Flugzeug zu erfinden. Er wird ein berühmter Mann. 4. Sie waren nicht für mich. Ich mußte Sie als meinen Gegner betrachten. 5. Die deutsche Nachkriegsliteratur hat sich anders entwickelt. Sie hat den Anschluß an die Weltliteratur nicht gefunden. 6. Die Erstaufführung dieses Stückes findet morgen statt. Ich kann sie besuchen. 7. Was tun Sie? Sie wissen nicht Bescheid darüber. 8. Das Wachs schmolz nicht. Ikarus kam nicht ums Leben.

Schriftlich

G. *Write in German:*
1. Dear Students: Do you still remember that we told you at the beginning of this book that German is not a difficult language? 2. Since you have now been studying the German language for one year, you should be able to determine whether we were right. 3. Some of you will surely claim that we were too optimistic. 4. You will think of the difficulties that had to be overcome and the many words that were to be memorized, 5. and you will say: this is supposed to be an easy language? 6. But have you ever talked with a foreigner who tried to learn English? 7. At least you have now succeeded in learning enough German (in order) to read some works of the best-known German writers. 8. And if you were to go to Germany, you would be surprised how much you would understand and how well you would be understood. 9. After all, it is a greater pleasure to visit a country whose language one knows, isn't it? 10. But even if your German is not yet as good as you would wish (it), remember the old proverb (das Sprichwort): Rome wasn't built in a day. 11. Since this is not the end of your German studies (use sing.), we would like to wish you once more success and much enjoyment.

H. *Composition*
Relate briefly and in your own words the development of German postwar literature.

Appendix A

Grammatical Summary

ABBREVIATIONS

acc.	accusative	nom.	nominative
adj.	adjective	pass.	passive
art.	article	p.e.	predicate element
cj.	conjunction	perf.	perfect
coll.	colloquial	pl.	plural
cont.	continued	ppl.	past participle
dat.	dative	prep.	preposition
fem.	feminine	pres.	present
fut.	future	r.p.	relative pronoun
gen.	genitive	S.	subject
inf.	infinitive	sing.	singular
intrans.	intransitive	trans.	transitive
masc.	masculine	V.	verb
mod.	modifier	vbl.	verbal
neut.	neuter		

SUMMARY OF PATTERNS

1. NORMAL WORD ORDER

    S——V;   p.e.
Wir wandern heute.

2. INVERTED WORD ORDER

                p.e.;   V——S
a. STATEMENT **Heute wandern wir.**
b. QUESTION   **Wann wandern wir?**

3. VERB-FIRST WORD ORDER

             V——S; p.e.
a. QUESTION   **Wandern wir heute?**
b. IMPERATIVE **Lesen**   **Sie die Speisekarte, meine Herren!**
              Lesen   **wir die Speisekarte!**
              Lies   **die Speisekarte, Günter!**
              Lest   **die Speisekarte, Kinder!**

4. TWO OBJECTS

S——V;	DAT.	ACC.
Ich schicke meinem Professor		**ein Buch.**
S——V;	dat.	ACC.
Ich schicke	**ihm**	**ein Buch.**

S——V;	acc.	DAT.
Ich schicke	**es**	**meinem Professor.**
S——V;	acc.	dat.
Ich schicke	**es**	**ihm.**

5. PRONOUN OBJECT — NOUN SUBJECT (INVERTED WORD ORDER)

    p.e.;   V—p.e.——S;   p.e.
Oft schickt mir mein Vater etwas Geld.

6. SEVERAL ADVERBIAL EXPRESSIONS

    S——V;   p.e. (time), p.e. (manner), p.e. (place)
Wir fahren   **heute**   **mit dem Bus** **in die Stadt.**

7. ADVERBIAL EXPRESSIONS PLUS OBJECT

S———V; p.e. (time), p.e. (obj.),   p.e. (place)
Mein Freund kauft   heute   ein Buch in der Buchhandlung.|

8. POSITION OF nicht

Er kauft das Buch nicht.
Es ist nicht sehr schön.

9. GENITIVE CONSTRUCTIONS

Ich lernte die Sprache der Tiere.

10a. VERB PLUS INFINITIVE (FUTURE TENSE)

Normal Word Order

S——V;   p.e.   Vbl.
Sie werden so eine schöne Reise nie vergessen.

Inverted Word Order

p.e.;   V——S; p.e.   Vbl.
So eine schöne Reise werden Sie nie vergessen.

10b. VERB PLUS INFINITIVE (MODAL AUXILIARIES)

Normal Word Order

S——V;   p.e.   Vbl.
Wir wollen Ihnen jetzt zwei Geschichten erzählen.

Inverted Word Order

p.e.;   V——S; p.e.   Vbl.
Diese Geschichte müssen wir zuerst erzählen.

11. VERB PLUS PAST PARTICIPLE (COMPOUND TENSES)

Normal Word Order

S—V;   p.e.   Vbl.
Ich habe mit Herrn Frei telephoniert.
Ich bin   viel   gereist.

Inverted Word Order

p.e.;   V—S;   p.e.   Vbl.
Vor einer Woche habe ich mit Herrn Frei telephoniert.
In letzter Zeit   bin ich   viel   gereist.

12a. FUTURE TENSE PLUS ADDITIONAL VERBAL ELEMENT (FUTURE OF MODALS)

S——V;   p.e.   vbl.   Vbl.

Wir werden bald Weihnachten feiern können.

12b. COMPOUND TENSE PLUS ADDITIONAL VERBAL ELEMENT (COMPOUND TENSES OF MODALS)

S–V;   p.e.   vbl.   Vbl.

Er hat es nicht reparieren können.

13. VERB WITH SEPARABLE PREFIX: SIMPLE TENSES AND IMPERATIVE (MAIN CLAUSE)

   a. PRESENT AND PAST

      S——V;   p.e.   Prefix
      Ich stehe jeden Morgen um halb acht auf.
      Ich stand jeden Morgen um halb acht auf.

   b. IMPERATIVE

      V——S;   p.e.   Prefix
      Stehen Sie (wir) jeden Morgen um halb acht auf!
      Stehe (steht)   jeden Morgen um halb acht auf!

14. VERB WITH SEPARABLE PREFIX: FUTURE AND COMPOUND TENSES (MAIN CLAUSE)

S——V;   p.e.   Prefix / Vbl.

Ich werde jeden Morgen um halb acht aufstehen.
Ich bin   jeden Morgen um halb acht aufgestanden.
Ich war   jeden Morgen um halb acht aufgestanden.

15. DEPENDENT WORD ORDER

   a. SIMPLE VERB

      Cj.——S;   p.e.   V
      Wenn einer eine Reise macht, (kann er was erzählen.)

   b. VERB PLUS VERBAL

      Cj.——S;   p.e.   Vbl.   V
      Wenn einer eine Reise machen kann, (kann er was erzählen.)
      Wenn einer eine Reise gemacht hat, (kann er was erzählen.)

   c. SEPARABLE PREFIX

      Cj.——S;   p.e.   Prefix / V
      Wenn einer von einer Reise zurückkommt, (kann er was erzählen.)

   d. DOUBLE INFINITIVE (COMPOUND TENSE OF MODAL WITH DEPENDENT INFINITIVE)

      Cj.——S;   p.e.   V;   vbl.   Vbl.
      Wenn einer eine Reise hat machen können, (kann er was erzählen.)

16. DEPENDENT WORD ORDER: RELATIVE CLAUSES

(Kennen Sie die Geschichte von dem jungen Friedrich Schiller,)

RP—(S);   p.e.   (Vbl.)   V

der   einer der größten deutschen Dichter   wurde?
dessen Werke in der ganzen Welt   bekannt   sind?
etc.

17. INDIRECT DISCOURSE

    a. INTRODUCED BY **daß** OR A QUESTION WORD (DEPENDENT WORD ORDER)

        Cj.—S;   p.e.   Vbl.   V

    Gerhard erzählte mir, daß Berlin ihm sehr gefallen habe (hätte).
    Ich   fragte ihn, ob Berlin   ihm   gefallen habe (hätte).

    b. WITHOUT **daß** (NORMAL WORD ORDER)

             S——V;   p.e.   Vbl.
    Gerhard erzählte mir, Berlin habe (hätte) ihm sehr gefallen.

18. CONDITIONAL SENTENCES (CONTRARY TO FACT)

    a. WITH **wenn**

        [Cj.——S;   p.e.   V]; [V——S;   p.e.]
    Wenn das Wörtchen „wenn" nicht wär(e), wär(e) mein Vater Millionär.

    b. WITHOUT **wenn**

        [V——S;   p.e.] ; [p.e. V——S;   p.e.]
    Wäre das Wörtchen „wenn" nicht, so wäre mein Vater Millionär.

19. PASSIVE

    a. SIMPLE TENSES

        p.e.; V——S;   Vbl.
    Wie wird die deutsche Jugend erzogen?

    b. FUTURE AND COMPOUND TENSES

        p.e.; V——S;   vbl. Vbl.

    Wie wird die deutsche Jugend erzogen werden?
    Wie ist die deutsche Jugend erzogen worden?

    c. PRESENT PASSIVE INFINITIVE (WITH MODALS)

        S—V;   p.e.   [vbl. Vbl.] = Passive Inf.

    Das muß von dem Lehrer erklärt werden.

d. PERFECT PASSIVE INFINITIVE (WITH MODALS)

S—V;   p.e.   Perf. Pass. Inf.

Das muß von dem Lehrer erklärt worden sein.

20. EXTENDED ADJECTIVE MODIFIERS

Art.   mod.   Ppl.   Adj. + Noun

Wofür interessiert sich die [heute in Deutschland aufwachsende] junge Generation?

21. INFINITIVE AND PARTICIPIAL PHRASES

    a. INFINITIVE PHRASES

Prep.   mod. zu + Inf.

Man braucht keine Flügel, um wie die Vögel zu fliegen.

    b. PARTICIPIAL PHRASES

O   mod.   Ppl.

Auf die Warnung seines Vaters nicht achtend, kam Ikarus der Sonne zu nahe.

SUMMARY OF FORMS

Verbs

1. CONJUGATION OF **haben**

    Principal Parts: **haben, hatte, gehabt, hat**

INDICATIVE	SUBJUNCTIVE I	SUBJUNCTIVE II
	PRESENT	
ich **habe**	ich **habe**	ich **hätte**
du **hast**	du **habest**	du **hättest**
er **hat**	er **habe**	er **hätte**
wir **haben**	wir **haben**	wir **hätten**
ihr **habt**	ihr **habet**	ihr **hättet**
sie **haben**	sie **haben**	sie **hätten**

SIMPLE PAST

ich **hatte**
du **hattest**
er **hatte**
wir **hatten**
ihr **hattet**
sie **hatten**

COMPOUND PAST

ich **habe gehabt**	ich **habe gehabt**	ich **hätte gehabt**
du **hast gehabt**	du **habest gehabt**	du **hättest gehabt**
er **hat gehabt**	er **habe gehabt**	er **hätte gehabt**
wir **haben gehabt**	wir **haben gehabt**	wir **hätten gehabt**
ihr **habt gehabt**	ihr **habet gehabt**	ihr **hättet gehabt**
sie **haben gehabt**	sie **haben gehabt**	sie **hätten gehabt**

PAST PERFECT

ich **hatte gehabt**
du **hattest gehabt**
er **hatte gehabt**
wir **hatten gehabt**
ihr **hattet gehabt**
sie **hatten gehabt**

FUTURE

ich **werde haben**	ich **werde haben**	ich **würde haben**
du **wirst haben**	du **werdest haben**	du **würdest haben**
er **wird haben**	er **werde haben**	er **würde haben**
wir **werden haben**	wir **werden haben**	wir **würden haben**
ihr **werdet haben**	ihr **werdet haben**	ihr **würdet haben**
sie **werden haben**	sie **werden haben**	sie **würden haben**

FUTURE PERFECT

ich **werde gehabt haben**	ich **werde gehabt haben**	ich **würde gehabt haben**
du **wirst gehabt haben**	du **werdest gehabt haben**	du **würdest gehabt haben**
etc.	etc.	etc.

IMPERATIVE

CONVENTIONAL:	**haben Sie!**
FIRST PERSON PL.:	**haben wir!**
FAMILIAR SING.:	**hab(e)!**
FAMILIAR PL.:	**habt!**

2. CONJUGATION OF **sein**

Principal Parts: **sein, war, ist gewesen, ist**

INDICATIVE	SUBJUNCTIVE I	SUBJUNCTIVE II
	PRESENT	
ich **bin**	ich **sei**	ich **wäre**
du **bist**	du **sei(e)st**	du **wärest**
er **ist**	er **sei**	er **wäre**
wir **sind**	wir **seien**	wir **wären**
ihr **seid**	ihr **seiet**	ihr **wäret**
sie **sind**	sie **seien**	sie **wären**

SIMPLE PAST

ich **war**
du **warst**
er **war**
wir **waren**
ihr **wart**
sie **waren**

COMPOUND PAST

ich **bin gewesen**	ich **sei gewesen**	ich **wäre gewesen**
du **bist gewesen**	du **sei(e)st gewesen**	du **wärest gewesen**
er **ist gewesen**	er **sei gewesen**	er **wäre gewesen**
wir **sind gewesen**	wir **seien gewesen**	wir **wären gewesen**
ihr **seid gewesen**	ihr **seiet gewesen**	ihr **wäret gewesen**
sie **sind gewesen**	sie **seien gewesen**	sie **wären gewesen**

PAST PERFECT

ich **war gewesen**
du **warst gewesen**
er **war gewesen**
wir **waren gewesen**
ihr **wart gewesen**
sie **waren gewesen**

FUTURE

ich **werde sein**	ich **werde sein**	ich **würde sein**
du **wirst sein**	du **werdest sein**	du **würdest sein**
er **wird sein**	er **werde sein**	er **würde sein**
wir **werden sein**	wir **werden sein**	wir **würden sein**
ihr **werdet sein**	ihr **werdet sein**	ihr **würdet sein**
sie **werden sein**	sie **werden sein**	sie **würden sein**

FUTURE PERFECT

ich **werde gewesen sein**	ich **werde gewesen sein**	ich **würde gewesen sein**
du **wirst gewesen sein**	du **werdest gewesen sein**	du **würdest gewesen sein**
etc.	etc.	etc.

IMPERATIVE

CONVENTIONAL:	**seien Sie!**
FIRST PERSON PL.:	**seien wir!**
FAMILIAR SING.:	**sei!**
FAMILIAR PL.:	**seid!**

3. CONJUGATION OF **werden**

Principal Parts: **werden, wurde, ist geworden, wird**

INDICATIVE	SUBJUNCTIVE I	SUBJUNCTIVE II
	PRESENT	
ich **werde**	ich **werde**	ich **würde**
du **wirst**	du **werdest**	du **würdest**
er **wird**	er **werde**	er **würde**
wir **werden**	wir **werden**	wir **würden**
ihr **werdet**	ihr **werdet**	ihr **würdet**
sie **werden**	sie **werden**	sie **würden**

SIMPLE PAST

ich **wurde**
du **wurdest**
er **wurde**
wir **wurden**
ihr **wurdet**
sie **wurden**

COMPOUND PAST

ich **bin geworden**	ich **sei geworden**	ich **wäre geworden**
du **bist geworden**	du **sei(e)st geworden**	du **wärest geworden**
er **ist geworden**	er **sei geworden**	er **wäre geworden**
wir **sind geworden**	wir **seien geworden**	wir **wären geworden**
ihr **seid geworden**	ihr **seiet geworden**	ihr **wäret geworden**
sie **sind geworden**	sie **seien geworden**	sie **wären geworden**

PAST PERFECT

ich **war geworden**
du **warst geworden**
er **war geworden**
wir **waren geworden**
ihr **wart geworden**
sie **waren geworden**

FUTURE

ich **werde werden**	ich **werde werden**	ich **würde werden**
du **wirst werden**	du **werdest werden**	du **würdest werden**
er **wird werden**	er **werde werden**	er **würde werden**
wir **werden werden**	wir **werden werden**	wir **würden werden**
ihr **werdet werden**	ihr **werdet werden**	ihr **würdet werden**
sie **werden werden**	sie **werden werden**	sie **würden werden**

FUTURE PERFECT

ich **werde geworden sein**	ich **werde geworden sein**	ich **würde geworden sein**
du **wirst geworden sein**	du **werdest geworden sein**	du **würdest geworden sein**
etc.	etc.	etc.

IMPERATIVE

CONVENTIONAL:	**werden Sie!**
FIRST PERSON PL.:	**werden wir!**
FAMILIAR SING.:	**werde!**
FAMILIAR PL.:	**werdet!**

4. CONJUGATION OF A WEAK VERB: **sagen**

Principal Parts: **sagen, sagte, gesagt**

INDICATIVE	SUBJUNCTIVE I	SUBJUNCTIVE II
	PRESENT	
ich **sage**	ich **sage**	ich **sagte**
du **sagst**	du **sagest**	du **sagtest**
er **sagt**	er **sage**	er **sagte**
wir **sagen**	wir **sagen**	wir **sagten**
ihr **sagt**	ihr **saget**	ihr **sagtet**
sie **sagen**	sie **sagen**	sie **sagten**

SIMPLE PAST

ich **sagte**
du **sagtest**
er **sagte**
wir **sagten**
ihr **sagtet**
sie **sagten**

COMPOUND PAST

ich **habe gesagt**	ich **habe gesagt**	ich **hätte gesagt**
du **hast gesagt**	du **habest gesagt**	du **hättest gesagt**
er **hat gesagt**	er **habe gesagt**	er **hätte gesagt**
wir **haben gesagt**	wir **haben gesagt**	wir **hätten gesagt**
ihr **habt gesagt**	ihr **habet gesagt**	ihr **hättet gesagt**
sie **haben gesagt**	sie **haben gesagt**	sie **hätten gesagt**

PAST PERFECT

ich **hatte gesagt**
du **hattest gesagt**
er **hatte gesagt**
wir **hatten gesagt**
ihr **hattet gesagt**
sie **hatten gesagt**

FUTURE

ich **werde sagen**	ich **werde sagen**	ich **würde sagen**
du **wirst sagen**	du **werdest sagen**	du **würdest sagen**
er **wird sagen**	er **werde sagen**	er **würde sagen**
wir **werden sagen**	wir **werden sagen**	wir **würden sagen**
ihr **werdet sagen**	ihr **werdet sagen**	ihr **würdet sagen**
sie **werden sagen**	sie **werden sagen**	sie **würden sagen**

FUTURE PERFECT

ich **werde gesagt haben**	ich **werde gesagt haben**	ich **würde gesagt haben**
du **wirst gesagt haben**	du **werdest gesagt haben**	du **würdest gesagt haben**
etc.	etc.	etc.

IMPERATIVE

CONVENTIONAL:	**sagen Sie!**
FIRST PERSON PL.:	**sagen wir!**
FAMILIAR SING.:	**sag(e)!**
FAMILIAR PL.:	**sagt!**

5. CONJUGATION OF A STRONG VERB: **fahren**

Principal Parts: **fahren, fuhr, ist gefahren, fährt**

INDICATIVE	SUBJUNCTIVE I	SUBJUNCTIVE II
	PRESENT	
ich **fahre**	ich **fahre**	ich **führe**
du **fährst**	du **fahrest**	du **führest**
er **fährt**	er **fahre**	er **führe**
wir **fahren**	wir **fahren**	wir **führen**
ihr **fahrt**	ihr **fahret**	ihr **führet**
sie **fahren**	sie **fahren**	sie **führen**

SIMPLE PAST

ich **fuhr**
du **fuhrst**
er **fuhr**
wir **fuhren**
ihr **fuhrt**
sie **fuhren**

COMPOUND PAST

ich **bin gefahren**	ich **sei gefahren**	ich **wäre gefahren**
du **bist gefahren**	du **sei(e)st gefahren**	du **wärest gefahren**
er **ist gefahren**	er **sei gefahren**	er **wäre gefahren**
wir **sind gefahren**	wir **seien gefahren**	wir **wären gefahren**
ihr **seid gefahren**	ihr **seiet gefahren**	ihr **wäret gefahren**
sie **sind gefahren**	sie **seien gefahren**	sie **wären gefahren**

PAST PERFECT

ich **war gefahren**
du **warst gefahren**
er **war gefahren**
wir **waren gefahren**
ihr **wart gefahren**
sie **waren gefahren**

FUTURE

ich **werde fahren**	ich **werde fahren**	ich **würde fahren**
du **wirst fahren**	du **werdest fahren**	du **würdest fahren**
er **wird fahren**	er **werde fahren**	er **würde fahren**
wir **werden fahren**	wir **werden fahren**	wir **würden fahren**
ihr **werdet fahren**	ihr **werdet fahren**	ihr **würdet fahren**
sie **werden fahren**	sie **werden fahren**	sie **würden fahren**

FUTURE PERFECT

ich **werde gefahren sein**	ich **werde gefahren sein**	ich **würde gefahren sein**
du **wirst gefahren sein**	du **werdest gefahren sein**	du **würdest gefahren sein**
etc.	etc.	etc.

IMPERATIVE

CONVENTIONAL:	**fahren Sie!**
FIRST PERSON PL.:	**fahren wir!**
FAMILIAR SING.:	**fahr(e)!**
FAMILIAR PL.:	**fahrt!**

6. CONJUGATION OF A VERB WITH SEPARABLE PREFIX: **anfangen**

Principal Parts: **anfangen, fing an, angefangen, fängt an**

INDICATIVE	SUBJUNCTIVE I	SUBJUNCTIVE II
	PRESENT	
ich **fange an**	ich **fange an**	ich **finge an**
du **fängst an**	du **fangest an**	du **fingest an**
er **fängt an**	er **fange an**	er **finge an**
wir **fangen an**	wir **fangen an**	wir **fingen an**
ihr **fangt an**	ihr **fanget an**	ihr **finget an**
sie **fangen an**	sie **fangen an**	sie **fingen an**

SIMPLE PAST

ich **fing an**
du **fingst an**
er **fing an**
wir **fingen an**
ihr **fingt an**
sie **fingen an**

COMPOUND PAST

ich **habe angefangen**	ich **habe angefangen**	ich **hätte angefangen**
du **hast angefangen**	du **habest angefangen**	du **hättest angefangen**
er **hat angefangen**	er **habe angefangen**	er **hätte angefangen**
wir **haben angefangen**	wir **haben angefangen**	wir **hätten angefangen**
ihr **habt angefangen**	ihr **habet angefangen**	ihr **hättet angefangen**
sie **haben angefangen**	sie **haben angefangen**	sie **hätten angefangen**

PAST PERFECT

ich **hatte angefangen**
du **hattest angefangen**
etc.

FUTURE

ich **werde anfangen**	ich **werde anfangen**	ich **würde anfangen**
du **wirst anfangen**	du **werdest anfangen**	du **würdest anfangen**
er **wird anfangen**	etc.	etc.
wir **werden anfangen**		
ihr **werdet anfangen**		
sie **werden anfangen**		

FUTURE PERFECT

ich **werde angefangen haben**	ich **werde angefangen haben**	ich **würde angefangen haben**
du **wirst angefangen haben**	du **werdest angefangen haben**	du **würdest angefangen haben**
etc.	etc.	etc.

IMPERATIVE

CONVENTIONAL:	**fangen Sie an!**
FIRST PERSON PL.:	**fangen wir an!**
FAMILIAR SING.:	**fang(e) an!**
FAMILIAR PL.:	**fangt an!**

7. MODAL AUXILIARIES

Principal Parts:	**dürfen, durfte, gedurft (dürfen), darf**	*be permitted to, may*
	können, konnte, gekonnt (können), kann	*be able to, can*
	mögen, mochte, gemocht (mögen), mag	*like to*
	müssen, mußte, gemußt (müssen), muß	*have to, must*
	sollen, sollte, gesollt (sollen), soll	*be (supposed) to*
	wollen, wollte, gewollt (wollen), will	*want to*

Present Tense:

dürfen	**können**	**mögen**
ich **darf**	ich **kann**	ich **mag**
du **darfst**	du **kannst**	du **magst**
er **darf**	er **kann**	er **mag**
wir **dürfen**	wir **können**	wir **mögen**
ihr **dürft**	ihr **könnt**	ihr **mögt**
sie **dürfen**	sie **können**	sie **mögen**

müssen	**sollen**	**wollen**
ich **muß**	ich **soll**	ich **will**
du **mußt**	du **sollst**	du **willst**
er **muß**	er **soll**	er **will**
wir **müssen**	wir **sollen**	wir **wollen**
ihr **müßt**	ihr **sollt**	ihr **wollt**
sie **müssen**	sie **sollen**	sie **wollen**

8. CONJUGATION OF A VERB IN THE PASSIVE VOICE: **gefragt werden**

INDICATIVE	SUBJUNCTIVE I	SUBJUNCTIVE II
	PRESENT	
ich **werde gefragt**	ich **werde gefragt**	ich **würde gefragt**
du **wirst gefragt**	du **werdest gefragt**	du **würdest gefragt**
er **wird gefragt**	er **werde gefragt**	er **würde gefragt**

PRESENT (cont.)

wir **werden gefragt**	wir **werden gefragt**	wir **würden gefragt**
ihr **werdet gefragt**	ihr **werdet gefragt**	ihr **würdet gefragt**
sie **werden gefragt**	sie **werden gefragt**	sie **würden gefragt**

SIMPLE PAST

ich **wurde gefragt**
du **wurdest gefragt**
er **wurde gefragt**
wir **wurden gefragt**
ihr **wurdet gefragt**
sie **wurden gefragt**

COMPOUND PAST

ich **bin gefragt worden**	ich **sei gefragt worden**	ich **wäre gefragt worden**
du **bist gefragt worden**	du **sei(e)st gefragt worden**	du **wärest gefragt worden**
er **ist gefragt worden**	er **sei gefragt worden**	er **wäre gefragt worden**
wir **sind gefragt worden**	wir **seien gefragt worden**	wir **wären gefragt worden**
ihr **seid gefragt worden**	ihr **seiet gefragt worden**	ihr **wäret gefragt worden**
sie **sind gefragt worden**	sie **seien gefragt worden**	sie **wären gefragt worden**

PAST PERFECT

ich **war gefragt worden**
du **warst gefragt worden**
etc.

FUTURE

ich **werde gefragt werden**	ich **werde gefragt werden**	ich **würde gefragt werden**
du **wirst gefragt werden**	du **werdest gefragt werden**	du **würdest gefragt werden**
er **wird gefragt werden**	er **werde gefragt werden**	er **würde gefragt werden**
wir **werden gefragt werden**	wir **werden gefragt werden**	wir **würden gefragt werden**
ihr **werdet gefragt werden**	ihr **werdet gefragt werden**	ihr **würdet gefragt werden**
sie **werden gefragt werden**	sie **werden gefragt werden**	sie **würden gefragt werden**

FUTURE PERFECT

ich **werde gefragt worden sein**	ich **werde gefragt worden sein**	ich **würde gefragt worden sein**
du **wirst gefragt worden sein**	du **werdest gefragt worden sein**	du **würdest gefragt worden sein**
etc.	etc.	etc.

9. STRONG AND IRREGULAR VERBS

The following list contains the strong and irregular verbs used in this book. (For modal auxiliaries, see **7**, above.) Verbs with prefixes are not included if the simple verb appears in the list.

INFINITIVE	PAST	PAST PARTICIPLE	3RD SING. PRES. (if irregular)
an /fangen (*to begin*)	fing an	angefangen	fängt an
beginnen (*to begin*)	begann	begonnen	
betrügen (*to deceive*)	betrog	betrogen	
bieten (*to offer*)	bot	geboten	
bitten (*to ask, request*)	bat	gebeten	
bleiben (*to stay, remain*)	blieb	ist geblieben	
brechen (*to break*)	brach	gebrochen	bricht
brennen (*to burn*)	brannte	gebrannt	
bringen (*to bring*)	brachte	gebracht	
denken (*to think*)	dachte	gedacht	
ein /laden (*to invite*)	lud ein	eingeladen	lädt ein
empfehlen (*to recommend*)	empfahl	empfohlen	empfiehlt
erschrecken (*to be frightened*)	erschrak	ist erschrocken	erschrickt
essen (*to eat*)	aß	gegessen	ißt
fahren (*to drive, go*)	fuhr	ist gefahren	fährt
fallen (*to fall*)	fiel	ist gefallen	fällt
finden (*to find*)	fand	gefunden	
fliegen (*to fly*)	flog	ist geflogen	
fliehen (*to flee*)	floh	ist geflohen	
fließen (*to flow*)	floß	ist geflossen	
geben (*to give*)	gab	gegeben	gibt
gehen (*to go*)	ging	ist gegangen	
gelingen (*to succeed*)	gelang	ist gelungen	
geschehen (*to happen*)	geschah	ist geschehen	geschieht
gewinnen (*to win*)	gewann	gewonnen	
haben (*to have*)	hatte	gehabt	hat
halten (*to hold*)	hielt	gehalten	hält
hängen (*to hang*)	hing	gehangen	
heißen (*to be called*)	hieß	geheißen	
helfen (*to help*)	half	geholfen	hilft
kennen (*to know*)	kannte	gekannt	
kommen (*to come*)	kam	ist gekommen	
kriechen (*to crawl, creep*)	kroch	ist gekrochen	
lassen (*to let, leave*)	ließ	gelassen	läßt
laufen (*to run*)	lief	ist gelaufen	läuft
leiden (*to suffer*)	litt	gelitten	
lesen (*to read*)	las	gelesen	liest
liegen (*to lie*)	lag	gelegen	
messen (*to measure*)	maß	gemessen	mißt

INFINITIVE	PAST		PAST PARTICIPLE	3RD SING. PRES. (if irregular)
nehmen (*to take*)	nahm		genommen	nimmt
nennen (*to name*)	nannte		genannt	
raten (*to advise*)	riet		geraten	rät
reiten (*to ride*)	ritt	(ist)	geritten	
rufen (*to call*)	rief		gerufen	
scheinen (*to seem; to shine*)	schien		geschienen	
schieben (*to shove*)	schob		geschoben	
schießen (*to shoot*)	schoß		geschossen	
schlafen (*to sleep*)	schlief		geschlafen	schläft
schließen (*to close*)	schloß		geschlossen	
schmelzen (*to melt*)	schmolz	(ist)	geschmolzen	schmilzt
schneiden (*to cut*)	schnitt		geschnitten	
schreiben (*to write*)	schrieb		geschrieben	
schwimmen (*to swim*)	schwamm	(ist)	geschwommen	
schwören (*to swear*)	schwor, schwur		geschworen	
sehen (*to see*)	sah		gesehen	sieht
sein (*to be*)	war	ist	gewesen	ist
senden (*to send*)	sandte		gesandt	
singen (*to sing*)	sang		gesungen	
sinken (*to sink*)	sank	ist	gesunken	
sitzen (*to sit*)	saß		gesessen	
sprechen (*to speak*)	sprach		gesprochen	spricht
springen (*to jump*)	sprang	ist	gesprungen	
stechen (*to prick*, *sting*)	stach		gestochen	sticht
stehen (*to stand*)	stand		gestanden	
steigen (*to climb*)	stieg	ist	gestiegen	
sterben (*to die*)	starb	ist	gestorben	stirbt
tragen (*to carry*, *wear*)	trug		getragen	trägt
treffen (*to hit*, *meet*)	traf		getroffen	trifft
treiben (*to drive*)	trieb		getrieben	
treten (*to step; to kick*)	trat	(ist)	getreten	tritt
trinken (*to drink*)	trank		getrunken	
tun (*to do*)	tat		getan	
überwinden (*to overcome*)	überwand		überwunden	
vergessen (*to forget*)	vergaß		vergessen	vergißt
vergleichen (*to compare*)	verglich		verglichen	
verlieren (*to lose*)	verlor		verloren	
verschwinden (*to disappear*)	verschwand	ist	verschwunden	
wachsen (*to grow*)	wuchs	ist	gewachsen	wächst
waschen (*to wash*)	wusch		gewaschen	wäscht
werden (*to become*)	wurde	ist	geworden	wird
werfen (*to throw*)	warf		geworfen	wirft
wissen (*to know*)	wußte		gewußt	weiß
zerreißen (*to tear up*)	zerriß		zerrissen	
ziehen (*to pull; to move*)	zog	(ist)	gezogen	

Nouns, Adjectives, Pronouns

10. GENDER OF NOUNS

The gender of a German noun can often (but not always) be determined by its meaning or form.

Masculine are:

a. All nouns denoting male beings: **der Mann, der Vater;** also occupations normally associated with men: **der Professor, der Soldat.**

b. All seasons, months, and days of the week: **der Winter, der September, der Mittwoch.**

c. All nouns ending in **-er** denoting a person who performs an action, or an instrument: **der Schriftsteller, der Lehrer, der Kugelschreiber.**

Feminine are:

a. Nouns denoting female beings:[1] **die Frau, die Mutter.**

b. Nouns ending in **-in: die Lehrerin, die Schriftstellerin.**

c. Most nouns ending in **-e** (except those referring to male beings): **die Straße, die Reise.**

d. Nouns ending in **-ung, -heit, -keit, -schaft, -ie, -ion, -tät: die Verspätung, die Krankheit, die Schwierigkeit, die Freundschaft, die Biologie, die Religion, die Universität.**

Neuter are:

a. Infinitives used as nouns: **das Lesen.**

b. Most names of cities, countries, and continents: **(das) München, (das) Deutschland, (das) Europa.** (Some exceptions: **die Schweiz, die Tschechoslowakei, die Vereinigten Staaten.**)

c. Most names of materials: **das Glas, das Holz** (*wood*).

d. All nouns (diminutives) ending in **-chen, -lein: das Mädchen, das Fräulein.**

11. SAMPLE NOUN DECLENSIONS WITH THE DEFINITE ARTICLE

	SINGULAR	
MASCULINE	FEMININE	NEUTER
NOM. **der Vater**	**die Frau**	**das Buch**
GEN. **des Vaters**	**der Frau**	**des Buches**
DAT. **dem Vater**	**der Frau**	**dem Buch(e)**
ACC. **den Vater**	**die Frau**	**das Buch**

	PLURAL	
NOM. **die Väter**	**die Frauen**	**die Bücher**
GEN. **der Väter**	**der Frauen**	**der Bücher**
DAT. **den Vätern**	**den Frauen**	**den Büchern**
ACC. **die Väter**	**die Frauen**	**die Bücher**

---

[1] But note the exceptions: **das Mädchen, das Fräulein.** See under neuters.

12. DER-WORDS

SINGULAR		PLURAL	
dieser, diese, dieses	*this, the latter*	diese	*these, the latter*
jener, jene, jenes	*that, the former*	jene	*those, the former*
jeder, jede, jedes	*each, every*	alle	*all*
mancher, manche, manches	*many a*	manche	*some*
solcher, solche, solches	*such a*	solche	*such*
welcher, welche, welches	*which, what*	welche	*which, what*

13. DECLENSION OF A DER-WORD: **dieser**

	SINGULAR	
MASCULINE	FEMININE	NEUTER
NOM. dieser Baum	diese Stadt	dieses Dorf
GEN. dieses Baumes	dieser Stadt	dieses Dorfes
DAT. diesem Baum(e)	dieser Stadt	diesem Dorf(e)
ACC. diesen Baum	diese Stadt	dieses Dorf

PLURAL, ALL GENDERS

NOM. diese Bäume (Städte, Dörfer)
GEN. dieser Bäume (Städte, Dörfer)
DAT. diesen Bäumen (Städten, Dörfern)
ACC. diese Bäume (Städte, Dörfer)

14. SAMPLE NOUN DECLENSIONS WITH THE INDEFINITE ARTICLE

	SINGULAR	
MASCULINE	FEMININE	NEUTER
NOM. ein Berg	eine Nacht	ein Schiff
GEN. eines Berges	einer Nacht	eines Schiffes
DAT. einem Berg(e)	einer Nacht	einem Schiff(e)
ACC. einen Berg	eine Nacht	ein Schiff
	(No Plural)	

15. EIN-WORDS

kein, keine, kein	*no, not any*
mein, meine, mein	*my*
dein, deine, dein	*your* (familiar sing.)
sein, seine, sein	*his, its* (referring to masc. or neut. possessor)
ihr, ihre, ihr	*her, its* (referring to a feminine possessor)
unser, uns(e)re, unser	*our*
euer, eu(e)re, euer	*your* (familiar plural)
ihr, ihre, ihr	*their*
Ihr, Ihre, Ihr	*your* (conventional)

16. DECLENSION OF AN EIN-WORD USED AS ADJECTIVE

SINGULAR

MASCULINE	FEMININE	NEUTER
NOM. mein Freund	meine Schwester	mein Kind
GEN. meines Freundes	meiner Schwester	meines Kindes
DAT. meinem Freund(e)	meiner Schwester	meinem Kind(e)
ACC. meinen Freund	meine Schwester	mein Kind

PLURAL, ALL GENDERS

NOM. **meine Freunde (Schwestern, Kinder)**
GEN. **meiner Freunde (Schwestern, Kinder)**
DAT. **meinen Freunden (Schwestern, Kindern)**
ACC. **meine Freunde (Schwestern, Kinder)**

17. DECLENSION OF AN EIN-WORD USED AS PRONOUN

SINGULAR

	MASCULINE	FEMININE	NEUTER	PLURAL, ALL GENDERS
NOM.	keiner	keine	kein(e)s	keine
GEN.	keines	keiner	keines	keiner
DAT.	keinem	keiner	keinem	keinen
ACC.	keinen	keine	kein(e)s	keine

18. DECLENSION OF ADJECTIVES

a. After a Definite Article or Der-Word

SINGULAR

MASCULINE	FEMININE	NEUTER
NOM. der **gute** Mann	diese **gute** Frau	welches **gute** Buch
GEN. des **guten** Mannes	dieser **guten** Frau	welches **guten** Buches
DAT. dem **guten** Mann(e)	dieser **guten** Frau	welchem **guten** Buch(e)
ACC. den **guten** Mann	diese **gute** Frau	welches **gute** Buch

PLURAL, ALL GENDERS

NOM. die **guten** Männer (Frauen, Bücher)
GEN. der **guten** Männer (Frauen, Bücher)
DAT. den **guten** Männern (Frauen, Büchern)
ACC. die **guten** Männer (Frauen, Bücher)

b. After an Ein-Word

SINGULAR

MASCULINE	FEMININE	NEUTER
NOM. ein **guter** Mann	keine **gute** Frau	unser **gutes** Buch
GEN. eines **guten** Mannes	keiner **guten** Frau	uns(e)res **guten** Buches
DAT. einem **guten** Mann(e)	keiner **guten** Frau	uns(e)rem **guten** Buch(e)
ACC. einen **guten** Mann	keine **gute** Frau	unser **gutes** Buch

PLURAL, ALL GENDERS

keine **guten** Männer (Frauen, Bücher)
keiner **guten** Männer (Frauen, Bücher)
keinen **guten** Männern (Frauen, Büchern)
keine **guten** Männer (Frauen, Bücher)

c. Unpreceded Adjectives

SINGULAR

MASCULINE	FEMININE	NEUTER
NOM. **guter** Wein	**gute** Suppe	**gutes** Wetter
GEN. **guten** Weines	**guter** Suppe	**guten** Wetters
DAT. **gutem** Wein(e)	**guter** Suppe	**gutem** Wetter
ACC. **guten** Wein	**gute** Suppe	**gutes** Wetter

PLURAL, ALL GENDERS

NOM. **gute** Leute
GEN. **guter** Leute
DAT. **guten** Leuten
ACC. **gute** Leute

19. NOUN CLASSES AND PLURAL FORMS

POSSIBLE PLURAL ENDINGS: 1. **-** or **≟**
                          2. **-e** or **≟e**
                          3. **-er** or **≟er**
                          4. **-en** or **-n** (never takes umlaut)
                          [5. **-s**][1]

To a certain extent, it is possible to predict the plural of a noun from its singular.
A particular plural form depends primarily on the gender of the noun and the
number of its syllables. The following summary is based on the nouns introduced
in this book.

---

[1] Only a few words, mostly borrowed from English or French, have plurals in **s**: **Auto,
Hotel, Kino, Park, Radio, Restaurant.**

a. Most feminine nouns form their plurals according to Class 4 (**-en** or **-n**). They do not take an umlaut in the plural.

Exceptions:
Plural in **⸗e** (Class 2): a small number of common one-syllable feminine nouns (always with umlaut in the plural): die **Stadt**, die **Städte**. Also: **Braut, Hand, Kuh, Kunst, Luft, Nacht, Nuß, Wand, Wurst.**

Plural in **⸗** (Class 1): only two nouns, **Mutter** and **Tochter** (*daughter*); pl. die **Mütter**, die **Töchter.**

b. Most masculine nouns of one syllable[1] form their plurals according to Class 2 (**-e** or **⸗e**). Most take umlaut if possible, but a few do not: der **Tag**, die **Tage**; also **Dom, Hund, Schuh.**

Exceptions:
Plurals in **⸗er** (Class 3): der **Mann**, die **Männer**; der **Mund**, die **Münder**; der **Wald**, die **Wälder.**

Plurals in **-en** (Class 4): A few one-syllable masculine nouns, mostly denoting human beings: der **Mensch**, die **Menschen**; also **Christ, Graf, Herr, Hirt, Prinz.** These nouns also have **-en** in the singular (d 2 below).[2] The nouns **der See** and **der Staat** have plurals **die Seen** and **die Staaten**, but form their singular without **n:** des **Sees**, dem **See**, den **See**; des **Staates**, etc.

c. Most neuter nouns of one syllable form their plurals according to Class 3 (**-er** or **⸗er**). They always take umlaut if possible.

Exceptions:
Plurals in **-e** (Class 2): A considerable number of common one-syllable neuters (none take umlaut): das **Schiff**, die **Schiffe**; also **Brot, Fest, Haar, Heft, Jahr, Mal, Paar, Pferd, Recht, Reich, Schaf, Spiel, Stück, Tier, Werk, Ziel.**
Plurals in **-en** (Class 4): das **Bett**, die **Betten**; also **Hemd, Herz.**[3]

d. Most masculine and neuter nouns of more than one syllable form their plurals according to Class 1 (**-** or **⸗**). Most do not take umlaut, but a few masculines do: der **Bruder**, die **Brüder**; also **Apfel, Garten, Mantel, Sattel, Vater, Vogel.**

---

[1] One-syllable nouns forming part of a compound or with an unaccented prefix are also included in this group: der **Sonntag**, der **Bericht.**
[2] **Der Herr** has **-n** in the singular: des **Herrn**, etc.
[3] **Das Herz** is irregular in the singular: das **Herz**, des **Herzens**, dem **Herzen**, das **Herz.**

Exceptions:

Plurals in -e (Class 2): a few masculine and neuter nouns of more than one syllable, including those ending in -ich, -ig, -ling, -nis, -sal (der König, die Könige; das Ereignis, die Ereignisse); der Monat, die Monate; and a few words of non-German origin, most of them stressed on the last syllable (der Offizier, die Offiziere; das Mikrophon, die Mikrophone, das Telephon, die Telephone).

Plurals in -en or -n (Class 4):

1. All masculine nouns ending in -e and denoting living beings (der **Junge**, die **Jungen**).
2. Several masculine nouns of non-German origin stressed on the last syllable (mostly denoting human beings): der **Student**, die **Studenten**; also **Philosoph, Planet, Soldat, Tourist**.

Nouns in 1 and 2 also have -en or -n in the singular. Sample declension:

	SINGULAR	PLURAL
NOM.	der **Student**	die **Studenten**
GEN.	des **Studenten**	der **Studenten**
DAT.	dem **Studenten**	den **Studenten**
ACC.	den **Studenten**	die **Studenten**

3. Masculine nouns of non-German origin ending in -or: **Doktor, Professor**.[1]
4. A few neuter nouns: das **Auge**, die **Augen**; also **Ende, Interesse**.

Nouns in 3 and 4 do not have -en or -n in the singular. Sample declension:

	SINGULAR	PLURAL
NOM.	das **Auge**	die **Augen**
GEN.	des **Auges**	der **Augen**
DAT.	dem **Auge**	den **Augen**
ACC.	das **Auge**	die **Augen**

5. A few masculine nouns ending in e (not denoting living beings): der **Name**, die **Namen**; also **Friede, Gedanke**. These nouns have -ns in the genitive singular, -n in the dative and accusative singular. Sample declension:

	SINGULAR	PLURAL
NOM.	der **Name**	die **Namen**
GEN.	des **Namens**	der **Namen**
DAT.	dem **Namen**	den **Namen**
ACC.	den **Namen**	die **Namen**

[1] Note the change of accent in the plural of these words: der **Doktor**, die **Doktoren**; der **Professor**, die **Professoren**.

20. PERSONAL PRONOUNS

SINGULAR

NOM.	ich	du	er	sie	es
GEN.	meiner	deiner	seiner	ihrer	seiner
DAT.	mir	dir	ihm	ihr	ihm
ACC.	mich	dich	ihn	sie	es

	PLURAL			CONVENTIONAL ADDRESS SINGULAR AND PLURAL
NOM.	wir	ihr	sie	Sie
GEN.	unser	euer	ihrer	Ihrer
DAT.	uns	euch	ihnen	Ihnen
ACC.	uns	euch	sie	Sie

21. RELATIVE AND DEMONSTRATIVE PRONOUN **der, die, das**

| | SINGULAR | | | PLURAL, ALL GENDERS |
	MASCULINE	FEMININE	NEUTER	
NOM.	der	die	das	die
GEN.	dessen	deren	dessen	deren
DAT.	dem	der	dem	denen
ACC.	den	die	das	die

Prepositions

22. PREPOSITIONS WITH THE ACCUSATIVE

durch	*through, by (means of)*	**ohne**	*without*
für	*for*	**um**	*around, about, at (time)*
gegen	*against, toward*		

23. PREPOSITIONS WITH THE DATIVE

aus	*out of, from*	**nach**	*after, according to, to*
außer	*except*	**seit**	*since*
bei	*near, beside, with, at the house of*	**von**	*of, by, from*
mit	*with*	**zu**	*to*

24. PREPOSITIONS WITH THE DATIVE OR ACCUSATIVE

an	*at, to, on(to)*	**über**	*over, above, about*
auf	*on(to)*	**unter**	*under, among*
hinter	*behind*	**vor**	*before, in front of, ago*
in	*in(to), to*	**zwischen**	*between*
neben	*beside, near*		

25. COMMON PREPOSITIONS WITH THE GENITIVE

anstatt (statt)	*instead of*	**während**	*during*
trotz	*in spite of*	**wegen**	*because of*

Use of the Definite Article

In general, the use or omission of the definite article is similar to English; however, the article is occasionally used in German where it is omitted in English:

a. with abstract nouns representing a whole class or idea: **Das Leben** kann schön sein. *Life can be beautiful.*
b. with names of seasons, months, and days of the week: **Der Sommer** ist gekommen. *Summer has come.* **im August** *in August;* **am Mittwoch** *on Wednesday.*[1]
c. with feminine names of countries: **Die Schweiz** ist schön. *Switzerland is beautiful.*
d. with neuter names of cities, countries, and continents only if preceded by an adjective: **Das schöne Deutschland** *Beautiful Germany.* Otherwise the article is omitted as in English: **Deutschland** ist schön. *Germany is beautiful.*
e. with proper names, if preceded by an adjective: **Der junge Schiller** war sehr intelligent. *Young Schiller was very intelligent.*

PUNCTUATION[2]

The comma is used:

a. to set off all dependent clauses:

Er sagte, **daß er mich kennte.** *He said that he knew me.*
Der Mann, **den Sie gesehen haben,** ist mein Vater. *The man you saw is my father.*

b. to set off all indirect statements, even if **daß** is omitted:
Er sagte, **er kennte mich nicht.** *He said he did not know me.*

c. to set off infinitive phrases:

Es ist ihm gelungen, **das Problem zu lösen.** *He succeeded in solving the problem.*

If the infinitive is used alone without modifiers, no comma is needed:

Es ist ihm gelungen **zu fliegen.** *He succeeded in flying.*

The comma is not used:

a. before **und** or **oder** in a series:

Er versteht Englisch, Deutsch **und Französisch.**
He understands English, German, and French.

---

[1] When used without prepositions, months and days of the week do not always have an article: Heute ist **Mittwoch.** *Today is Wednesday.*
[2] Only differences from English are noted here.

Soll ich Deutsch, Latein **oder Französisch** lernen?
Shall I learn German, Latin, or French?

b. after adverbs or adverbial phrases at the beginning of a sentence in inverted word order:

Vor zwei Jahren konnte er kein Deutsch.
Two years ago, he knew no German.

The exclamation point is used after an imperative:

Bitte, setzen Sie sich! *Please sit down.*

SELECTED NOUNS AND ADJECTIVES OF NATIONALITY

COUNTRY OR CONTINENT	MALE INHABITANT	FEMALE INHABITANT	ADJECTIVE
Afrika (*Africa*)	der **Afrikaner**	die **Afrikanerin**	**afrikanisch**
Amerika (*America*)	der **Amerikaner**	die **Amerikanerin**	**amerikanisch**
Belgien (*Belgium*)	der **Belgier**	die **Belgierin**	**belgisch**
China (*China*)	der **Chinese**	die **Chinesin**	**chinesisch**
Dänemark (*Denmark*)	der **Däne**	die **Dänin**	**dänisch**
Deutschland (*Germany*)	der **Deutsche**	die **Deutsche**[1]	**deutsch**
England (*England*)	der **Engländer**	die **Engländerin**	**englisch**
Europa (*Europe*)	der **Europäer**	die **Europäerin**	**europäisch**
Frankreich (*France*)	der **Franzose**	die **Französin**	**französisch**
Griechenland (*Greece*)	der **Grieche**	die **Griechin**	**griechisch**
Indien (*India*)	der **Inder**	die **Inderin**	**indisch**
Irland (*Ireland*)	{ der **Ire** / der **Irländer**	{ die **Irin** / die **Irländerin**	**irisch**
Italien (*Italy*)	der **Italiener**	die **Italienerin**	**italienisch**
Japan (*Japan*)	der **Japaner**	die **Japanerin**	**japanisch**
Jugoslawien (*Yugoslavia*)	der **Jugoslawe**	die **Jugoslawin**	**jugoslawisch**
Kanada (*Canada*)	der **Kanadier**	die **Kanadierin**	**kanadisch**
Mexiko (*Mexico*)	der **Mexikaner**	die **Mexikanerin**	**mexikanisch**
die **Niederlande** (*Netherlands*)	{ der **Niederländer** / der **Holländer**	{ die **Niederländerin** / die **Holländerin**	{ **niederländisch** / **holländisch**
Norwegen (*Norway*)	der **Norweger**	die **Norwegerin**	**norwegisch**
Österreich (*Austria*)	der **Österreicher**	die **Österreicherin**	**österreichisch**

[1] Note that **die Deutsche** is the only feminine noun of nationality that does not end in **-in.**

Polen (*Poland*)	der **Pole**	die **Polin**	polnisch
Portugal (*Portugal*)	der **Portugiese**	die **Portugiesin**	portugiesisch
Rußland (*Russia*)	der **Russe**	die **Russin**	russisch
Schweden (*Sweden*)	der **Schwede**	die **Schwedin**	schwedisch
die **Schweiz** (*Switzerland*)	der **Schweizer**	die **Schweizerin**	schweizerisch
die **Sowjetunion** (*U.S.S.R.*)	der **Sowjetbürger**	die **Sowjetbürgerin**	sowjetisch
Spanien (*Spain*)	der **Spanier**	die **Spanierin**	spanisch
die **Tschechoslowakei** (*Czechoslovakia*)	{ der **Tscheche** der **Tschechoslowake**	{ die **Tschechin** die **Tschechoslowakin**	{ tschechisch tschechoslowakisch
die **Türkei** (*Turkey*)	der **Türke**	die **Türkin**	türkisch
Ungarn (*Hungary*)	der **Ungar**	die **Ungarin**	ungarisch

Appendix B

Lesson Readings 1 to 7 in Fraktur

AUFGABE 1

Der Film ist interessant.

„Guten Morgen, Herr Professor", sagt Günter Müller zu Professor Maier. Professor Maier ist sein Deutschlehrer.

„Guten Tag, Herr Müller", antwortet der Professor. „Sie sind heute so aufgeregt. Was haben Sie denn?"

5 „Mein Freund Gerhard Lang und ich waren gestern im Kino", sagt Günter. „Der Film war herrlich, eine Sensation!"

„Wirklich?" fragt Professor Maier.

„Ja, es war ein Farbfilm, ,Der Besuch der alten Dame'. Sie kennen das Buch, nicht wahr? Es ist ein Roman von Friedrich Dürrenmatt", sagt Günter.

10 „Nein, es ist kein Roman", antwortet der Professor, „es ist ein Drama."

„Ja", sagt eine Stimme.

„Guten Morgen, Fräulein Schön", sagt Professor Maier.

„Mein Vater hat das Buch", sagt Brigitte Schön. „Es ist sehr interessant."

„Ja, es ist wirklich sehr spannend. Sie kommen heute in meine Deutschstunde,

15 nicht wahr?"

„Natürlich", antworten Brigitte und Günter.

„Auf Wiedersehen", sagt der Professor.

„Auf Wiedersehen", sagen die zwei.

„Wie geht es dir?" sagt Günter zu Brigitte. Sie ist seine Freundin. Sie sind

20 oft zusammen.

„Danke, gut", antwortet sie. „Günter, dort kommt Heinz. Er ist so traurig."

„Heinz!" ruft Günter, „ich war gestern im Kino. Es war herrlich."

„Ja", sagt Heinz, "mein Bruder und seine Freundin waren auch dort, und ich nicht. Darum bin ich so traurig. Ich gehe aber heute abend."

25 „Das ist sehr nett", sagt Brigitte, „ich gehe auch."

,Nein, das ist gar nicht nett', denkt Günter und fragt: „Ihr geht zusammen?"

Günter ist nun plötzlich sehr traurig. Merkwürdig, nicht wahr? Unser Freund Günter ist leider kein Philosoph.

AUFGABE 2

Heute wandern wir.

Heute ist Sonntag, das Wetter ist schön, die Sonne scheint warm und die Schulbücher sind vergessen. Fritz spricht mit Günter:

„Was machen wir heute?" fragt er.

„Das ist ganz einfach", antwortet Günter, „du nimmst dein Auto und wir fahren nach Garmisch. Das sind nur fünfzig Kilometer. Es ist schon Herbst und 5 jetzt sind die Wälder besonders schön. In Garmisch gibt es ein Restaurant, ich kenne es. Dort ißt man sehr gut."

„Halt!" sagt Fritz, „das Restaurant kommt später. Zuerst wandern wir. Die Berge und Seen, die Bäume, Wälder und Felder sind . . ."

„Jetzt sage ich ‚halt'!" ruft Günter. „Du bist ein Naturfreund, ein Idealist, 10 aber ich bin ein Realist, ich esse zuerst und wandere später."

„Aber dann regnet es vielleicht", sagt Fritz, „und wir wandern nicht mehr."

„Ist das so schlimm?" fragt Günter. „Die Natur läuft nicht weg. Wir wandern dann nächsten Sonntag."

„Günter, da fährt Herr Baum, siehst du?" sagt Fritz. „Vielleicht fährt er auch 15 nach Garmisch. Warum fahren wir nicht auch gleich?

(Zwei Stunden später in Garmisch.)

Das Wetter ist gar nicht mehr schön. Wo sind unsere Freunde? Viele Leute gehen ins Restaurant. Ja natürlich, dort sitzen auch Fritz und Günter und Herr Baum. Fritz sagt:

„Guten Tag, Herr Baum, wie geht es Ihnen?" 20

„Danke, gut", antwortet Herr Baum, „und Ihnen?"

„Gar nicht gut", sagt Fritz. Er ist sehr traurig, aber Günter lacht und liest die Speisekarte. Draußen regnet es, aber im Restaurant ißt, trinkt und singt man und . . . wandert heute nicht mehr. Günter ruft nun: „Herr Ober, . . .!"

(Fortsetzung folgt).

AUFGABE 3

Lesen Sie bitte die Speisekarte, meine Herren!

„Herr Ober, ich habe Hunger für drei!" ruft Günter laut.

„Das ist aber nett", sagt der Ober. „Lesen Sie bitte unsere Speisekarte! Dort finden Sie sicher etwas."

„Danke", antwortet Günter, „aber sie ist so lang. Ohne Ihren Rat bestelle ich
5   nichts. Was empfehlen Sie heute?"

„Der Koch empfiehlt seinen Rindsbraten in Burgundersoße, Bratkartoffeln oder Kartoffelbrei und Gemüse."

„Gut", sagt Günter, „was für Gemüse haben Sie denn?"

„Erbsen, Bohnen, Karotten und Spargel", antwortet der Ober.

10   „Dann nehme ich Rindsbraten, Kartoffelbrei und Spargel", sagt Günter.
„Da steht ,Tagessuppe', Herr Ober", sagt er dann. „Was für eine Suppe ist das heute?"

„Heute haben wir Gemüse= und Nudelsuppe", erklärt der Ober.

„Gut," sagt Günter, „ich bestelle Nudelsuppe." Dann liest Fritz die Speisekarte.
15   „Nimm auch den Braten!" sagt Günter.

„Nein", sagt Fritz, „Braten hatten wir erst gestern. Ich habe fast keinen Hunger. Ich brauche etwas gegen meinen Durst. Herr Ober, für mich bringen Sie bitte ein Glas Bier und eine Portion Brot, Butter und Käse und für meinen Freund hier ein Glas Rotwein! Du trinkst doch Rotwein, nicht wahr?"

20   „Nein, ich trinke nur Weißwein."

„Also dann ein Glas Weißwein", sagt Fritz.

Der Ober geht, bestellt das Essen und holt Messer, Gabeln, Löffel, Teller, Tassen, Gläser und Servietten.

„Unser Spaziergang durch den Wald war schön", sagt Fritz.

25   „Ja", sagt Günter, „aber schon dann hatte ich Hunger und jetzt . . . Fritz, da kommt unser Deutschlehrer! Ich sehe ihn durch das Fenster."

„Sieht er uns auch?" fragt Fritz. „Ist er allein?"

„Ich glaube, er sieht uns nicht", antwortet Günter. „Jetzt kommt seine Frau um die Ecke. Kennst du sie?"

30   „Nicht sehr gut", sagt Fritz. „Ich glaube, sie fahren nach München. Dort kommt der Bus."

„Und hier kommt unser Ober", unterbricht Günter seinen Freund. „Er bringt unser Essen, dein Bier und meinen Wein."

„Guten Appetit, meine Herren!" sagt der Ober.

35   Unsere Freunde sagen „Danke" und dann kein Wort mehr. Sie haben jetzt den Mund voll.

AUFGABE 4

Ich schicke meinem Professor ein Buch.

Heidelberg, im November.

Lieber Herr Professor Müller!

Seit einem Monat bin ich hier in Heidelberg. Die Stadt und ihre Universität
gefallen mir sehr. Das Studium ist schwer, aber Ihr Deutschunterricht war gut,
und ich verstehe die Professoren und Studenten ohne Schwierigkeit. Die Menschen
hier sind freundlich und lieben das Leben und ihr Land. Das ist auch kein Wunder: 5
das Neckartal mit seinen Schlössern und Dörfern ist wirklich sehr schön. Darum
kommen so viele Touristen schon seit Jahren nach Heidelberg. Schon Goethe
und Eichendorff waren begeistert von dieser Stadt. Heidelberg mit seinem Schloß,
der Brücke, den Kirchen und dem Blick von den Bergen ins Neckartal vergißt 10
man nie wieder.

Und jetzt erzähle ich Ihnen kurz von meiner Reise nach Deutschland und von
meinem Leben hier. Die Reise mit dem Schiff von New York nach Hamburg
war gemütlich und ruhig, d. h. ich war nicht seekrank! Auf dem Schiff tanzt man
viel, auch ißt, trinkt und spricht man oft mit Freunden und Bekannten; kurz, 15
eine Schiffsreise ist erholsam. Nach sieben Tagen waren wir in Hamburg. Von
dort waren es acht Stunden mit dem Zug nach Heidelberg.

Mein Leben hier ist sehr angenehm und interessant. Um neun Uhr morgens
gehe ich aus dem Haus. Nach den Vorlesungen gehe ich manchmal mit meinen
Freunden ins Restaurant. Oft essen wir auch bei mir oder gehen zu einem Freund. 20
Dann bringen wir ihm Brot, Butter, Wurst und Käse und etwas zu trinken.
Darum ist das Leben hier nicht sehr teuer. Mit hundert Dollar, d. h. vierhundert
Mark pro Monat, lebt man ganz gut. Manchmal schickt mir mein Vater etwas
Geld. Das hilft mir immer. Dann kaufe ich ein Buch oder fahre mit dem Zug
nach Mannheim und gehe ins Nationaltheater. Übrigens habe ich ein Buch mit 25
Studentenliedern. Ich schicke es Ihnen heute. Jetzt schließe ich meinen Brief
mit einer Strophe aus einem Studentenlied von Viktor von Scheffel über
Heidelberg und grüße Sie herzlich,

Ihr

Peter Miller 30

Studentenlied

Alt Heidelberg, du Feine, du Stadt an Ehren reich,
am Neckar und am Rheine kein' andre kommt dir gleich.
Stadt fröhlicher Gesellen, an Weisheit schwer und Wein,
klar ziehn des Stromes Wellen, Blauäuglein blitzen drein. 35

AUFGABE 5

Wir fahren heute mit dem Bus in die Stadt.

Wir stehen an der Haltestelle und warten auf den Bus. Es regnet, aber das ist
nicht schlimm. Mein Freund hat einen Regenmantel und ich habe einen Schirm.
Neben uns steht eine Frau unter einem Baum. Sie ist ganz naß. Oh, dort
kommt endlich unser Bus. Er ist natürlich besetzt und wir bekommen keinen
5 Sitzplatz mehr. Aber im Bus ist es wenigstens warm und trocken. Wir fahren
gewöhnlich mit dem Auto in die Stadt, aber oft findet man keinen Parkplatz.

Zwischen meinem Freund und mir steht eine Mutter mit ihrem Kind. Plötzlich
fragt sie mich:

„Entschuldigen Sie bitte, wohin fährt denn der Bus? Fährt er nicht zum
10 Hauptbahnhof?"

„Nein, der Bus fährt zum Schloß."

„Das ist ja furchtbar", ruft die Frau laut, „da bekomme ich meinen Zug nicht
mehr!"

„Seien Sie ruhig, liebe Frau!" sage ich zu ihr. „Wir sind bald am Markt=
15 platz. Dort steigen Sie in die Linie 10 und in fünf Minuten sind Sie am Bahnhof."

„Danke", antwortet die Frau und geht mit dem Kind an den Ausgang.
Mein Freund sagt noch zu ihr:

„Gehen Sie nicht über die Straße, die Linie 10 kommt hinter uns!"

An der Haltestelle nach dem Marktplatz steigen wir auch aus dem Bus. Wir
20 brauchen Bücher und ein paar Sachen für unsere Wohnung. Hier sind einige
Geschäfte und Buchhandlungen und ein Kaufhaus. Ich habe nicht viel Zeit, also
sage ich zu meinem Freund:

„Warum gehst du nicht zuerst in die Buchhandlung und kaufst die Bücher?
Ich gehe inzwischen zum Kaufhof und kaufe die Seife und die Zahnpaste."

25 „Gut", antwortet er, „bis später."

Nach einer Weile komme ich wieder aus dem Kaufhaus. Da steht mein Freund
schon und wartet auf mich. Er lacht und ich frage ihn:

„Was hast du denn?" Er antwortet:

„Ich war schon in der Buchhandlung, da kommt die Verkäuferin und fragt
30 mich: ‚Was wünschen Sie?' und ich sage: ‚Ein Stück Seife und eine Tube Zahn=
paste, bitte!' Sie macht große Augen und sagt: ‚Es tut mir sehr leid, mein Herr,
aber das führen wir nicht. Wir verkaufen nur Goethe, Schiller usw.' ‚Ent=
schuldigen Sie bitte', sage ich dann zu ihr, ‚ich war gerade in Gedanken bei meinem
Freund im Kaufhaus. Er kauft ein paar Sachen für unsere Wohnung. Ich brauche

einige Bücher.' Es war wirklich komisch. Da liegen so viele Bücher auf den   35
Tischen, und ich spreche von Seife und Zahnpaste. Hast du alles?"

„Ja, natürlich. Fahren wir jetzt wieder nach Hause? Dort kommt gerade die
Linie 6."

„Nein, ich bleibe noch in der Stadt. Ich gehe mit der Verkäuferin aus der
Buchhandlung später ins Kino. Sie war so nett zu mir. Mach nicht so große   40
Augen! Auf Wiedersehen! Schnell, dort ist dein Bus! Oh, nimm bitte meine
Bücher und lege sie auf meinen Schreibtisch!"

AUFGABE 6

„Ich lernte die Sprache der Tiere"

Über den Wert der Erziehung

Vor Jahren — ich war noch ein Kind — erzählte mir meine Mutter ein
Märchen. Es interessiert Sie sicher auch, und darum erzähle ich es Ihnen jetzt:
Es war einmal ein Graf. Er hatte nur einen Sohn. Der Sohn aber war sehr
dumm und lernte nichts. Da sagte der Vater eines Tages zu ihm:

5 „Höre, mein Sohn, du lernst hier nichts. Darum schicke ich dich in die Stadt
auf die Universität. Dort lernst du sicher etwas."
Nach einem Jahr war der Junge wieder zu Hause, und der Vater fragte ihn:
„Was lerntest du während des Jahres in der Stadt?" Der Sohn antwortete:
„Vater, ich lernte die Sprache der Hunde."

10 „Das ist ja furchtbar", sagte der Vater, „das kommt nur wegen deiner Dumm=
heit. Du bist und bleibst dumm trotz meines Geldes!"
Am Ende des Sommers schickte der Vater seinen Sohn in eine andere Stadt
auf eine andere Universität. Er studierte auch dort ein Jahr und sagte dann zu
seinem Vater:

15 „Jetzt verstehe ich noch eine Sprache, nämlich die Sprache der Vögel." Da
wurde der Vater sehr zornig und sagte:
„Warum bist du nur so dumm und verschwendest mein Geld? Aber ich versuche
es trotz deiner Dummheit noch einmal mit dir. Im Herbst gehst du wieder in
eine andere Stadt auf eine andere Universität. Ich gebe dir aber einen Rat:

20 Lerne etwas, sonst bist du mein Sohn nicht mehr!"
Nach wieder einem Jahr fragte der Vater seinen Sohn noch einmal:
„Was lerntest du während des Jahres?" Und der Junge antwortete ihm:
„Ich lernte die Sprache der Frösche." Da holte der Vater seine Diener und
sagte zu ihnen:

25 „Das ist mein Sohn nicht mehr. Bringt ihn in den Wald und tötet ihn!"
Aber im Wald hatten die Diener Mitleid mit dem Jungen und töteten statt
seiner ein Reh. Dem Vater zeigten sie die Augen und die Zunge des Rehes.
Der Junge aber wanderte durch den Wald bis zu dem Turm eines Schlosses.
Da waren viele Hunde — sie waren wild und gefährlich — und darum reiste

30 niemand durch den Wald. Aber zu ihm waren die Hunde sehr freundlich und
erzählten ihm ihre Geschichte:
„Seit Jahren hüten wir einen Schatz. Er liegt hier unter dem Turm. Wir
zeigen dir den Schatz, dann nimmst du ihn und wir sind frei." Das machte der

Junge. Jetzt hatte er viel Geld, und man hörte seitdem keine Hunde mehr in
dem Wald. 35

Dann wanderte der Junge weiter und eines Tages war er auf der Straße
nach Rom. Da hörte er am Rande der Straße einige Frösche. Sie sagten:

„Ach, wie traurig, der Papst in Rom ist tot! Wer wird jetzt Papst?" Zwei
Wochen darauf war der Junge in Rom. Dort fragten die Kardinäle schon lange:

„Wer wird jetzt unser Papst?" Und endlich sagten sie: „Warten wir auf ein 40
Wunder Gottes!" In dem Augenblick öffnete der Junge die Tür der Peters=
kirche und zwei Tauben setzten sich auf seine Schultern. Da sagten die Kardinäle:

„Das ist das Wunder Gottes!" Und sie fragten den Jungen:

„Wirst du unser Papst?" Der Junge war ganz erstaunt, aber die Tauben
flüsterten: 45

„Sage ja!" Endlich sagte er:

„Ja, ich werde euer Papst." Da machten ihn die Kardinäle zum Papst. Der
Junge aber fragte die Tauben:

„Was tut denn ein Papst?" Darauf antworteten ihm die zwei Tauben:

„Hab keine Angst! Wir bleiben bei dir bis an dein Lebensende und erklären 50
dir alles."

Die Moral der Geschichte aber ist: Lernen auch Sie viele Sprachen, sie bringen
Ihnen Erfolg!

AUFGABE 7

Altes und Neues

Deutschland in Zahlen

Wir stehen auf einem der Bahnsteige des Münchener Hauptbahnhofs und
warten auf den Schnellzug nach Hamburg. Wir hatten eine Woche Ferien und
waren während dieser Zeit in den bayrischen Alpen. Wir waren z.B. auf dem
Watzmann (2 713 m) bei Berchtesgaden und auf der Zugspitze (2 963 m =
5 9 722 Fuß) in der Nähe von Garmisch-Partenkirchen. Nach diesen vielen Wanderungen sind wir ziemlich müde. Jetzt fahren wir mit dem Zug nach Hamburg.
Auf solch einer Reise sieht man fast ganz Westdeutschland, d.h. man fährt durch
mindestens sechs der zehn Länder der Bundesrepublik Deutschland. Diese sechs
Länder heißen: Bayern, Baden-Württemberg, Rheinland-Pfalz, Nordrhein-
10 Westfalen, Niedersachsen und Hamburg selbst. Die vier anderen Bundesländer
sind Hessen, das Saarland, Schleswig-Holstein und Bremen. West-Berlin ist
auch ein Teil der Bundesrepublik, es ist aber kein Bundesland. Die Bundesrepublik, zusammen mit West-Berlin, umfaßt ein Gebiet von 248 427,72 qkm,
d. h. sie ist nicht ganz so groß wie der Staat Oregon (96 981 Quadratmeilen).
15 In der Bundesrepublik wohnen aber fast 56 Millionen Menschen, in Oregon
dagegen nur ungefähr 1,8 Millionen!

Plötzlich ertönt eine Stimme aus dem Lautsprecher und unterbricht unsere
Gedanken über das Thema „Deutschland in Zahlen“:

„Der Schnellzug nach Hamburg über Augsburg, Ulm, Stuttgart, Heidelberg,
20 Mannheim, Mainz, Bonn, Köln, Düsseldorf und Hannover hat leider fünfzehn
Minuten Verspätung. Ich wiederhole: Der Schnellzug . . .“ Solch eine Verspätung ist zwar nicht sehr angenehm, aber sie gibt uns jetzt noch einige Minuten
Zeit. Während dieser Viertelstunde erzählen wir Ihnen schnell den Rest unserer
Geschichte über Deutschland. Haben Sie übrigens keine Angst, Sie brauchen alle
25 diese Zahlen und Namen nicht auswendig zu lernen! Eine gute Ausspracheübung
ist dieses Lesestück aber, nicht wahr?

Wir sehen auf die Uhr. Es ist jetzt 8.13 Uhr (acht Uhr dreizehn), der Zug
kommt also wahrscheinlich um 8.28 Uhr. Die Reise nach Hamburg dauert
ungefähr zwölf Stunden, d. h. wir sind um halb neun dort. Die Reise ist sehr
30 lang, aber wir sehen auch viel von Deutschland. Und jetzt erzählen wir weiter.

Welche Fragen interessieren Sie denn besonders? Natürlich, das Geld! In
Deutschland verwendet man die Mark. Sie hat hundert Pfennige und ist ungefähr 25 Cent wert. Für einen Dollar bekommen Sie also vier deutsche Mark

(DM). Und wie ist das Klima in Deutschland? Es ist ziemlich mild, besonders
im Rheintal. Dort beträgt die Durchschnittstemperatur 10 bis 11° C (Celsius),   35
das sind also ungefähr 50 bis 52° Fahrenheit.

Und jetzt noch ein Wort über Entfernungen: diese mißt man in Deutschland,
wie überall in Europa, in Kilometern. Ein Kilometer ist 0,62 Meilen, oder
umgekehrt: eine Meile ist ungefähr 1,6 km. Die Entfernung zwischen München
und Hamburg ist ungefähr 800 km. Wie viele Meilen sind das also? Ja, unge=   40
fähr 500 Meilen. Bei der Umrechnung von Kilometern in Meilen teilen Sie die
Kilometerzahl durch 1,6 oder Sie multiplizieren sie mit 0,62.

Vergessen wir aber in unserer Geschichte nicht den östlichen Teil Deutschlands.
Er heißt jetzt Deutsche Demokratische Republik, oder einfach DDR. Früher war
das die sowjetische Besatzungszone. Dort leben ungefähr siebzehn Millionen   45
Deutsche auf einem Gebiet von 107 830 qkm (= 41 537 Quadratmeilen),
einem Gebiet also von der Größe des Staates Ohio (41 222 Quadratmeilen).
Der „Eiserne Vorhang" und die Berliner Mauer trennen diese Menschen von
Westdeutschland. Hier, in der DDR, liegt z. B. Thüringen, früher das „Herz"
Deutschlands. Namen wie Martin Luther, Friedrich Schiller und Johann   50
Wolfgang von Goethe erinnern uns an diesen Teil Deutschlands. Jener über=
setzte auf der Wartburg die Bibel in die deutsche Sprache, diese lebten viele Jahre
in Weimar. Ost=Berlin, Magdeburg, Leipzig und Dresden sind Großstädte
dieses Gebiets.

Überall in Deutschland, im Osten und Westen, gibt es viele Wälder, Berge,   55
Seen und Flüsse. Ihre Namen finden Sie auf der Landkarte in diesem Buch.
Studieren Sie diese Landkarte gut! Sie lernen dabei viel über Deutschland.

Jetzt ertönt wieder die Stimme aus dem Lautsprecher:

„Achtung, Achtung, Bahnsteig sieben! Der Schnellzug nach Hamburg fährt
ein. Vorsicht, bitte!" Das ist unser Zug. Hoffentlich haben wir schönes Wetter   60
auf unserer Reise.

Vocabularies

Numbers after German items indicate the lesson in which the expression first appears. Unnumbered expressions belong to the inactive vocabulary.

The plural of nouns is indicated as follows: **das Dorf, ⸗er.** The genitive ending is given only for masculine and neuter nouns forming the genitive in -(e)n or -(e)ns: **der Student, -en, -en; der Name, -ns, -n.**

Principal parts are listed for strong and irregular verbs. A separable prefix is indicated by a slash: **ab /fahren.**

Words not stressed on the first syllable are marked as follows: a dot to indicate a stressed short vowel **(April),** a dash to indicate a stressed long vowel or diphthong **(Maschine).**

ab und zu (15)   now and then

der **Abend, -e** (9)   evening; **guten Abend** (14) good evening; **zu Abend essen** (13)   to eat dinner

aber (1)   but, however

ab/fahren, fuhr ab, ist abgefahren, fährt ab (14)   to leave, depart

ab/fallen, fiel ab, ist abgefallen, fällt ab to fall off; **die Straße fällt ab** the road goes downhill

ab/fliegen, flog ab, ist abgeflogen to take off, depart

ab/hängen von, hing ab, abgehangen (19) to depend on

abhängig (von) (21)   dependent (on)

ab/holen (14)   to go and meet, pick up

(sich) ab/kühlen to cool off

ab/lösen to replace

ab/nehmen, nahm ab, abgenommen, nimmt ab to take off, remove

ab/räumen to take down, clear away, remove

ab/schließen, schloß ab, abgeschlossen (17) to lock, seal

abseits (*with gen.*)   aside, off

ab/stürzen, ist abgestürzt to go down, crash

ab/waschen, wusch ab, abgewaschen, wäscht ab to wash off

ach (6)   ah, alas

achten auf (*with acc.*) (21)   to pay attention to

Achtung (7)   attention

der **Adventskranz, ⸗e** advent wreath

der **Adventssonntag, -e** Sunday in advent

die **Adventszeit** advent

aggressiv aggressive

ähnlich (12)   similar

die **Ahnung, -en** idea, inkling

akademisch academic

all- (7)   all

alle . . . Jahre (Monate, Wochen, Tage) (20)   every . . . years (months, weeks, days)

alle möglichen (21)   all kinds of

allein (3)   alone

allerdings to be sure

allerhand all kinds of

alles (5)   everything

allgemein (19)   general(ly), common

die **Alpen** (15)   the Alps

das **Alpendorf, ⸗er** (15)   Alpine village

als (4)   as, than, when

als (ob) (18)   as if, as though

also (3)   thus, so (*don't confuse with English* also!)

alt (7)   old

das **Alter, -** (9)   age; **im Alter von** (16)   at the age of

altmodisch old fashioned

(das) **Amerika** (16)   America

der **Amerikaner, -** (7)   American

die **Amerikanerin, -nen** (7)   American (woman)

an (*with acc. or dat.*) (5)   to, at, on

der **Analphabet, -en** illiterate (person)

ander- (6)   other, different

(sich) ändern (20)   to change

anders (12)   different(ly)

anderthalb (8)   one and a half

der **Anfang, ⸗e** (12)   beginning

an/fangen, fing an, angefangen, fängt an (13)   to start, begin

angenehm (4)   pleasant

Angst haben (vor, *with dat.*) (6)   to be afraid (of)

an/halten, hielt an, angehalten, hält an (*trans. & intrans.*) (15)   to stop

sich (*dat.*) **etwas an/hören** to listen to

an/kommen, kam an, ist angekommen (13) to arrive

an/nehmen, nahm an, angenommen, nimmt an (18)   to assume

der **Anruf, -e** call

an/rufen, rief an, angerufen (14)   to call (*by phone*)

an/schalten (15)   to turn on, switch on

anscheinend (15)   apparently

sich an/schließen, schloß an, angeschlossen (*with dat.*)   to join

der **Anschluß, ⸗sse** connection, contact

an/sehen, sah an, angesehen, sieht an (13) to look at

sich (*dat.*) **etwas ansehen** (14)   to take, have a (close) look at something

an/springen, sprang an, ist angesprungen to start, catch (*motor*)

in Anspruch nehmen to make demands

anstatt (6) (*with gen.*)   instead of

antikirchlich antichurch

an/treiben, trieb an, angetrieben to drive, propel

die **Antwort, -en** (17)   answer

antworten (1)   to answer

die **Anzahlung, -en** down payment

an/ziehen, zog an, angezogen (22)   to attract

sich an/ziehen (13)   to dress, get dressed

der Anzug, ⸗e (20) suit
der Apfel, ⸗ (8) apple
der Apfelsinensaft orange juice
die Apotheke, -n pharmacy, drugstore
der Apparat, -e apparatus
der Appetit appetite; guten Appetit (3) en-
    joy your meal(s)
(der) April (12) April
die Arbeit, -en (10) work
    arbeiten (10) to work
der Arbeiter, - (17) worker
das Arbeitszimmer, - (10) study
sich ärgern (über *with acc.*) (15) to be angry,
    annoyed (about)
    arm (13) poor
der Arrest, -e arrest
die Art, -en (21) kind, type
der Arzt, ⸗e (17) physician, (medical) doctor
der Aspekt, -e aspect
    atmen to breathe
    auch (1) also; auch nicht (13) not either
    auf (*with acc. or dat.*) (5) on, onto
    auf/atmen to breathe a sigh of relief
der Aufenthalt, -e stop
    auf/führen (16) to perform
die Aufführung, -en performance
die Aufgabe, -n (1) lesson
    aufgeregt excited
    auf/hören (14) to stop, end, cease
    auf/machen (13) to open
die Aufnahmeprüfung, -en entrance exami-
    nation
    auf/nehmen, nahm auf, aufgenommen,
    nimmt auf (22) to take up; etwas in
    sich aufnehmen (22) to absorb some-
    thing
    auf/passen (15) to pay attention
der Aufsatz, ⸗e (13) composition, essay
    auf/schreiben, schrieb auf, aufgeschrieben
    (14) to write down
    auf/stehen, stand auf, ist aufgestanden (13)
    to rise, get up
    auf/wachen, ist aufgewacht (15) to wake
    up
    auf/wachsen, wuchs auf, ist aufgewachsen,
    wächst auf (20) to grow up
das Auge, -n (5) eye; große Augen machen (5)
    to look surprised
der Augenblick, -e (6) moment
(der) August (12) August
    aus (*prep. with dat.*) (4) from, out of;
    (*adverb*) (9) over, finished
der Ausgang, ⸗e (5) exit
die Auskunft, ⸗e (18) information
das Ausland abroad
der Ausländer, - (19) foreigner

    ausländisch foreign
    aus/rufen to proclaim, exclaim
    aus/schrauben to unscrew
    aus/sehen, sah aus, ausgesehen, sieht aus
    (13) to look, appear
    außerdem (18) besides
die Ausspracheübung, -en (7) pronunciation
    exercise
    aus/sprechen, sprach aus, ausgesprochen,
    spricht aus (18) to pronounce
der Ausspruch, ⸗e utterance, saying
    aus/steigen, stieg aus, ist ausgestiegen (13)
    to get off
der Austauschstudent, -en, -en exchange stu-
    dent
    aus/teilen to distribute
    aus/trinken, trank aus, ausgetrunken to
    drink up, finish
der Auswanderer, - emigrant
das Auto, -s (2) car, automobile
    autobiographisch autobiographical
die Autofabrik, -en automobile factory
der Autofahrer, - driver
die Autofahrt, -en (15) drive
der Autor, Autoren author
die Autorität, -en authority

der Bach, ⸗e brook
der Bäcker, - (14) baker
das Bad, die Badezimmer (10) bath, bath-
    room
die Bahnfahrt, -en (8) train trip
der Bahnhof, ⸗e (5) railroad station
der Bahnsteig, -e (7) platform
    bald (5) soon
der Ballon, -s balloon
die Ballonhülle, -n balloon cover
der Band, ⸗e (11) volume (book)
    barock baroque
der Bart, ⸗e beard
die Batterie, -n (15) battery
    bauen (17) to build
der Baum, ⸗e (2) tree
    bayrisch Bavarian
    beantworten to answer (*a question*)
    bedeuten (17) to mean
die Bedeutung, -en significance, meaning
sich bedienen (22) to help oneself; (*with gen.*)
    to avail oneself of
sich beeilen (13) to hurry
    beeinflussen (22) to influence
    beenden to finish, complete
    beerben to be someone's heir
sich befinden, befand, befunden to be located
    begegnen, ist begegnet (*with dat.*) (11) to
    meet, come upon (by chance)

begeistert sein von to be enthusiastic about
beginnen, begann, begonnen (8) to begin
begleiten (15) to accompany
die Begleitung, -en accompaniment
behaupten (9) to claim, maintain
bei (*with dat.*) (4) near, beside, at the house of
beide (8) both, the two
beides both (things)
das Beispiel, -e example; z.B. = zum Beispiel (7) for example
einen Beitrag leisten zu to make a contribution to
bekannt (8) well known
der, die Bekannte, -n (10) (ein Bekannter) acquaintance
bekanntlich as you know, as is known
die Bekenntnisschule, -n denominational school
bekommen, bekam, bekommen (5) to get, receive
beleben to revive
bemerken (15) to notice
die Bemerkung, -en remark
das Benzin (14) gasoline
bequem (10) comfortable
der Berg, -e (2) mountain
das Bergwerk, -e mine
der Bericht, -e (11) report
berichten (11) to report
die Berufsschule, -n vocational school
berühmt (8) famous
die Besatzungszone, -n zone of occupation
(sich) beschäftigen (mit) (20) to be busy, concerned (with)
Bescheid wissen (über *with acc.*) (20) to be informed (about)
beschreiben, beschrieb, beschrieben (11) to describe
die Beschreibung, -en (12) description
besetzt (5) occupied, full, taken, busy (*phone*)
besichtigen to visit, see the sights (of)
besiegen to defeat
besitzen, besaß, besessen (11) to possess, own
besonders (7) especially, particularly
bestehen, bestand, bestanden (19) to pass, exist; bestehen aus (8) to consist of
bestellen (3) to order
der Besuch, -e (10) visit, attendance
besuchen (10) to visit, attend
der Beton concrete
betonen (19) to emphasize

betrachten (als, *with acc.*) (21) to consider
betragen to amount to
betreffen, betraf, betroffen, betrifft to concern
betrügen to deceive
das Bett, -en (13) bed
die Bevölkerung, -en population
bevor (15) before
der Beweis, -e (22) evidence
bezahlen (14) to pay
die Bibel, -n Bible
die Bibliothek, -en (11) library
das Bier, -e (3) beer
bieten, bot, geboten (19) to offer
das Bild, -er (1) picture
bildlich pictorial
billig (10) cheap, inexpensive
die Biologie biology
die Birne, -n (8) pear
bis (6) until, to; bis dahin (22) up to that time; bis später (5) so long; bis an, bis auf, bis in, bis nach, bis zu (6) (up) to, as far as
ein bißchen (20) a little (bit)
bitte (3) please
bitten, bat, gebeten (um) (16) to ask, beg (for)
blau (8) blue
bleiben, blieb, ist geblieben (5) to stay, remain
der Bleistift, -e (14) pencil
der Blick, -e (4) view, look; einen Blick werfen auf (*with acc.*) (22) to take a look at
die Bluse, -n (20) blouse
die Bohne, -n (3) bean
böse (10) angry, bad, evil
der Bote, -n, -n messenger
der Braten, - (3) roast
die Bratkartoffeln (3) fried potatoes
brauchbar usable
brauchen (3) to need
braun (8) brown
die Braut, =e (16) fiancée, bride
brav (12) good, well behaved
brechen, brach, gebrochen, bricht (12) to break
brennen, brannte, gebrannt (12) to burn
der Brief, -e (4) letter
bringen, brachte, gebracht (3) to bring
das Brot, -e (3) bread
die Brücke, -n (4) bridge
der Bruder, = (1) brother
der Brunnen, - (15) fountain
das Buch, =er (1) book
die Buchhandlung, -en (5) bookstore

die **Bundesrepublik** (7) Federal Republic
der **Bürger, -** (9) citizen
der **Bürgermeister, -** (9) mayor
die **Burgundersoße, -n** burgundy sauce
bürokratisch bureaucratic
der **Bus, -se** (3) bus
die **Butter** butter

das **Café, -s** café
der **Camping-Platz, ≈e** camping area
Celsius centigrade
charakterisieren to characterize
die **Chemie** chemistry
der **Christ, -en** (12) Christian
der **Christbaum, ≈e** (12) Christmas tree
das **Christkind** Christ Child
christlich (12) Christian
die **Christmette, -n** midnight mass
Christus (*gen.* **Christi**) Christ

da (2) there, then; (15) since, because
dabei in so doing
das **Dach, ≈er** (10) roof
dagegen (7) on the other hand
damals (9) at that time
die **Dame, -n** (9) lady; **meine Damen und
Herren** (13) ladies and gentlemen
damit (15) so that
(das) **Dänemark** (18) Denmark
danke (1) thank you; **danke schön**
thank you (very much); **vielen Dank**
(14) thank you very much
dann (2) then
darauf (6) thereupon, after that
darum (1) that's why, therefore
daß (15) that
dauern (7) to last, take (time); **auf die
Dauer** in the long run
dazu kommt, daß (22) add to this the
fact that; **dazu kam, daß** added to this
was the fact that
der **Degen, -** sword
dein (1) your
demokratisch (20) democratic
demonstrieren to demonstrate
denken, dachte, gedacht (1) to think;
denken an (*with acc.*) (8) to think of
das **Denkmal, ≈er** monument
denn (*conj.*) (9) for; *also idiomatic particle without definite meaning in English.
See also idioms in Lesson 1:* **Was hast
du denn?**
deprimierend depressing
der, die, das (1) the
derjenige, diejenige, dasjenige (19) the
one, that one
derselbe, dieselbe, dasselbe (19) the same

deshalb (16) that is why, therefore
deutsch (7) German; **auf deutsch** in
German
(das) **Deutschland** (4) Germany
der **Deutschlehrer, -** (1) German teacher
deutschsprachig German speaking
die **Deutschstunde, -n** (1) German class
der **Deutschunterricht** (4) German instruction
(der) **Dezember** (12) December
der **Dichter, -** (8) poet
dick (10) thick, heavy
der **Diener, -** servant
der **Dienst, -e** (16) service, employment,
duty
(der) **Dienstag** (12) Tuesday
dieser, diese, dieses (7) this, the latter
diesmal (15) this time
das **Ding, -e** (8) thing
diskutieren to discuss
doch (3, 22) yet; *emphatic particle*
der **Dollar, -** dollar
der **Dom, -e** cathedral
die **Donau** (14) Danube
(der) **Donnerstag** (12) Thursday
das **Dorf, ≈er** (4) village, small town
dort (1) there
das **Drama, Dramen** (1) drama
der **Dramatiker, -** dramatist
draußen outside
drehen (15) to turn
dreistufig three-stage
drucken (11) to print
dumm (6) stupid, giddy, dizzy
die **Dummheit, -en** (6) stupidity
dunkel, (8) dark
durch (3) (*with acc.*) through
durchschnittlich on the average
die **Durchschnittstemperatur, -en** average
temperature
dürfen, durfte, gedurft *or* **dürfen, darf** (9)
to be permitted to, may
der **Durst** (3) thirst; **Durst haben** (3) to be
thirsty
das **Düsenflugzeug, -e** (18) jet (plane)

eben just
die **Ecke, -n** (3) corner
ehe (15) before
die **Eheleute** (*pl.*) (married) couple
das **Ei, -er** (13) egg
eigen (12) own
eigentlich (13) actually
einander (13) each other, one another
eindeutig clear
der **Eindruck, ≈e** impression
einfach (2) simple

ein/fahren, fuhr ein, ist eingefahren, fährt ein   to arrive (train)
ein/fallen, fiel ein, ist eingefallen, fällt ein (*with dat.*) (13)   to occur (to)
der Einfluß, ⸗sse (22)   influence
ein/führen (19)   to introduce
einige (5)   some, a few
sich einigen (auf, *with acc.*)   to agree (upon)
ein/kaufen (14)   to buy, shop; einkaufen gehen (14)   to go shopping
ein/laden, lud ein, eingeladen, lädt ein (14)   to invite; to load (in)
einmal (9)   once; auf einmal (17)   (all) at once; es war einmal (6)   once upon a time there was
einsam   lonely
ein/schlafen, schlief ein, ist eingeschlafen, schläft ein (15)   to fall asleep
einseitig   one-sided
ein/steigen (in, *with acc.*), stieg ein, ist eingestiegen (13)   to board
ein/treten (in, *with acc.*), trat ein, ist eingetreten, tritt ein (19)   to enter
der Einwohner, - (17)   inhabitant
einzeln   single, individual
einzig (*adj.*) (16)   only, sole
das Eis   ice (cream)
eisern   (of) iron
das Elend   misery
die Eltern (11)   parents
der Emigrant, -en, -en   emigrant
empfehlen, empfahl, empfohlen, empfiehlt (3)   to recommend
das Ende, -n (6)   end
endlich (5)   finally
eng (8)   narrow
(das) England (16)   England
der Engländer, - (20)   Englishman
englisch (11)   English
entdecken (22)   to discover
die Entfernung, -en (7)   distance
entkommen, entkam, ist entkommen (22)   to escape
entlang (*with acc.*) (17)   along
entscheiden, entschied, entschieden (22)   to decide
entscheidend   decisive
sich entschließen, entschloß, entschlossen (15)   to decide
entschuldigen (5)   to excuse; entschuldigen Sie bitte! (5)   pardon me, please
entsprechen, entsprach, entsprochen, entspricht (*with dat.*)   to correspond to
entstehen, entstand, ist entstanden (17)   to originate
die Entstehung   origin
enttäuschen (18)   to disappoint

entweder . . . oder (15)   either . . . or
(sich) entwickeln (20)   to develop
die Entwicklung, -en (22)   development
die Erbse, -n (3)   pea
das Erdbeben, -   earthquake
die Erde, -n (18)   earth, world
der Erdsatellit, -en, -en   earth satellite
die Erdschwerkraft   earth's gravity
das Ereignis, -se (20)   event
erfahren, erfuhr, erfahren, erfährt (16)   to find out, learn
erfinden, erfand, erfunden (21)   to invent
die Erfindung, -en (21)   invention
der Erfolg, -e (6)   success
die Erfrischung, -en   refreshment
erfüllen (18)   to fulfill
das Ergebnis, -se   result
erhalten   preserved
sich erheben, erhob, erhoben   to rise
erhitzen   to heat
erholsam   relaxing
erinnern (7)   to remind; erinnern an (*with acc.*) (7)   to remind of; sich erinnern an (*with acc.*) (14)   to remember
die Erinnerung, -en (17)   reminder, memory
erklären (3)   to explain, declare
die Erklärung, -en (19)   explanation
erlauben   to permit
die Erlaubnis (16)   permission
erleben   to experience
ernsthaft (21)   serious(ly)
erobern   to conquer
erreichen (14)   to reach
erscheinen, erschien, ist erschienen (11)   to appear
erschrecken, erschrak, ist erschrocken, erschrickt (18)   to be frightened
erst (3)   only (*with expressions of time*)
die Erstaufführung, -en   premiere
erstaunt (6)   surprised
ertönen   to sound
ertrinken, ertrank, ist ertrunken   to drown
erwähnen (17)   to mention
erwarten (10)   to expect
erwidern (10)   to reply
erzählen (4)   to tell (*a story*)
erziehen, erzog, erzogen (11)   to educate
die Erziehung (6)   education
essen, aß, gegessen, ißt (2)   to eat
das Essen (3)   food
das Eßzimmer, - (10)   dining room
etwas (3)   something; (4) some (*used only with sing. nouns:* etwas Geld); (8)   somewhat
euer (1)   your
(das) Europa   Europe
europäisch (17)   European

ewig forever, eternal
der **Expressionismus** expressionism
expressionistisch expressionistic

das **Fach, ⸗er** (19) subject (of instruction)
fahren, fuhr, ist gefahren, fährt (2) to drive, to go; **fahren mit** (7) to go, travel by (*car, train, etc.*)
die **Fahrkarte, -n** (8) ticket
das **Fahrrad, ⸗er** bicycle
die **Fahrt, -en** (13) ride, trip
der **Fall, ⸗e** (19) case, fall
fallen, fiel, ist gefallen, fällt (12) to fall
falsch wrong
die **Familie, -n** (12) family
der **Farbfilm, -e** (1) color movie, -film
farbig colorful
faschistisch Fascist
fassen to hold, seize, grasp
fast (3) almost
faul (20) lazy
(der) **Februar** (12) February
fehlen (12) to be missing
der **Fehler, -** (20) error, mistake
feiern (9) to celebrate
das **Feld, -er** (2) field
der **Felsen, -** rock
das **Fenster, -** (3) window
die **Ferien** (*pl. only*) (7) vacation
die **Ferne, -n** (15) distance
der **Fernsehapparat, -e** (10) TV set
das **Fernsehprogramm, -e** (20) TV program
fertig (14) ready
fest (21) solid
das **Fest, -e** (12) holiday, feast, festival, celebration
der **Festtag, -e** holiday
fest/stellen (22) to ascertain, determine
fest/wachsen, wuchs fest, ist festgewachsen (auf, *with acc.*) to grow on to, take root
das **Feuer, -** (12) fire
die **Figur, -en** figure, statue
der **Film, -e** (1) movie, film
finden, fand, gefunden (3) to find
die **Finsternis, -se** darkness
das **Fleisch** (8) meat
die **Fleischwurst** bologna
fleißig (20) diligent, industrious
fliegen, flog, ist geflogen (18) to fly
fliehen, floh, ist geflohen (16) to flee, escape
fließen, floß, ist geflossen (21) to flow
der **Flug, ⸗e** (21) flight
der **Flugapparat, -e** flying apparatus

der **Flügel, -** (21) wing
die **Flugkarte, -n** airplane ticket
die **Flugmaschine, -n** flying machine
die **Flugzeit, -en** flying time
das **Flugzeug, -e** (18) airplane
der **Fluß, ⸗e** (7) river
flüssig (21) liquid
flüstern to whisper
die **Folge, -n** consequence
folgen (11) to follow
die **Form, -en** form, shape
formen to form, shape
die **Forschung, -en** research, scientific investigation
die **Fortsetzung, -en** continuation; **Fortsetzung folgt** to be continued
die **Frage, -n** (7) question; **eine Frage stellen** (17) to ask a question
fragen (1) to ask
(das) **Frankreich** (18) France
der **Franzose, -n** (12) Frenchman
französisch (11) French
die **Frau, -en** (1) woman, Mrs., wife
das **Fräulein, -** (1) Miss, young lady
frei (6) free
die **Freiheit, -en** (16) freedom, liberty
das **Freiheitsdrama, -en** (16) freedom drama
(der) **Freitag** (12) Friday
fremd (20) strange, foreign
die **Fremdsprache, -n** (19) foreign language
die **Freude, -n** (11) pleasure, joy
sich freuen (auf, *with acc.*) (14) to look forward to; **sich freuen** (über, *with acc.*) (13) to be happy (about)
der **Freund, -e** (1) (boy) friend
die **Freundin, -nen** (1) (girl) friend
freundlich (3) friendly
die **Freundschaft, -en** friendship
der **Friede,** (*gen.*) **-ns** (12) peace
der **Friseur, -e** (13) barber
froh (8) happy, gay
fröhlich (15) merry, gay
der **Frosch, ⸗e** frog
früher (7) earlier, formerly
frühestens at the earliest
der **Frühling** (12) spring
das **Frühstück** (13) breakfast
führen (14) to lead, to carry (*merchandise*)
der **Führer, -** (16) leader
füllen (22) to fill
funktionieren to function, work
für (3) (*with acc.*) for
furchtbar (5) awful, terrible
sich fürchten (vor, *with dat.*) to be afraid (of)

der Fuß,[1] ⹀e (7) foot; zu Fuß gehen (13) to walk, go on foot

die Gabel, -n (3) fork
der Gang, ⹀e hall
ganz (2) quite, whole
die Garage, -n garage
der Garten, ⹀ (8) garden
der Gatte, -n, -n husband
das Gebäude, - (17) building
geben, gab, gegeben, gibt (2) to give; es gibt (2) there is, there are
das Gebiet, -e area
gebildet educated, cultured
geboren (19) born
die Geburt, -en birth
die Geburtsstadt, ⹀e birthplace
der Gedanke, -ns, -n (5) thought; in Gedanken (11) in spirit
das Gedicht, -e (8) poem
die Gefahr, -en (21) danger
gefährlich (6) dangerous
gefallen, gefiel, gefallen, gefällt (with dat.) (4) to appeal to, be pleasing to; es gefällt mir, dir, etc. I, you, etc. like it
das Gefängnis, -se (16) prison, jail
gegen (3) (with acc.) against, toward, about
die Gegend, -en (12) area
das Gegenteil, -e (11) opposite; im Gegenteil (11) on the contrary
gegenüber (with dat.) (20) opposite, across from
das Gegenwartsdrama, . . . dramen present-day drama
der Gegner, - (22) enemy
gehen, ging, ist gegangen (1) to go; wie geht es Ihnen? (1) how are you?
gehören (with dat.) (9) to belong; gehören zu (9) to be part of
das Geistesleben intellectual life
das Geld, -er (4) money
gelingen, gelang, ist gelungen (with dat. and inf.) (21) to succeed; es gelingt (mir) . . . zu tun (I) succeed in doing
gemäßigt moderate
das Gemüse (3) vegetables
die Gemüsesuppe, -n (3) vegetable soup
gemütlich (4) cozy, comfortable, enjoyable
genau (12) exact
der General, ⹀e general
die Generation, -en generation

genug (13) enough
die Geographie geography
geographisch geographic
der Gepäckwagen, - (8) baggage car
gerade (5) just
gering (22) slight, small
germanisch Germanic
gern(e), lieber, am liebsten (10) gladly; gern haben (10) to like, be fond of
das Geschäft, -e (5) store, shop
geschäftlich related to business, commercial
geschehen, geschah, ist geschehen, geschieht (11) to happen
das Geschenk, -e (12) present
die Geschichte, -n (6) story, history
das Geschirr dishes; das Geschirr abwaschen to do the dishes
die Geschwindigkeit, -en (21) speed, velocity
die Geschwister (pl.) (11) brothers and sisters
die Gesellschaft, -en society, party
das Gesicht, -er (13) face
das Gespräch, -e conversation
gestern (1) yesterday
gesund (20) healthy
die Gesundheit (20) health
das Getreide grain
getrennt (19) separate
gewinnen, gewann, gewonnen (14) to win
gewiß (20) certain
sich gewöhnen an (with acc.) (18) to get used to
gewöhnlich (5) usual(ly), ordinary, ordinarily
die Gitarre, -n guitar
die Gitarrenbegleitung guitar accompaniment
das Glas, ⹀er (3) glass
glauben (3) to believe, think
gleich (9) right away, immediately
gleichberechtigt (having) equal rights
gleichgültig (20) indifferent; es ist (mir) gleichgültig (10) it doesn't matter to (me)
gleichzeitig at the same time, simultaneous(ly)
glitzern to glitter
der Glockenschlag, ⹀e stroke of the clock
das Glück (20) happiness, (good) luck
glücklich (9) happy
glücklicherweise (15) fortunately
gotisch gothic

---

[1] Note: When denoting measurement Fuß is used in the singular only.

(der) Gott, ⸗er (6) God
der Grad, -e degree
der Graf, -en count
das Gramm gram
die Grenze, -n (17) border, limit
der Grieche, -n Greek
(das) Griechenland (18) Greece
    griechisch Greek
    groß (7) big, large, great
die Größe, -n (7) size, greatness
die Großmutter, ⸗ (11) grandmother
die Großstadt, ⸗e big city, metropolis
    grün (8) green
    gründen (19) to found
der Grundriß, -sse plan, blueprint
die Grundschule, -n elementary school
die Gründung, -en foundation
der Gruß, ⸗e (17) greeting; mit herzlichen
    Grüßen (10) cordially
    grüßen (4) to greet; grüßen von (10) to
    say hello for
    gut, besser, am besten (1) good, well;
    better, best; es ist (schon) gut (14) it's
    all right
das Gymnasium, -en secondary school
    roughly equivalent to American high
    school plus junior college

das Haar, -e (13) hair
    haben, hatte, gehabt (3) to have; gern
    haben (10) to like, love
die Hafenstadt, ⸗e port city
    halb (7) half
die Hälfte, -n (12) half
der Hals, ⸗e (18) neck
    halt (2) stop
der Halt hold, support
die Haltestelle, -n (5) (bus or streetcar) stop
die Haltung, -en attitude
die Hand, ⸗e (13) hand
der Handel trade
    handeln von (9) to deal with: es handelt
    sich um (with acc.) (18) it is a question
    of, it deals with, concerns
der Handschuh, -e (20) glove
das Handwerk, -e craft, trade
    hängen, hing, gehangen (5) (intrans.) to
    hang; (trans., weak) to hang
    hart (22) hard
    häßlich (17) ugly
der Hauptbahnhof, ⸗e (5) central station
    hauptsächlich (20) main(ly)
die Hauptstadt, ⸗e (8) capital
die Hauptstraße, -n main road, main street
das Haus, ⸗er (4) house; nach Hause (5)
    home; zu Hause (5) at home

die Hausaufgabe, -n homework
die Hausfrau, -en (10) housewife
    hebräisch Hebrew
das Heft, -e (13) notebook
die Heide heath
    heilig holy, saint
die Heimat (16) native country, homeland
    heiraten (16) to marry
    heiß (15) hot
    heißen, hieß, geheißen (7) to be called;
    d.h. = das heißt (4) that is to say;
    Wie heißen Sie? Ich heiße . . . (10)
    What is your name? My name is . . .
das Heißluftprinzip hot-air principle
    helfen, half, geholfen, hilft (with dat.) (4)
    to help
    hell (8) bright
das Hemd, -en (20) shirt
der Herbst (2) fall
der Herd, -e stove, hearth
    herein/kommen, kam herein, ist hereinge-
    kommen (in, with acc.) (13) to enter,
    come in
der Herr, -n, -en (1) Mr., gentleman
    herrlich (1) marvelous
    herrschen (19) to rule, prevail
    herum/fahren, fuhr herum, ist herumge-
    fahren, fährt herum (18) to drive
    around
    herunter down
das Herz, -ens, -en (7) heart
    herzlich (4) cordial(ly)
der Herzog, ⸗e duke
    heute (1) today; heute abend (1) this
    evening; heute nacht (12) tonight
    heutig of today
    hier (3) here
die Hilfe (9) help
der Himmel, - (8) sky, heaven
    himmlisch heavenly
    hin und her (14) back and forth
    hindern an (22) to prevent from
    hin/fallen, fiel hin, ist hingefallen, fällt hin
    (18) to fall down
    hinter (5) (with acc. or dat.) behind
    hinunter down
der Hirt, -en, -en shepherd
    historisch historic(al)
    hoch, höher, höchst (8) high
die Hochebene, -n plateau
das Hochhaus, ⸗er tall building, skyscraper
    hochheilig (very) holy
die Hochschule, -n university, institution of
    higher learning
    höchstens (14) at (the) most
    hoffentlich (7) it is to be hoped, I hope,
    let us hope

der **Höhepunkt, -e** climax, highpoint
die **Höhere Schule** secondary school
hold lovely
holen (3) to fetch, get
(das) **Holland** (18) Holland
hören (6) to hear, listen
der **Hörer, -** (14) receiver, listener
das **Hörspiel, -e** radio play
die **Hose, -n** (13) trousers, pair of trousers
das **Hotel, -s** (14) hotel
hübsch (18) pretty
humanistisch humanistic
der **Humor** (sense of) humor
der **Hund, -e** (6) dog
der **Hunger** (3) hunger; **Hunger haben** (3) to be hungry
hungern to go hungry
der **Hunne, -n** Hun
der **Hut, ⸗e** (20) hat
hüten (6) to guard, protect

der **Idealismus** idealism
der **Idealist, -en, -en** idealist
die **Idee, -n** (9) idea
ihr (1) her, their
Ihr (1) your
illegal illegal
immatrikulieren to matriculate
immer (4) always
der **Impfschein, -e** vaccination certificate
in (*with acc. or dat.*) (1, 5) in, into, to
die **Industrie** industry
informieren to inform
der **Inhalt, -e** (22) content(s)
die **Innenstadt** center city
die **Insel, -n** (21) island
intelligent (16) intelligent
interessant (1) interesting
das **Interesse, -n** (16) interest
interessieren (6) to interest; **sich interessieren für** (13) to be interested in
international (22) international
inzwischen (5) meanwhile
der **Ire, -n, -n** Irishman
irgendwohin somewhere
isolieren to isolate, insulate
(das) **Italien** (18) Italy
italienisch Italian

ja (1; 22) yes; indeed
jagen (13) to chase
das **Jahr, -e** (4) year; **mit . . . Jahren** (11) at age . . .
das **Jahrhundert, -e** (12) century
das **Jahrzehnt, -e** (22) decade
(der) **Januar** (12) January
je (20) ever

jeder, jede, jedes (7) each, every
jedoch (21) however
jemals (20) ever
jemand (11) somebody
jener, jene, jenes (7) that, the former
jetzt (2) now (*synonymous with* **nun**)
die **Jugend** (11) youth, early years
die **Jugendjahre** (*pl.*) adolescence
der **Julblock, ⸗e** Yule log
das **Julfest, -e** Yule celebration
das **Julfeuer, -** Yule fire
(der) **Juli** (12) July
jung (11) young
der **Junge, -n, -n** (6) boy
(der) **Juni** (12) June
Jura (study of) law
der **Jurist, -en** lawyer
das **Juwel, -en** jewel, gem

der **Kaffee** (13) coffee
kaiserlich imperial
die **Kalbsleberwurst, ⸗e** calf's liverwurst
der **Kalender, -** (19) calendar
kalt (12) cold
kämpfen (16) to fight
der **Kanzler, -** chancelor
kaputt (*coll.*) (15) broken; **kaputt machen** to break, ruin
der **Kardinal, ⸗e** cardinal
die **Karotte, -n** (3) carrot
die **Kartoffel, -n** (3) potato
der **Kartoffelbrei** (3) mashed potatoes
der **Käse, -** (3) cheese
katholisch Catholic
kaufen (4) to buy
das **Kaufhaus, ⸗er** (5) department store
kaum (12) hardly
kein (1) no, not any
der **Keller, -** (10) basement, cellar
kennen, kannte, gekannt (1) to know (*a person or object*)
kennen/lernen (19) to get to know, become acquainted with
die **Kerze, -n** (12) candle
der **Kilometer, -** (2) kilometer
das **Kind, -er** (2) child
die **Kinderkrankheit, -en** childhood disease
die **Kindheit** childhood
die **Kindheitserinnerung, -en** childhood memory
das **Kino, -s** (1) movie theater; **im Kino** (1) at the movies; **ins Kino** (1) to the movies
die **Kirche, -en** (4) church
der **Kirchturm, ⸗e** (8) church steeple
klar (21) clear
die **Klassenarbeit, -en** (13) test

das **Klassenzimmer, -** (13)   classroom
das **Klavierspiel**   piano playing
das **Kleid, -er** (20)   dress
die **Kleider** (12)   clothes
die **Kleidung** (*sing.*) (20)   clothes
   klein (8)   small, little
das **Klima**   climate
   klug (9)   clever, wise
der **Knabe, -n, -n**   boy
der **Knall**   bang
der **Koch, ⸗e** (3)   chef, cook
   kochen (10)   to cook
   komisch   comical, funny
   kommen, kam, ist gekommen (1)   to come
der **Kommunismus** (20)   communism
   kompliziert   complicated
   komponieren   to compose
der **Komponist, -en, -en**   composer
der **König, -e** (9)   king
die **Königin, -nen**   queen
   können, konnte, gekonnt *or* **können, kann**
      to be able to, can; to know (*a language*)
   konstruieren   to construct, build
   kontrollieren   to check, control
das **Konzentrationslager, -**   concentration
      camp
das **Konzert, -e**   concert
der **Kopf, ⸗e** (13)   head; **von Kopf bis Fuß** (13)
      from head to toe
   kostbar   valuable
   kosten (13)   to cost
die **Kraftquelle, -n**   source of power
   krank (4)   ill, sick
die **Krankheit, -en** (11)   illness, disease
   kriechen, kroch, ist gekrochen (15)   to
      crawl, creep
der **Krieg, -e** (9)   war; **Krieg führen** (16)   to
      wage war
die **Kriegsmaschine, -n**   war machine
die **Krippe, -n**   crèche
   kritisieren   to criticize
der **Krug, ⸗e**   pitcher
die **Küche, -n** (10)   kitchen
der **Kuchen, -**   cake
der **Kugelschreiber, -** (13)   ballpoint pen
die **Kuh, ⸗e** (8)   cow
der **Kühlschrank, ⸗e** (10)   refrigerator
   kulturell   cultural
die **Kunstgeschichte**   history of art
das **Kunstleben**   artistic life
   künstlerisch (22)   artistic
der **Kurswechsel, -**   change of course
   kurz (4)   short(ly), in short
   kürzlich (20)   recently

das **Labyrinth, -e**   labyrinth

   lachen (1)   to laugh
die **Lampe, -n**   lamp
das **Land, ⸗er** (4)   land, country, state; **aufs**
      Land (10)   into the country
die **Landkarte, -n** (7)   map
die **Landschaft, -en**   countryside
   lang (3)   long
   lange (6)   long, a long time
   langsam (8)   slow
die **Langspielplatte, -n** (10)   long-playing rec-
      ord
   langweilig (11)   monotonous, boring
   lassen, ließ, gelassen, läßt (8)   to leave;
      to let
(das) **Latein**   Latin
   lateinisch   Latin
   laufen, lief, ist gelaufen, läuft (2)   to run
   laut (3)   loud
   läuten (12)   to ring
der **Lautsprecher, -**   loudspeaker
   leben (7)   to live
das **Leben, -** (4)   life; **ins Leben rufen**   to call
      into being; **ums Leben kommen**   to
      perish
   lebendig   alive
das **Lebensjahr, -e**   year of (one's) life, age
   leer (9)   empty
   legen (5)   to place, put, lay
die **Legende, -n** (9)   legend
   lehren (19)   to teach
der **Lehrer, -** (1)   teacher
die **Lehrerin, -nen** (7)   (female) teacher
   leicht (13)   easy
   es tut mir leid (5)   I am sorry
   leiden, litt, gelitten   to suffer
   leider (7)   unfortunately
   leisten (22)   to achieve; **sich** (*dat.*) **etwas**
      leisten (13)   to afford something
die **Leitung, -en**   line, wire
   lernen (6)   to learn; **auswendig lernen** (7)
      to learn by heart, memorize
   lesen, las, gelesen, liest (2)   to read
das **Lesestück, -e** (7)   reading selection
   letzt- (8)   last
die **Leute** (*pl.*) (2)   people
das **Licht, -er** (12)   light
   lieb (4)   dear
die **Liebe** (11)   love
   lieben (4)   to love
das **Lied, -er** (11)   song
   liefern   to deliver
   liegen, lag, gelegen (5)   to lie
die **Linie, -n** (5)   line
   links (8)   left
die **Liste, -n**   list
das **Liter, -** (9)   liter (*1.0567 quarts*)

literarisch literary, pertaining to literature
die **Literatur, -en** (22) literature
lockig curly
der **Löffel, -** (3) spoon
lösen (21) to solve
die **Luft, ⸗e** (21) air
die **Luftbrücke** airlift
die **Lüge, -n** (16) lie
(keine) Lust haben (zu) (15) (not) to feel like, (not) to be in the mood
lustig (11) funny, gay
die **Lyrik** lyrical poetry

machen (2) to make, do
das **Mädchen, -** (19) girl
(der) **Mai** (12) May
majestätisch majestic
das **Mal, -e** (12) time; **zum ersten Mal** (16) for the first time
der **Maler, -** (21) painter
man (2) one, you, people
mancher, manche, manches (7) many a; **manche** (*pl.*) some
manchmal (4) sometimes
der **Mann, ⸗er** (1) man, husband
der **Mantel, ⸗** (5) overcoat
das **Märchen, -** (6) fairy tale
die **Mark** (4) mark (*monetary unit*)
der **Markt, ⸗e** market
der **Marktplatz, ⸗e** (5) market place
die **Marmelade, -n** (13) jam
marschieren, ist marschiert (9) to march
(der) **März** (12) March
der **Materialismus** materialism
die **Mathematik** mathematics
die **Mauer, -n** wall
die **Medizin, -en** (16) medicine
medizinisch medical
mehr (7) more
mehrere (8) several
die **Mehrzahl, -en** majority
die **Meile, -n** (7) mile
mein (1) my
meinen (18) to mean
die **Meinung, -en** (20) opinion
meistens (9) mostly, usually
der **Meistertrunk** record drink, master draught
das **Meisterwerk, -e** masterwork
melden (16) to report, inform
die **Melodie, -n** melody
der **Mensch, -en, -en** (4) human being, (*pl.*) people
menschlich (22) human

merkwürdig (21) strange
messen, maß, gemessen, mißt to measure
das **Messer, -** (3) knife
der **Meter, -** meter
der **Metzger, -** (14) butcher
die **Metzgerei, -en** butchershop
mieten to rent
die **Milch** (8) milk
das **Milchgeschäft, -e** (14) dairy
mild mild
die **Militärschule, -n** military academy
der **Millionär, -e** (18) millionaire
mindestens (7) at least
die **Minute, -n** (5) minute
mit (*with dat.*) (2) with
das **Mitleid** sympathy; **Mitleid haben mit** (6) to feel sorry for
mitleidig sympathetic
mit/nehmen, nahm mit, mitgenommen, nimmt mit (14) to take along
der **Mittag, -e** midday, noon; **zu Mittag essen** (8) to eat (have) lunch
das **Mittagessen, -** (8) lunch
mittags (11) at noon
die **Mitte** (12) middle
das **Mittelalter** Middle Ages
mittelalterlich medieval
die **Mitternacht** midnight
(der) **Mittwoch** (12) Wednesday
modern (8) modern
modernisieren to modernize
mögen, mochte, gemocht *or* **mögen, mag** (9) to like (to)
möglich (17) possible
die **Möglichkeit, -en** (18) possibility
der **Monat, -e** (4) month
der **Mond, -e** (18) moon
der **Mondsatellit, -en, -en** moon satellite
der **Montag, -e** (10) Monday
der **Montagabend, -e** (10) Monday evening
die **Moral** moral
morgen (9) tomorrow; **morgen früh** (9) tomorrow morning
der **Morgen, -** (9) morning; **guten Morgen** (1) good morning
morgens (4) in the morning
der **Motor, -en** (15) engine, motor
die **Motorhaube, -n** (engine) hood
das **Motorrad, ⸗er** (20) motorcycle
müde (7) tired
multiplizieren (7) to multiply
der **Mund** (3) mouth
mündlich oral(ly)
das **Münster, -** cathedral
das **Museum, Museen** museum
die **Musik** (12) music

müssen, mußte, gemußt *or* **müssen, muß**
to have to, must
der **Musterknabe, -n, -n**   model boy
die **Mutter, ˵ (5)**   mother

nach (*with dat.*)   (2, 4)   after, to, according to
der **Nachbar, -n, -n** (11)   neighbor
nachdem (15)   after
der **Nachkriegsautor, -en**   postwar author
das **Nachkriegsjahr, -e**   postwar year
nach/reiten, ritt nach, ist nachgeritten   to ride after
die **Nachricht, -en**   news, newscast
nächst (7)   next
die **Nacht, ˵e** (12)   night; **gute Nacht** (14) good night
die **Nachwirkung, -en**   aftereffect
nahe (11)   close, near
die **Nähe** (7)   vicinity
nahe/stehen, stand nahe, nahegestanden to be close to
der **Name, -ns, -n** (7)   name
nämlich (6)   namely, that is to say
naß (5)   wet
der **Nationalismus**   nationalism
die **Natur, -en** (2)   nature
der **Naturfreund, -e** (2)   nature lover
natürlich (1)   natural(ly), of course
die **Naturwissenschaft, -en**   natural science
der **Nazi, -s**   Nazi
das **Nazi-Regime**   Nazi Regime
die **Nazi-Tyrannei**   Nazi tyranny
neben (*with dat. or acc.*) (5)   beside, near
das **Neckartal** (4)   Neckar Valley
nehmen, nahm, genommen, nimmt (2)   to take
neidisch (18)   envious
nein (1)   no
nennen, nannte, genannt (10)   to name, call
nett (1)   nice
neu (7)   new
neugierig (17)   curious
der **Neujahrstag, -e**   New Year's Day
nicht (1)   not; **nicht mehr** (2)   no more, no longer; **nicht nur . . . sondern auch** (11)   not only . . . but (also); **nicht wahr?** (1)   *changes a statement into a question to which an affirmative reply is expected:* don't you?, isn't it?, *etc.;* **gar nicht** (1)   not at all
nichts (3)   nothing
nie (4)   never; **noch nie**   never (before)
niemand (6)   nobody
noch (5)   still, yet; **noch ein** (6)   another,

an additional; **noch einmal** (6)   once more, once again; **noch nicht** (9)   not yet
(das) **Nordamerika** (12)   North America
norddeutsch   North German
der **Norden** (12)   North
(das) **Norwegen** (18)   Norway
nötig (18)   necessary
(der) **November** (12)   November
die **Nüchternheit**   sobriety
die **Nudelsuppe** (3)   noodle soup
das **Nummernschild, -er**   license plate
nun (1)   now
nur (2)   only
die **Nuß, ˵sse** (12)   nut

ob (15)   whether
oben (10)   upstairs
der **Ober, -** (2)   waiter
die **Oberschule, -n**   (scientific) high school
obgleich (15)   although
objektiv   objective
das **Obst** (8)   fruit
oder (15)   or
öffentlich   public
der **Offizier, -e**   officer
öffnen (6)   to open
oft (1)   often
ohne (3) (*with acc.*)   without
(der) **Oktober** (12)   October
das **Öl, -e** (15)   oil
die **Oper, -n** (17)   opera
optimistisch   optimistic
die **Ordnung, -en** (14)   order
die **Organisation, -en**   organization
organisieren   to organize
der **Organist, -en, -en**   organist
die **Orgel, -n**   organ
der **Osten** (7)   the east
(das) **Ostern** (19)   Easter
(das) **Österreich** (12)   Austria
östlich (7)   eastern

das **Paar, -e** (14)   pair, couple
paar: ein paar (5)   a few; **auf ein paar Stunden, Tage, Wochen** (10)   for a few hours, days, weeks
packen (15)   to pack
das **Paket, -e** (14)   package
das **Papier, -e** (12)   paper
der **Papst, ˵e**   Pope
der **Park, -s**   park
der **Parkplatz, ˵e** (5)   parking lot, parking space
die **Parteipolitik**   party politics
der **Partner, -**   partner

passieren, ist passiert (*intrans.*) to happen; (*trans.*) to pass (over, through)
die Person, -en (14) person
die Persönlichkeit, -en personality
die Peterskirche St. Peter's Church
die Pfanne, -n pan
der Pfarrer, - (12) minister, parson
die Pfeife, -n pipe
der Pfennig, -e (7) penny
das Pferd, -e (18) horse
der Pfirsich, -e peach
das Pflaster, - pavement
die Pflaume, -n plum
das Pfund (14) pound
die Phase, -n phase
der Philosoph, -en, -en philosopher
die Philosophie, -n philosophy
der Photoapparat, -e camera
die Physik physics
der Plan, ⸗e (14) plan
planen (16) to plan
der Planet, -en, -en planet
die Platte, -n (10) record
der Plattenspieler, - (10) record player
der Platz, ⸗e (5) place
plötzlich (1) sudden(ly)
die Politik (20) politics
politisch political
die Polizei (16) police
der Polizist, -en, -en (15) policeman
die Portion, -en portion, order
die Post (17) post office, mail
positiv positive
praktisch practical
der Präsident, -en (12) president
der Preis, -e (20) price
(das) Preußen Prussia
primitiv primitive
der Prinz, -en, -en, prince
die Prinzessin, -nen princess
das Prinzip, -ien principle
die Privatschule, -n private school
pro (14) per
proben to rehearse
das Problem, -e (21) problem
die Produktivität, -en productivity
produzieren to produce
der Professor, Professoren professor
die Prosa prose
protestantisch Protestant
protestieren to protest
Prozent, -e percent
prüfen (15) to test, check
die Prüfung, -en (19) test, examination
das Prüfungsheft, -e exam booklet
die Psychologie psychology

das Publikum public, audience
der Pullover, - (13) pullover, sweater
der Pumpernickel pumpernickel
der Punkt, -e (18) point, period
das Puppentheater, - puppet theater
putzen (13) to clean, brush, scrub

der Quadratkilometer, - square kilometer
die Quadratmeile, -n square mile
die Quelle, -n (22) source, spring

radikal radical
das Radio, -s (10) radio
die Rakete, -n rocket
die Raketenforschung rocket research
der Rand, ⸗er edge
der Rang, ⸗e rank
(sich) rasieren (13) to shave
der Rat (6) advice, councilor
raten, riet, geraten, rät (18) to advise, guess
das Rathaus, ⸗er city hall
der Räuber, - (16) robber
die Räuberbande, -n band of robbers
rauchen to smoke
der Raumflug, ⸗e space flight
die Raumkapsel, -n space capsule
die Raumschiffahrt space travel
raus! (get) out!
der Realist, -en, -en realist
realistisch realistic
der Rebell, -en, -en rebel
rechnen (19) to figure, do arithmetic
das Recht, -e right, law
recht haben (14) to be right; es ist mir recht (10) it is all right with me
rechts (8) right
regelmäßig regular
der Regenmantel, ⸗ (5) raincoat
die Regierung, -en (17) government
das Regime, -s regime
regnen to rain; es regnet (2) it is raining
das Reh, -e deer
reich (18) rich, wealthy
das Reich, -e (17) realm, empire
reichen to hand, pass
der Reifen, - (15) tire
die Reise, -n (4) trip; eine Reise machen (8) to take a trip
das Reisebüro, -s (18) travel agency
der Reiseführer, - (14) travel guide(book)
reisen, ist gereist (6) to travel
der Reisende, -n (15) traveler
die Reisepapiere travel papers
der Reisepaß, ⸗sse (18) passport

reiten, ritt, (ist) geritten (18) to ride (on horseback)
die Religion, -en religion
renovieren to renovate, remodel
reparieren (12) to repair
die Republik, -en republic
der Rest, -e rest, remainder
das Restaurant, -s (2) restaurant; im Restaurant (2) in the restaurant; ins Restaurant (2) into the restaurant
das Rheintal (4) Rhine valley
richtig (9) right, correct
die Richtung, -en (22) direction
riesig gigantic
der Rindsbraten, - (3) pot roast of beef
der Rock, ⸗e (20) skirt
die Rolle, -n (20) rôle
rollen, ist gerollt (intrans.) (15) to roll
der Roman, -e (1) novel
romantisch romantic
der Römer, - Roman
römisch Roman
das Röslein, - little rose
rot (11) red
der Rotwein, -e (3) red wine
der Rücken, - (18) back
die Rückreise, -n return journey
rufen, rief, gerufen (1) to call
die Ruhe quiet, peace
ruhig (4) quiet, calm
der Ruhm fame
russisch (21) Russian
die Rute, -n rod, switch

die Sache, -n (5) thing
die Sage, -n legend
sagen (1) to say; gesagt, getan no sooner said than done
(der) Samstag, -e (10) Saturday
der Samstagabend, -e (10) Saturday evening
der Sattel, ⸗ saddle
der Satellit, -en, -en satellite
schade: es ist schade (18) it's a shame, it's too bad
das Schaf, -e sheep
der Schaffner, - (8) (train) conductor
die Schallplatte, -n (10) record
der Schatz, ⸗e (6) treasure
das Schaufenster, - display window
scheinen, schien, geschienen (2) to shine, seem
schenken (11) to give (as present)
schicken (4) to send
schieben, schob, geschoben (15) to push
schießen, schoß, geschossen (21) to shoot

das Schiff, -e (4) boat, ship
die Schiffsreise, -n (4) boat trip
der Schinken, - (14) ham
der Schirm, -e (5) umbrella
schlafen, schlief, geschlafen, schläft (10) to sleep
der Schlafsack, ⸗e sleeping bag
das Schlafzimmer, - (10) bedroom
schlecht (14) bad
schließen, schloß, geschlossen (4) to close
schließlich (21) finally, after all
schlimm (2) bad
das Schloß, ⸗sser (4) castle
schmelzen, schmolz, (ist) geschmolzen, schmilzt (21) to melt
schmerzlich painful
schmücken (12) to decorate
der Schnee (12) snow
schneiden, schnitt, geschnitten (13) to cut, slice
der Schneider, - (21) tailor
schnell (5) fast, quick
der Schnellzug, ⸗e (7) express train
der Schnellzugwagen, - (8) passenger car on an express train
schon (2) already; schon einmal (14) (once) before
schön (2) beautiful
die Schönheit, -en (9) beauty
schöpfen to draw
der Schrecken, - horror
schreiben, schrieb, geschrieben (4) to write
der Schreibtisch, -e (5) desk
die Schrift, -en writing
schriftlich written
der Schriftsteller, - (22) writer
die Schriftstellerin, -nen authoress
der Schuh, -e (20) shoe
das Schulbuch, ⸗er (2) textbook
schuld sein an (with dat.) (16) to be to blame for
schuldig guilty
die Schule, -n (11) school
der Schüler, - (19) pupil, (preuniversity) student
das Schulgeld, -er (16) tuition
das Schuljahr, -e (16) school year
der Schulkalender, - school calendar
die Schulpflicht compulsory education
das Schulsystem, -e (16) school system
die Schulter, -n (6) shoulder
das Schwarzbrot, -e dark bread
(das) Schweden (18) Sweden
die Schweiz (12) Switzerland

der **Schweizerkäse** (14) Swiss cheese
schwer (4) difficult, heavy
die **Schwester, -n** (11) sister
schwierig (19) difficult
die **Schwierigkeit, -en** (4) difficulty
das **Schwimmbad, ⸗er** swimming pool
schwimmen, schwamm, (ist) geschwommen (15) to swim
der **Schwindler, -** swindler
schwören, schwur (*or* **schwor**), **geschworen** to swear (*an oath*)
der **See, -n** (2) lake
seekrank (4) seasick
sehen, sah, gesehen, sieht (2) to see
sehenswert worth seeing
die **Sehenswürdigkeit, -en** object of interest
sehr (1) very
die **Seife, -n** (5) soap
sein, war, ist gewesen, ist (1) to be
sein (1) his, its
seit (*with dat.*) (4) since
seitdem (6) since then
die **Seite, -n** (8) side, page
selbst (7) itself (*following nouns or pronouns*); (8) self, in person, personally; (12) even (*preceding nouns*); **von selbst** (15) by itself
die **Seligkeit, -en** salvation
selten (19) rare(ly), seldom
das **Semester, -** (19) semester
senden, sandte, gesandt (17) to send
die **Sensation, -en** sensation
sensationell sensational(ly)
(der) **September** (12) September
die **Serviette, -n** (3) napkin
der **Sessel, -** (10) easy chair
setzen (11) to set, place; **in Brand setzen** (21) to set on fire; **sich setzen** (13) to sit down
sich (13) oneself, himself, herself, itself, yourself, themselves
sicher (6) certain, sure
siegen to be victorious, to conquer
singen, sang, gesungen (2) to sing
sinken, sank, ist gesunken to sink (*intrans.*)
der **Sinn, -e** sense, mind; **Sinn haben** to make sense
sinnlos senseless
die **Situation, -en** situation
sitzen, saß, gesessen (2) to sit
der **Sitzplatz, ⸗e** (5) seat
(das) **Skandinavien** (18) Scandinavia
der **Sklave, -n, -n** slave
so (1) so; **so . . . wie** (7) as . . . as

sobald (21) as soon as
die **Socke, -n** sock
das **Sofa, -s** (10) sofa, couch
sofort (12) immediately
sogar (8) even
sogenannt so called
der **Sohn, ⸗e** (6) son
solcher, solche, solches (7) such
der **Soldat, -en, -en** (9) soldier
sollen, sollte, gesollt *or* **sollen, soll** (9) to be (supposed) to, be said to
der **Sommer, -** (6) summer
sondern (13) but (rather, on the contrary)
(der) **Sonnabend, -e** (12) Saturday
die **Sonne, -n** (2) sun
der **Sonnensatellit, -en, -en** sun satellite
(der) **Sonntag, -e** (2) Sunday; **nächsten Sonntag** (2) next Sunday
der **Sonntagmorgen, -** (10) Sunday morning
sonst (9) otherwise, else
sich (*dat.*) **Sorgen machen über** (13) to worry about
sowjetisch Soviet
sozial social
die **Soziologie** sociology
spannend exciting
der **Spargel, -** (3) asparagus
spät (14) late; **wie spät ist es?** (7) what time is it? **später** (2) later
spätgotisch late Gothic
der **Spaziergang, ⸗e** walk
einen Spaziergang machen (13) to take a walk
die **Speisekarte, -n** (3) menu
der **Speisewagen, -** (8) dining car
das **Spiel, -e** (11) play, game
das **Spielzeug** (11) toy(s), plaything(s)
der **Sport** (17) sport
die **Sprache, -n** (6) language
sprachlos speechless
sprechen, sprach, gesprochen, spricht (3) to speak, talk
springen, sprang, ist gesprungen (18) to jump
der **Staat, -en** (7) state
staatlich (19) (belonging to the) state
der **Stacheldraht, ⸗e** barbed wire
die **Stadt, ⸗e** (4) city
das **Städtchen, -** (19) small town
die **Stadtmauer, -n** (19) city wall
das **Stadttor, -e** city gate
stark (9) strong
starten, ist gestartet (*intrans.*) (21) to start (*of an engine, plane*)

statt (*with gen.*) (6)   instead of
statt/finden, fand statt, stattgefunden (20)
   to take place
stechen, stach, gestochen, sticht   to prick,
   sting
stehen, stand, gestanden (3)   to stand; to
   read, say
stehen/bleiben, blieb stehen, ist stehengeblieben (15)   to stop
steigen, stieg, ist gestiegen (5)   to climb
der Stein, -e (17)   stone, rock
die Stelle, -n (20)   place, spot; auf der Stelle
   on the spot
stellen (12)   to place, put
sterben, starb, ist gestorben, stirbt (11)   to
   die
der Stern, -e (21)   star
das Steuer(rad), (=er)   steering wheel
der Stil, -e   style
   stilistisch   stylistic
   still   quiet, silent
die Stimme, -n (1)   voice
   stimmen   to be correct; da stimmt etwas
   nicht (15)   something is wrong; es
   stimmt (15)   it is true, correct
   stolpern   to trip
   stolz (11)   proud; stolz sein auf (*with
   acc.*) (11)   to be proud of
   stören (14)   to disturb, bother
   stottern   to stammer, stutter
die Straße, -n (6)   street, road
   auf der Straße (11)   in the street
die Straßenkreuzung, -en (15)   intersection
die Strecke, -n (21)   distance
die Strophe, -n   verse
der Strumpf, =e (20)   stocking
das Stück, -e (5)   piece
der Student, -en, -en (7)   student (*male*)
das Studentenlied, -er   student song
die Studentin, -nen (7)   student (*female*)
der Studienkollege, -n, -n   fellow student
   studieren (6)   to study
das Studium, Studien (4)   studying, studies
der Stuhl, =e (10)   chair
die Stunde, -n (2)   hour
sich stützen auf (*with acc.*)   to fall back on
   suchen (10)   to seek, search
   süddeutsch   south German
der Süden (15)   the south
   südlich (15)   south
die Suppe, -n (3)   soup
die Süßigkeit, -en   sweet(s)
das Symbol, -e   symbol
   symbolisch   symbolic
   sympathisieren   to sympathize
die Symphonie, -n   symphony

das Symphonieorchester, - (17)   symphony
   orchestra
das System, -e (19)   system

der Tabak   tobacco
die Tafel, -n (13)   blackboard
der Tag, -e (3)   day; eines Tages (6)   one
   day, some day; guten Tag (1)   good
   day, hello; jeden Tag (9)   every day
die Tagessuppe, -n (3)   soup of the day
   täglich (22)   daily
das Tal, =er (4)   valley
   talentiert   talented
der Tank, -s (15)   tank
   tanken (15)   to get gasoline, fill up
die Tankstelle, -n (15)   gasoline station
der Tannenzweig, -e   fir branch
   tanzen (4)   to dance
die Tasche, -n   pocket
die Tasse, -n (3)   cup
die Tatsache, -n (19)   fact
   tatsächlich (15)   indeed
die Taube, -n   dove
der Tee (13)   tea
der Teil, -e (7)   part
   teilen (7)   to divide
das Telephon, Telephone (14)   telephone
   telephonieren (10)   to phone
der Teller, - (3)   plate
die Tendenz, -en   tendency
der Terror   terror
   teuer (4)   expensive
der Text, -e   text
das Theater, - (4)   theater
das Thema, Themen (7)   topic, theme
die Theologie, -n   theology
   tief (9)   deep
die Tiefebene, -n   lowlands
das Tier, -e (6)   animal
(das) Tirol   (the) Tyrol
der Tisch, -e (5)   table
der Titel, - (16)   title
der Tod (11)   death
der Topf, =e   pot
die Töpferware, -n   pottery
   tot (6)   dead
   töten (6)   to kill
der Tourist, -en, -en   tourist
die Tradition, -en (19)   tradition
   tragen, trug, getragen, trägt (9)   to carry
   tragisch   tragic
der Traum, =e (18)   dream
   träumen (18)   to dream
   traurig (1)   sad
   traut   beloved

treffen, traf, getroffen, trifft (11) to hit, meet (*intentionally*)
treiben, trieb, getrieben (17) to drive, engage in
der Treibstoff, -e fuel, propellant
trennen (7) to separate
die Trennung, -en (19) separation
die Treppe, -n stairs
treten, trat, (ist) getreten, tritt (18) to kick; to step
trinken, trank, getrunken (2) to drink
trocken (5) dry
der Tropfen, - (15) drop
trotz (*with gen.*) (6) in spite of
trotzdem (9) nevertheless, all the same
die Tube, -n tube
tun, tat, getan (9) to do; etwas zufällig tun (12) to happen to do something
die Tür, -en (6) door
der Turm, ⸗e (6) tower, spire
das Turnen physical education
typisch (20) typical
tyrannisch tyrannical

üben (9) to practice
über (*with acc. or dat.*) (5) over, across, about
überall (7) everywhere
überleben (22) to survive
sich (*dat.*) etwas überlegen (18) to consider, think about
übernachten (14) to stay overnight
überraschen (19) to surprise
überschreiten, überschritt, hat überschritten to cross
übersetzen (4) to translate
überwinden, überwand, überwunden (22) to overcome
die Überwindung, -en overcoming
überzeugen to convince
übrig/bleiben, blieb übrig, ist übriggeblieben (*with dat.*) to remain, be left over; es bleibt (mir) nichts anderes übrig (I) have no alternative
übrigens (7) by the way
die Übung, -en (7) exercise
die Uhr, -en (7) clock, watch; wieviel Uhr ist es? what time is it?; es ist ... Uhr (7) it is ... o'clock; um ... Uhr at ... o'clock
um (*with acc.*) (3) around, about, at; um ... zu (21) in order to
(sich) um/drehen (13) to turn around, over
umfassen to comprise
umgeben, umgab, umgeben, umgibt to surround

umgekehrt vice versa
die Umrechnung, -en conversion
Umstände machen to cause inconvenience, trouble
sich um/ziehen, zog um, umgezogen (13) to change (clothes)
unabhängig (von) (21) independent (of)
und (1) and; usw. = und so weiter (5) etc.; und zwar (19) that is to say
unendlich infinite
unerkannt unrecognized
unfreundlich (10) unfriendly
ungefähr (7) approximately, about
ungeheuer enormous
das Unglück, -e disaster, accident
unglücklich unhappy, unfortunate
unglücklicherweise (21) unfortunately
die Universität, -en (4) university
das Unrecht wrong
unser (1) our
unter (*with acc. or dat.*) (5) under, among; unter anderem (22) among other things
unterbrechen, unterbrach, unterbrochen, unterbricht (3) to interrupt
die Unterbrechung, -en (22) interruption
sich unterhalten, unterhielt, unterhalten, unterhält (13) to converse, talk
die Unterhaltung, -en (10) conversation, entertainment
der Unterricht, (4) instruction
unterrichten (19) teach, instruct
der Unterschied, -e (19) difference
unterwegs (14) on the way
unvernünftig (18) unreasonable
unzivilisiert uncivilized
die Urkunde, -n document
der Urlaub (16) leave, vacation

der Vater, ⸗ (1) father
sich verabschieden (17) to say good-by
die Veränderung, -en change
die Verantwortung responsibility
das Verantwortungsgefühl, -e feeling of responsibility
verbieten, verbot, verboten (16) to forbid
die Verbindung, -en connection
das Verbrechen, - crime
verbrennen, verbrannte, verbrannt to burn
der Verbrennungsmotor, -en combustion engine
verbringen, verbrachte, verbracht (17) to spend (time)
verdanken to owe
verdauen to digest

verdienen (18)   to earn, deserve
vereinigen   to unite
die Vereinigten Staaten (12)   the United States
die Vergangenheit   past
der Vergaser, -   carburetor
vergessen, vergaß, vergessen, vergißt (4) to forget
vergleichen, verglich, verglichen (16)   to compare
das Vergnügen, - (11)   pleasure
verhältnismäßig   relatively
verkaufen (5)   to sell
die Verkäuferin, -nen (5)   saleswoman, salesgirl
der Verkehr (15)   traffic
das Verkehrslicht, -er (15)   traffic light
verlangen (19)   to demand
verlassen, verließ, verlassen, verläßt (trans.) (9)   to leave
sich verlieben (in, with acc.) (17)   to fall in love (with); verliebt sein (in, with acc.) (17)   to be in love (with)
verlieren, verlor, verloren (13)   to lose
der Verlust, -e (22)   loss
die Vermischung, -en   mixture, mixing
vernünftig (18)   reasonable
veröffentlichen   to publish
die Veröffentlichung, -en   publication
verschieden (19)   different
verschonen   to spare
verschwenden   to waste
verschwinden, verschwand, ist verschwunden (18)   to disappear
versichern (with dat.)   to assure
die Verspätung, -en (7)   delay; Verspätung haben (7)   to be late (planes, trains, etc.)
versprechen, versprach, versprochen, verspricht (12)   to promise
das Verständnis, -se (20)   understanding
verstehen, verstand, verstanden (4)   to understand
versuchen (6)   to try
der Verteiler, -   distributor
vertonen   to set to music
das Vertrauen   confidence
verursachen   to cause
verurteilen   to condemn
verwenden (7)   to use
viel (5)   much; viele (2)   many
vielleicht (2)   perhaps
die Viertelstunde, -n (7)   quarter hour
der Vogel, = (6)   bird
die Vogelfeder, -n   bird's feather
das Volk, =er (16)   nation, people

die Volksschule, -n   elementary school
die Volkswirtschaft, -en   economics
voll (3)   full
vollenden   to complete
vollständig   complete(ly)
von (with dat.) (1, 4)   of, by, from; von . . . aus (8)   from; voneinander (17)   from one another
vor (with acc. or dat.) (5)   before, in front of, ago
vorausgesetzt   provided
vorbei/fließen, floß vorbei, ist vorbeigeflossen (21)   to flow past
(sich) vor/bereiten (auf, with acc.) (19)   to prepare (for)
die Vorbereitung, -en (14)   preparation; Vorbereitungen treffen (15)   to make preparations
vorgestern (10)   day before yesterday
der Vorhang, =e   curtain
vorher (10)   previously
vorläufig   provisional, temporary
die Vorlesung, -en   lecture
vorn (13)   in front
der Vorschlag, =e (15)   suggestion
vor/schlagen, schlug vor, vorgeschlagen, schlägt vor (14)   to suggest, propose
Vorsicht, bitte! (7)   take care, please!
vorsichtig   careful
die Vorstadt, =e (10)   suburb(s)
sich (dat.) etwas vor/stellen (13)   to imagine
vor/stoßen, stieß vor, ist vorgestoßen, stößt vor   to advance

wachen   to be awake
das Wachs (21)   wax
wachsen, wuchs, ist gewachsen, wächst (intrans.) (8)   to grow; einer Sache (nicht) gewachsen sein   (not) to measure up to a thing
der Wagen, - (8)   car
während (with gen.) (6)   during; (conj.) (15)   while
wahrscheinlich (7)   probably
der Wald, =er (2)   forest, wood
die Wand, =e (5)   wall
wandern, ist gewandert (2)   to hike
die Wanderung, -en (7)   walking tour, hike
wann (2)   when
warm (2)   warm
die Warnung, -en (12)   warning
warten (5)   to wait; warten auf (with acc.) (5)   to wait for
warum (1)   why
was (2)   what; was = etwas; was für ein (sing.), was für (pl.) (3)   what kind of;

was haben Sie denn? (1) what is the matter with you?; **was ist los?** (14) what is the matter?; **was . . . noch** what else

(sich) waschen, wusch, gewaschen, wäscht (13) to wash

die **Waschmaschine, -n** (10) washing machine

das **Wasser, -** (10) water

der **Wassersport** (17) water sport; **Wassersport treiben** (17) to go in for, practice, do water sport

wecken to awaken

der **Wecker, -** alarm clock

weder . . . noch (19) neither . . . nor

weg (2) away

der **Weg, -e** (13) way

wegen (*with gen.*) (6) because of

weg/schicken (18) to send away

(sich) wehren to defend oneself

weiden to graze

(das) Weihnachten (12) Christmas

der **Weihnachtsabend, -e** Christmas Eve

der **Weihnachtsbaum, ⸗e** Christmas tree

das **Weihnachtsgedicht** Christmas poem

das **Weihnachtsgeschenk, -e** Christmas present

das **Weihnachtslied, -er** Christmas carol

der **Weihnachtstag, -e** Christmas day

die **Weihnachtszeit, -en** Christmas season

weil (15) because

die **Weile** (5) while

der **Wein, -e** (3) wine

der **Weinberg, -e** vineyard

weiß white

der **Weißwein, -e** (3) white wine

weit (8) far

weiter (6) further, on

weiter/fahren, fuhr weiter, ist weitergefahren, fährt weiter (15) to drive on

welcher, welche, welches (7) which, what

die **Welt, -en** (8) world

das **Weltall** universe

der **Welterfolg, -e** world success

der **Weltverbesserer, -** world reformer

wenig (8) little

wenige (8) few

wenigstens at least

wenn if, when; **wenn auch** (17) although

wer (6) who

werden, wurde, ist geworden, wird (6) to become

werfen, warf, geworfen, wirft (11) to throw

das **Werk, -e** (11) work (*artistic*)

wert (7) worth

der **Wert, -e** (6) value

(das) Westdeutschland Western Germany

der **Westen** (7) the west

westlich (12) western

das **Wetter, -** (2) weather

der **Wetterbericht, -e** (14) weather report

wichtig (9) important

wie (1) how, as, like, such as; **wieviel** (7) how much, **wie viele** (7) how many

wieder (4) again

wiederholen (7) to repeat

die **Wiedervereinigung, -en** reunification

die **Wiese, -n** (8) meadow

wild (16) wild

der **Wind, -e** (21) wind

der **Winter, -** (12) winter

wirklich (1) real(ly)

die **Wirklichkeit, -en** (18) reality

wirtschaftlich economic

wissen, wußte, gewußt, weiß (9) to know

der **Wissenschaftler, -** scientist

wissenschaftlich scientific

wo (2) where

die **Woche, -n** (6) week

das **Wochenende** (10) weekend

die **Wochenendfahrt, -en** (15) weekend trip

wogegen whereas

wohin (2) where to

wohl (18) probably

der **Wohlstand** affluence

wohnen (7) to reside, live

die **Wohnung, -en** (5) apartment

das **Wohnzimmer, -** (10) living room

wolkenlos cloudless

wollen, wollte, gewollt *or* **wollen, will** (9) to want to; **etwas gerade tun wollen** (12) to be about to do something

das **Wort, -e** *or* **⸗er** (3) word

das **Wörtchen, -** (18) little word

wörtlich literal

der **Wortschatz, ⸗e** vocabulary

das **Wunder, -** (4) wonder, miracle

sich wundern (über, *with acc.*) (20) to be surprised (about)

der **Wunsch, ⸗e** (18) wish

wünschen (5) to wish, desire

die **Wurst, ⸗e** (4) sausage

die **Wurstwaren** (*pl.*) sausages

wütend (18) mad, irate

die **Zahl, -en** (7) number, figure

zählen (13) to count

der **Zahn,** ⁼e (13) tooth; **sich** (*dat.*) **die Zähne putzen** (13) to brush one's teeth
die **Zahnpaste, -n** (5) toothpaste
der **Zauber** magic, spell
der **Zaun,** ⁼e fence
zeichnen (19) to draw
zeigen (6) to show
die **Zeit, -en** (5) time; **in letzter Zeit** (10) recently; **zur Zeit** (19) at the time
die **Zeitschrift, -en** (8) magazine
die **Zeitung, -en** (8) newspaper
das **Zelt, -e** tent
zensieren to censor
das **Zentrum, Zentren** center
zerbrechen, zerbrach, ist *or* **hat zerbrochen** (*intrans. & trans.*) (11) to break to pieces
zerreißen, zerriß, zerrissen to tear up, tear to pieces
zerstören (9) to destroy
das **Zeug** (11) stuff, things, material, junk
ziehen, zog, ist gezogen (10) (*intrans.*) to move; **hat gezogen** (*trans.*) to pull
das **Ziel, -e** (20) aim, goal
ziemlich (7) rather, quite
die **Zigarette, -n** (8) cigaret
das **Zimmer, -** (10) room
zivilisiert civilized

zornig angry
zu (*with dat.*) (1, 4) to; (*adverb*) (9) too
der **Zucker, -** (12) sugar
das **Zuckerstück, -e** piece of sugar
zueinander to one another
zuerst (2) at first, first, to begin with
zufällig (12) by chance; **etwas zufällig tun** to happen to do something
zufrieden (21) satisfied, content
der **Zug,** ⁼e (4) train; draft
die **Zukunft** (13) future; **in Zukunft** (20) in the future
zu/machen (13) to close
zunächst (11) at first, for the time being
die **Zündkerze, -n** spark plug
der **Zündschlüssel, -** ignition key
die **Zunge, -n** (6) tongue
zurück/bringen, brachte zurück, zurückgebracht (13) to bring, take back
zurück/fliegen, flog zurück, ist zurückgeflogen (18) to fly back
zurück/geben, gab zurück, zurückgegeben, gibt zurück (13) to give back
zurück/gehen, ging zurück, ist zurückgegangen (16) to go back, return
zurück/kehren (ist) (21) to return
zurück/legen to cover (*a distance*)
zusammen (1) together
zwar ... aber (7) indeed, to be sure ... but; **und zwar** (19) that is to say

ENGLISH-GERMAN

This vocabulary contains all words used in the English-to-German exercises.

able: be able können, konnte, gekonnt, kann
about von (*dat.*); über (*acc.*); (*approximately*) ungefähr; be about to gerade wollen
accompany begleiten
acquaintance der, die Bekannte, -n
across über (*acc.*)
advise raten, riet, geraten, rät (*dat.*)
afraid: be afraid (of) Angst haben (vor + *dat.*)
after (*prep.*) nach (*dat.*); (*conj.*) nachdem
after all schließlich
again wieder
against gegen (*acc.*)
age das Alter, -; at the age of 14 im Alter von 14 Jahren; mit 14 Jahren
ago vor (*dat.*)
alarm clock der Wecker, -
all all-
allowed: be allowed dürfen, durfte, gedurft, darf
almost fast
alone allein
already schon
also auch
although obgleich
always immer
America (das) Amerika
American (*adj.*) amerikanisch; (*noun*) der Amerikaner, -; die Amerikanerin, -nen
another noch ein
answer (*verb*) antworten (*dat.*); (*noun*) die Antwort, -en; answer a question eine Frage beantworten
any jeder, jede, jedes
anything: not anything nichts
apartment die Wohnung, -en
appeal (to) gefallen, gefiel, gefallen, gefällt (*dat.*)
appear erscheinen, erschien, ist erschienen
around um (*acc.*)
as wie; as . . . as so . . . wie; as if als ob
ask fragen; ask a question eine Frage stellen; ask for bitten um
asleep: be asleep schlafen, schlief, geschlafen, schläft
assume an /nehmen, nahm an, angenommen, nimmt an
attend besuchen
attention: pay attention to achten auf (*acc.*)
away weg

back zurück
bad schlimm; schlecht
ballpoint pen der Kugelschreiber, -
bathroom das Bad, die Badezimmer
be sein, war, ist gewesen, ist; there is, there are es gibt; How is he? Wie geht es ihm?
bean die Bohne, -n
beautiful schön
because weil; because of wegen (*gen.*)
become werden, wurde, ist geworden, wird
bed das Bett, -en
beef roast der Rindsbraten, -
before (*prep.*) vor (*dat.*); (*conj.*) ehe; bevor
begin beginnen, begann, begonnen; an /fangen, fing an, angefangen, fängt an
beginning der Anfang, ⸗e
believe glauben
belong gehören
between zwischen (*dat. or acc.*)
big groß
bird der Vogel, ⸗
blame: be to blame for schuld sein an (*dat.*)
boil kochen
book das Buch, ⸗er
bookstore die Buchhandlung, -en
both beide
boy der Junge, -n, -n
bread das Brot, -e; dark bread das Schwarzbrot
break brechen, brach, gebrochen, bricht; break to pieces zerbrechen
bright hell
bring bringen, brachte, gebracht
brother der Bruder, ⸗
brush: brush one's teeth sich (*dat.*) die Zähne putzen
bus der Bus, -se
but aber; (*on the contrary*) sondern
butcher der Metzger, -
butter die Butter
build bauen
building das Gebäude, -
buy kaufen
by von (*dat.*)
by the way übrigens

call rufen, rief, gerufen; (*name*) nennen, nannte, genannt; be called heißen, hieß, geheißen
can (*be able*) können, konnte, gekonnt, kann
car das Auto, -s; der Wagen, -

carrot   die Karotte, -n
carry   tragen, trug, getragen, trägt
case   der Fall, =e
castle   das Schloß, =sser
century   das Jahrhundert, -e
certain   sicher
change   sich ändern
cheese   der Käse
child   das Kind, -er
Christmas   (das) Weihnachten; **Christmas present**   das Weihnachtsgeschenk, -e; **Christmas season**   die Weihnachtszeit, -en
church   die Kirche, -n
city   die Stadt, =e
claim   behaupten
clever   klug
climate   das Klima
clock   die Uhr, -en; **alarm clock**   der Wecker, -
close   zu/machen; schließen, schloß, geschlossen
cold   kalt
come   kommen, kam, ist gekommen; **come back**   zurück/kommen
comfortable   gemütlich; bequem
communism   der Kommunismus
complete(ly)   ganz
concern: be concerned with   sich beschäftigen mit
consist (of)   bestehen, bestand, bestanden (aus)
converse   sich unterhalten, unterhielt, unterhalten, unterhält
cook   (*noun*) der Koch, =e; (*verb*) kochen
corner   die Ecke, -n
correct   richtig
cost   kosten
country   das Land, =er
cozy   gemütlich
cry   rufen, rief, gerufen
cup   die Tasse, -n

dance   tanzen
dark   dunkel; **dark bread**   das Schwarzbrot
day   der Tag, -e; **day before yesterday**   vorgestern; **every day**   jeden Tag; **good day**   guten Tag; **one day**   eines Tages
dead   tot
deal (with)   handeln (von)
dear   lieb
December   (der) Dezember
decide   sich entschließen, entschloß, entschlossen
deep   tief
Denmark   (das) Dänemark
department store   das Kaufhaus, =er

depend (on)   ab/hängen, hing ab, abgehangen (von)
desire   wünschen
destroy   zerstören
determine   fest/stellen
difference   der Unterschied, -e
difficult   schwer; schwierig
difficulty   die Schwierigkeit, -en
dining car   der Speisewagen, -
do   tun, tat, getan; machen
dog   der Hund, -e
door   die Tür, -en
drama   das Drama, Dramen
dressed: get dressed   sich an/ziehen, zog an, angezogen
drink   trinken, trank, getrunken
drive   fahren, fuhr, ist gefahren, fährt
driver   der Autofahrer, -
drop   der Tropfen, -
during   während (*gen.*)

easy   leicht
eat   essen, aß, gegessen, ißt
egg   das Ei, -er
end   das Ende, -n
England   (das) England
English   (das) Englisch
enjoyment   das Vergnügen, -
enough   genug
entire(ly)   ganz
especially   besonders
even   sogar; selbst
evening   der Abend, -e; **this evening**   heute abend
every   jeder, jede, jedes
everyone   jeder
everything   alles
examination   die Prüfung, -en
example   das Beispiel, -e; **for example**   zum Beispiel
excuse me   entschuldigen Sie!
expensive   teuer
explain   erklären
express train   der Schnellzug, =e
eye   das Auge, -n

face   das Gesicht, -er
fairy tale   das Märchen, -
fall   fallen, fiel, ist gefallen, fällt
famous   berühmt
far   weit
father   der Vater, =
few: a few   einige, ein paar
field   das Feld, -er
fight   kämpfen
film   der Film, -e

finally endlich
find finden, fand, gefunden
fire das Feuer, -
first zuerst; erst-
flight der Flug, =e
food das Essen
for (*prep.*) für (*acc.*); (*conj.*) denn
foreigner der Ausländer, -
forest der Wald, =er
forget vergessen, vergaß, vergessen, vergißt
former früher; **the former** jener, jene, jenes
four vier
free frei
Friday (der) Freitag
friend der Freund, -e; die Freundin, -nen
friendly freundlich
from von (*dat.*)
front: in front of vor (*dat. or acc.*)
fruit das Obst
future die Zukunft

gas(oline) das Benzin; **get gas** tanken
gas station die Tankstelle, -n
general(ly) allgemein
generation die Generation, -en
German der Deutsche, -n; die Deutsche, -n; (*language*) (das) Deutsch; **in German** auf deutsch; **German class** die Deutschstunde, -n; **German teacher** der Deutschlehrer, -; **German studies** das Deutschstudium
Germany (das) Deutschland
get bekommen, bekam, bekommen; (*become*) werden, wurde, ist geworden, wird; **get dressed** sich an/ziehen, zog an, angezogen; **get out** aus/steigen, stieg aus, ist ausgestiegen; **get up** auf/stehen, stand auf, ist aufgestanden; **get used to** sich gewöhnen an (*acc.*)
girl das Mädchen, -
give geben, gab, gegeben, gibt
gladly gern(e)
glass das Glas, =er
go gehen, ging, ist gegangen; fahren, fuhr, ist gefahren, fährt
good gut, besser, best-
good-by auf Wiedersehen
government die Regierung, -en
gram das Gramm
great groß
green grün
grow wachsen, wuchs, ist gewachsen, wächst; **grow up** auf/wachsen

half halb; die Hälfte
ham der Schinken, -

happen geschehen, geschah, ist geschehen, geschieht
happy froh; **be happy about** sich freuen über (*acc.*)
hardly kaum
have haben, hatte, gehabt, hat; **have to** müssen, mußte, gemußt, muß
hear hören
heart das Herz, -ens, -en; **by heart** auswendig
hello guten Tag
help helfen, half, geholfen, hilft
her (*adj.*) ihr
here hier
high hoch, höher, höchst-
hike wandern
his sein
history die Geschichte, -n
home nach Hause; **(at) home** zu Hause
hope: I hope hoffentlich
hour die Stunde, -n
house das Haus, =er
housewife die Hausfrau, -en
how wie; **how much** wieviel; **how many** wie viele
however aber
hungry: be hungry Hunger haben
hurry sich beeilen
husband der Mann, =er

if wenn; (*whether*) ob
imagine sich (*dat.*) vor/stellen
important wichtig
industrious fleißig
informed: be informed about Bescheid wissen über (*acc.*)
inhabitant der Einwohner, -
instead (of) anstatt; statt (*gen.*)
interest (*verb*) interessieren; (*noun*) das Interesse, -n; **be interested in** sich interessieren für
interesting interessant
interrupt unterbrechen, unterbrach, unterbrochen, unterbricht
into in (*acc.*)
introduce ein/führen
invention die Erfindung, -en
invite ein/laden, lud ein, eingeladen, lädt ein
Italy (das) Italien

just gerade; nur

kill töten
kilometer der Kilometer, -
know kennen, kannte, gekannt; (*a fact*) wissen, wußte, gewußt, weiß; (*a language*) können, konnte, gekonnt, kann

lady die Dame, -n
lake der See, -n
language die Sprache, -n
large groß
last (*verb*) dauern; (*adj.*) letzt-
late spät; **be late** (*trains, etc.*) Verspätung haben
latter dieser, diese, dieses
laugh lachen
lazy faul
learn lernen; **learn by heart** auswendig lernen
least: at least wenigstens
leave (*trans.*) lassen, ließ, gelassen, läßt; verlassen; (*intrans.*) ab /fahren
legend die Legende, -n; die Sage, -n
lesson die Aufgabe, -n
let lassen, ließ, gelassen, läßt
letter der Brief, -e
lie liegen, lag, gelegen
life das Leben, -
like gern haben; mögen; gefallen, gefiel, gefallen, gefällt; **I like it** es gefällt mir
little klein
live leben; (*dwell*) wohnen
living room das Wohnzimmer, -
long lang; **(for) a long time** lange; **no longer** nicht mehr
look sehen, sah, gesehen, sieht; (*appear*) aus /sehen; **look at** an /sehen; **look for** suchen; **look forward to** sich freuen auf (*acc.*); **take a look at** sich (*dat.*) an /sehen
loud(ly) laut
love: fall in love with sich verlieben in (*acc.*)

make machen
man der Mann, ⸗er
many viele
map die Landkarte, -n; die Karte, -n
mark die Mark (*same in pl.*)
marvelous herrlich
matter: what's the matter? Was ist los?; **What's the matter with you?** Was haben Sie denn?
may dürfen, durfte, gedurft, darf
maybe vielleicht
mean bedeuten
meanwhile inzwischen
meat das Fleisch
meet treffen, traf, getroffen, trifft
memorize auswendig lernen
menu die Speisekarte, -n
minute die Minute, -n
modern modern
moment der Augenblick, -e

money das Geld, -er
more mehr; **not any more** nicht mehr; **kein . . . mehr; once more** noch einmal
morning der Morgen, -; **good morning** guten Morgen; **in the morning** morgens; am Morgen
most meist-
mother die Mutter, ⸗
motor der Motor, -en
mountain der Berg, -e
movies das Kino; **at the movies** im Kino; **to the movies** ins Kino
Mr. Herr, -n, -en
Mrs. Frau, -en
much viel
music die Musik
must müssen, mußte, gemußt, muß
my mein

naturally natürlich
nature lover der Naturfreund, -e
need brauchen
neighbor der Nachbar, -n, -n
never nie; **never yet** noch nie
new neu
next nächst-
nice nett
no nein
Norway (das) Norwegen
not nicht; **not at all** gar nicht; **not yet** noch nicht
nothing nichts
novel der Roman, -e
now jetzt; nun

occur ein /fallen, fiel ein, ist eingefallen, fällt ein (*dat.*)
October (der) Oktober
of von (*dat.*)
of course natürlich
often oft
old alt
on auf (*dat. or acc.*); an (*dat. or acc.*)
once: once upon a time es war einmal; **at once** sofort; **once more** noch einmal
one man; ein, eine, ein
only nur; erst; (*adj.*) einzig
open auf /machen; öffnen
optimistic optimistisch
order bestellen; **in order to** um . . . zu
ordinary gewöhnlich
originate entstehen, entstand, ist entstanden
other ander-
our unser
out (of) aus (*dat.*)
over über (*dat. or acc.*)

overcome überwinden, überwand, überwunden
own eigen

parents die Eltern (*pl.*)
part der Teil, -e
pay bezahlen
pea die Erbse, -n
people die Leute
perhaps vielleicht
phone telephonieren
picture das Bild, -er
place: at my place bei mir
plane das Flugzeug, -e
plate der Teller, -
play spielen
please bitte
pleasure das Vergnügen
poem das Gedicht, -e
poet der Dichter, -
politics die Politik
poor arm
pope der Papst, ⁼e
possible möglich
potato die Kartoffel, -n; fried potatoes Bratkartoffeln
pot roast der Rindsbraten, -
pound das Pfund
present das Geschenk, -e
prevail herrschen
price der Preis, -e
probably wahrscheinlich
problem das Problem, -e
professor der Professor, -en
proud (of) stolz (auf + *acc.*)
pupil der Schüler, -

quarter hour die Viertelstunde, -n
question die Frage, -n; be a question of sich handeln um
quick schnell

rain regnen
raincoat der Regenmantel, ⁼
rather ziemlich
reading selection das Lesestück, -e
really wirklich
recently kürzlich
recommend empfehlen, empfahl, empfohlen, empfiehlt
record die (Schall)Platte, -n; LP record die Langspielplatte, -n
record player der Plattenspieler, -
red rot
remember sich erinnern (an + *acc.*)
remind erinnern

report der Bericht, -e
restaurant das Restaurant, -s; in the restaurant im Restaurant; to the Restaurant ins Restaurant
ride reiten, ritt, ist geritten
right: be right recht haben
right away gleich, sofort
ring läuten
river der Fluß, ⁼sse
road die Straße, -n
roast der Braten, -; beef (pot) roast der Rindsbraten
robber der Räuber, -
romantic romantisch
room das Zimmer, -
run laufen, lief, ist gelaufen, läuft

sad traurig
salesgirl die Verkäuferin, -nen
same: the same derselbe, dieselbe, dasselbe; all (just) the same trotzdem
Saturday (der) Samstag, (der) Sonnabend
sausage die Wurst, ⁼e
say sagen; there it says dort steht
Scandinavia (das) Skandinavien
school die Schule, -n; school system das Schulsystem, -e; school week die Schulwoche, -n; school year das Schuljahr, -e
see sehen, sah, gesehen, sieht
seem scheinen, schien, geschienen
send schicken
separate getrennt
several mehrere
shave sich rasieren
shine scheinen, schien, geschienen
shopping: go shopping einkaufen gehen
short kurz
show zeigen
sick krank
side die Seite, -n
similar ähnlich
simple einfach
since da
sir mein Herr
sister die Schwester, -n
sit sitzen, saß, gesessen
sky der Himmel, -
sleep schlafen, schlief, geschlafen, schläft
slice schneiden, schnitt, geschnitten
slow langsam
small klein
so so; also
so long auf Wiedersehen
some etwas; einige
someone jemand
something etwas

sometimes manchmal
son der Sohn, ∗e
soon bald
sorry: I am sorry es tut mir leid; **feel sorry for** Mitleid haben mit
soup die Suppe, -n; **vegetable soup** die Gemüsesuppe; **noodle soup** die Nudelsuppe
speak sprechen, sprach, gesprochen, spricht
speed die Geschwindigkeit, -en
spend verbringen, verbrachte, verbracht
spite: in spite of trotz (*gen.*)
stay bleiben, blieb, ist geblieben
still noch
stop stehen/bleiben, blieb stehen, ist stehengeblieben; auf/hören
stop (*bus or streetcar*) die Haltestelle, -n
story die Geschichte, -n
street die Straße, -n
student der Student, -en, -en; die Studentin, -nen
studies das Studium, die Studien
study studieren; lernen
stupid dumm
suburb(s) die Vorstadt, ∗e
succeed gelingen, gelang, ist gelungen; **I succeed in doing . . .** es gelingt mir . . . zu tun
success der Erfolg, -e
such solcher, solche, solches; **such a** so ein, so eine, so ein
suddenly plötzlich
suggest vor/schlagen, schlug vor, vorgeschlagen, schlägt vor
summer der Sommer, -
sun die Sonne, -n
Sunday (der) Sonntag, -e; **next Sunday** nächsten Sonntag
supposed: be supposed to sollen, sollte, gesollt, soll
sure(ly) sicher; **to be sure** zwar
surprise: be surprised (at) sich wundern (über *with acc.*)
sweater der Pullover, -
Sweden (das) Schweden
symphony orchestra das Symphonieorchester, -
system das System, -e

table der Tisch, -e
take nehmen, nahm, genommen, nimmt; **take a trip** eine Reise machen
talk sich unterhalten, unterhielt, unterhalten, unterhält; sprechen, sprach, gesprochen, spricht

teach unterrichten; lehren
teacher der Lehrer, -
television set der Fernsehapparat, -e
tell sagen; erzählen
terrible furchtbar
test die Klassenarbeit, -en
textbook das Schulbuch, ∗er
than als
thanks danke; vielen Dank; danke schön
that das; daß; was
their ihr
then dann
there da; dort
therefore deshalb; darum
thing die Sache, -n
think glauben; denken, dachte, gedacht; **think of** denken an (*acc.*)
this dieser, diese, dieses
three drei
through durch (*acc.*)
throw werfen, warf, geworfen, wirft
Thursday (der) Donnerstag
time die Zeit, -en; das Mal, -e; **this time** diesmal; **at that time** damals
to zu (*dat.*); nach (*dat.*); an (*acc.*); in (*acc.*)
today heute
together zusammen
tomorrow morgen
too auch; zu
tooth der Zahn, ∗e
tooth paste die Zahnpaste, -n
tourist der Tourist, -en, -en
town die Stadt, ∗e
toy plate der Spielzeugteller, -
traffic light das Verkehrslicht, -er
train der Zug, ∗e
travel reisen
travel agency das Reisebüro, -s
treasure der Schatz, ∗e
trip die Reise, -n; **take a trip** eine Reise machen
true wahr; **be true** stimmen
try versuchen
Tuesday (der) Dienstag
turn around sich um/drehen
two zwei

ugly häßlich
under unter (*dat. or acc.*)
understand verstehen, verstand, verstanden
unfortunately leider
United States die Vereinigten Staaten
university die Universität, -en
until bis; **not until** erst
umbrella der Schirm

upstairs oben
up to bis (zu)
usual(ly) gewöhnlich

vacation die Ferien (*pl.*); **summer vacation**
die Sommerferien
valley das Tal, ⸗er
vegetables das Gemüse
very sehr
village das Dorf, ⸗er
visit besuchen

wait warten; **wait for** warten auf (*acc.*)
waiter der Ober, -
walk (*noun*) der Spaziergang, ⸗e; (*verb*)
gehen, ging, ist gegangen; **take a walk**
einen Spaziergang machen
want wollen, wollte, gewollt, will
war der Krieg, -e
wash (sich) waschen, wusch, gewaschen,
wäscht
wear tragen, trug, getragen, trägt
weather das Wetter
week die Woche, -n
well gut
well-known bekannt
wet naß
what was; welcher, welche, welches
what kind of was für (ein)
when als; wann; wenn
where wo; wohin

whether ob
while während
who wer; der, die, das
whoever wer
whole ganz
why warum; **that's why** darum; deshalb
wife die Frau, -en
window das Fenster, -
wine der Wein, -e
wish wünschen
with mit (*dat.*); bei (*dat.*)
without ohne (*acc.*)
woman die Frau, -en
wonder das Wunder, -
word das Wort, -e *or* ⸗er
work (*noun*) das Werk, -e; (*verb*) arbeiten
world die Welt, -en
worry sich (*dat.*) Sorgen machen
write schreiben, schrieb, geschrieben; **write
down** auf /schreiben
writer der Schriftsteller, -

year das Jahr, -e
yes ja
yesterday gestern; **day before yesterday**
vorgestern
yet noch; **not yet** noch nicht; **never yet**
noch nie
young jung
your Ihr; dein; euer
youth die Jugend

Index